BESTSELLER

John Grisham (Jonesboro, Arkansas, 1955) se dedicó a la abogacía antes de convertirse en escritor de éxito mundial. Desde que publicó su primera novela en 1988, ha escrito casi una por año: todas sin excepción han sido *best sellers*, además de resultar, ocho de ellas, una exitosa fuente de guiones para el cine. Su obra se compone de las novelas *Tiempo de matar*, *La tapadera*, *El informe Pelícano*, *El cliente*, *Cámara de gas*, *Legítima defensa*, *El jurado*, *El socio*, *Causa justa*, *El testamento*, *La hermandad*, *La granja*, *Una Navidad diferente*, *La citación*, *El rey de los pleitos*, *El último partido*, *El último jurado*, *El intermediario* y *La apelación*, así como del libro de no ficción *El proyecto Williamson: una historial real* y del guión cinematográfico de *Conflicto de intereses*, que dirigió Robert Altman. John Grisham vive con su esposa y sus dos hijos en Virginia y Mississippi.

Para más información puede consultar la web del autor: www.jgrisham.com

Biblioteca

JOHN GRISHAM

El socio

Traducción de
Mercè López Arnabat

DEBOLS!LLO

Título original: *The Partner*

Segunda edición: abril, 2009

© 1997, John Grisham
© 2009, Random House Mondadori, S. A.
   Travessera de Gràcia, 47-49. 08021 Barcelona
© Mercè López Arnabat, por la traducción

Printed in Spain – Impreso en España

ISBN: 978-84-8346-878-4 (vol. 412/7)
Depósito legal: B-18429-2009

Fotocomposición: Zero pre impresión, S. L.

Impreso en Liberdúplex, S. L. U.
Sant Llorenç d'Hortons (Barcelona)

P 868784

A David Gernert,
amigo, editor, agente

1

Lo encontraron en Ponta Porã, una bonita población brasileña cercana a Paraguay, en una zona que aún se conoce con el nombre de La Frontera.

Lo encontraron instalado en una casa umbrosa de ladrillo de Rua Tiradentes, una gran avenida con un paseo arbolado en el centro y un ejército de mocosos descalzos que jugaban al fútbol sobre las losas ardientes de las aceras.

Lo encontraron solo, por más que buscaron durante los ocho días en que permanecieron al acecho, sin otra compañía que la de una empleada doméstica que entraba y salía de la casa de vez en cuando.

Lo encontraron rodeado de todo lo necesario para llevar una vida confortable pero ni mucho menos lujosa.

La casa era modesta, no mayor que la de cualquier comerciante del lugar, y tenía un escarabajo Volkswagen salido de las cadenas de montaje de São Paulo en 1983, lo mismo que otro millón de vehículos iguales. La carrocería era roja y brillaba de puro limpio. De hecho, la primera fotografía se la hicieron precisamente mientras enceraba el coche junto a la verja donde acababa el corto camino de acceso a la casa.

Lo encontraron bastante más delgado, por debajo de los cien kilos que arrastraba en su última aparición, con el pelo y la tez más oscuros, el mentón más cuadrado y la nariz más respingona. Una sutil operación de camuflaje facial. El ciruja-no de Río que se la había practicado hacía dos años y medio se había avenido a compartir dicha información a cambio de un nada módico soborno.

Lo encontraron tras cuatro años de búsqueda tediosa pero diligente, cuatro largos años de callejones sin salida y pistas falsas, de tirar por la borda un dinero ganado honradamen-te que invirtieron en recuperar un dinero obtenido, según todas las apariencias, de forma ilícita.

Pero lo encontraron. Y supieron esperar. Al principio se sintieron tentados de actuar de inmediato, de drogarlo y tras-ladarlo a algún lugar remoto de Paraguay, de capturarlo y evitar el riesgo de ser descubiertos o de despertar sospechas en el vecindario. Sin embargo, y pese a que la exaltación de los primeros momentos los empujaba a poner manos a la obra, al cabo de un par de días los ánimos ya se habían sere-nado y todo recomendaba paciencia. Se dedicaron a mero-dear por Rua Tiradentes vestidos de manera que se los con-fundiera con la población autóctona. Bebieron té a la sombra, se resguardaron del sol, comieron helados y hablaron con los chiquillos del barrio sin perder de vista la casa. Lo siguieron cuando iba de compras al centro y lo fotografiaron desde el otro lado de la calle cuando se dirigía hacia la farmacia. Se pe-garon a él en el mercado y lo oyeron hablar con el dependien-te del puesto de la fruta. Su portugués era casi perfecto; ape-nas quedaba el rastro de ese acento que se resiste a abandonar a estadounidenses y alemanes cuando estos se empeñan en do-minar una lengua extranjera. La expedición al centro fue breve, ya que, una vez avituallado, regresó a casa con celeridad y, sin entretenerse, cerró tras de sí la verja de su propiedad. La excur-sión bastó, sin embargo, para que pudieran hacerle una docena de buenas fotografías.

Su afición al footing no era ninguna novedad, a pesar de que en los meses que precedieron a su desaparición las dis-tancias recorridas disminuyeron proporcionalmente a su espectacular aumento de peso. Dado el aspecto demacrado que presentaba en aquellos momentos, a nadie le extrañó que calzara de nuevo zapatillas de deporte. Empezó a correr en la misma acera de Rua Tiradentes, nada más salir de casa y cerrar la verja de la calle. Tardó seis minutos en recorrer el primer kilómetro, por camino llano y entre casas cada vez más separadas. Al llegar a los límites de la población, las baldosas dejaron paso a la grava. Antes de haber completado los tres kilómetros, Danny Boy ya había rebajado su media en casi un minuto. Sus sudores evidenciaban el esfuerzo. Se aproximaba la hora de comer y estaban en octubre; la temperatura superaba los veinticinco grados centígrados. El corredor fue ganando velocidad a medida que se alejaba de la ciudad, después de dejar atrás una clínica repleta de jóvenes parturientas y una pequeña iglesia construida por los baptistas. Cuando enfiló la pista que llevaba a campo abierto, el ritmo de su carrera era de cuatro minutos y medio por kilómetro.

Por suerte para ellos, Danilo se tomaba el footing muy en serio. Él solito se metería en la boca del lobo.

Transcurridas apenas veinticuatro horas desde el primer contacto visual con el objetivo, un brasileño llamado Osmar alquiló una granja medio abandonada en las afueras de Ponta Porã. Los demás componentes del grupo de persecución, formado a partes iguales por estadounidenses y brasileños, se reunieron con él al cabo de muy poco. Osmar repetía en portugués las órdenes que un tipo llamado Guy daba a gritos y en inglés. Osmar hablaba ambos idiomas, y se había convertido en el intérprete oficial del grupo.

Guy era de Washington y tenía el aspecto característico de los ex agentes del gobierno. Lo habían contratado para descubrir el paradero de un tipo al que él había bautizado con el sobrenombre de Danny Boy. A Guy se le consideraba un genio en muchos aspectos, y un hombre de enorme talento en el resto. Su pasado era un agujero negro. Su quinto contrato consecutivo como miembro de aquella misión estaba a punto de expirar, y sabía que le esperaba una espléndida gratificación si atrapaba a su presa. La búsqueda de Danny Boy lo había sometido a una presión durísima, y, por más que lo disimulara, lo cierto es que no estaba seguro de poder aguantarla durante mucho más tiempo.

Cuatro años y tres millones y medio de dólares invertidos, y nada que mostrar a cambio.

Por suerte, lo habían encontrado.

Osmar y la parte brasileña del equipo desconocían la naturaleza de los pecados que podía haber cometido el tal Danny Boy, aunque no hacía falta ser un lince para darse cuenta de que había desaparecido del mapa llevándose una suma de dinero considerable. Osmar sentía curiosidad por la historia de Danny Boy, pero había aprendido enseguida a no hacer preguntas. Guy y el resto de los estadounidenses, por su parte, no soltaban prenda sobre el asunto.

Las fotografías de Danny Boy, ampliadas a veinte por veinticinco, colgaban de una de las paredes de la cocina de la granja medio abandonada, donde estaban siendo sometidas al escrutinio de un puñado de fumadores compulsivos de aspecto adusto y mirada implacable. Los expertos intercambiaban comentarios en voz baja, contemplaban las fotos con incredulidad y las comparaban con instantáneas menos recientes, tomadas durante la etapa anterior de la vida del sujeto. Había perdido peso, tenía algo raro en el mentón, y la nariz tampoco era la misma de antes. Además, llevaba el pelo más corto y estaba mucho más moreno. ¿Se trataba realmente del hombre que buscaban?

Ya habían pasado por la misma situación en Recife, en la costa nordeste, diecinueve meses atrás. Habían estado analizando una colección de fotografías colgadas de la pared en un apartamento alquilado hasta llegar a la conclusión de que era imprescindible hacerse con el extranjero y comprobar sus huellas dactilares. En aquella ocasión las pruebas de identificación habían resultado negativas. El tipo no era el súbdito estadounidense que buscaban. Su cuerpo, drogado hasta los topes, acabó abandonado en una cuneta.

No se atrevían a indagar demasiado en la existencia de Danilo Silva. Si, como creían, era el hombre que buscaban, no cabía duda de que disponía de mucho dinero. Y el dinero siempre había obrado maravillas con las autoridades de la zona. Durante décadas, el dinero había servido a nazis y otros fugitivos alemanes para comprar la seguridad de un refugio en Ponta Porã.

Osmar era partidario de una intervención inmediata. Guy prefería esperar. Danny Boy desapareció al cuarto día, y en la granja medio abandonada se vivieron treinta y seis horas de caos.

Lo vieron salir de casa en el escarabajo rojo. Apresuradamente, según el informe. Cruzó la ciudad a toda prisa, llegó al aeropuerto, embarcó en un vuelo nacional en el último momento y dejó a sus perseguidores con un palmo de narices. El coche y el aparcamiento del aeropuerto fueron sometidos a una vigilancia intensiva.

El avión despegó rumbo a São Paulo, y debía hacer cuatro escalas intermedias.

Los perseguidores de Danny Boy trazaron de inmediato un plan para entrar en la casa y elaborar un catálogo exhaustivo de su contenido. El dinero habría sido depositado o invertido en algún sitio, y su dueño debía de conservar constancia escrita de dicha operación. Guy soñaba con encontrar una carpeta llena de saldos bancarios, informes de transferencias, extractos de cuenta y otros documentos reveladores; una pista que lo condujera directamente al dinero.

Pero sabía que era solo un sueño. Si Danny Boy había cogido ese avión porque había detectado su presencia, se había llevado las pruebas consigo. Y si era el hombre que andaban buscando, podían estar seguros de que la casa sería prácticamente inexpugnable. Fuera cual fuese su paradero en aquellos momentos, Danny Boy tendría noticia inmediata de cualquier intrusión.

Así pues, esperaron. Hubo maldiciones, peleas y más tensión de lo habitual. Como cada día, Guy hizo la llamada de rigor a Washington, una de las menos agradables de la historia de aquella búsqueda. El escarabajo rojo siguió sometido a una estrecha vigilancia. Cada nuevo aterrizaje causaba un alboroto de prismáticos y teléfonos móviles. Seis vuelos el primer día. Cinco el segundo. Dentro de la granja medio abandonada, el calor llegó a hacerse insoportable, hasta tal punto que los hombres de Guy prefirieron trasladarse al exterior. Los estadounidenses sesteaban bajo la sombra de un arbolillo del patio de atrás. Los brasileños jugaban a las cartas junto al cercado de la entrada.

Guy y Osmar dieron un largo paseo en coche durante el cual se prometieron no dejar escapar a su objetivo si este decidía regresar. Osmar confiaba en que sí lo haría. Lo más probable era que hubiese tenido que viajar por algún asunto de negocios; esos negocios que mantenía en el más estricto secreto. Estaba decidido. Lo raptarían, lo someterían a las pruebas de identificación y, si resultaba que no era quien esperaban, lo abandonarían en una cuneta y desaparecerían sin dejar rastro. No sería la primera vez.

Danny Boy volvió al quinto día. Miembros del equipo de persecución lo siguieron de vuelta a Rua Tiradentes. El mal humor se esfumó de inmediato.

Al octavo día, a medida que los brasileños y los estadounidenses iban ocupando sus puestos, la granja se fue quedando vacía.

El recorrido sería de nueve kilómetros y medio, el mismo que había hecho todos los días que estuvo sometido a vigilancia en Ponta Porã. Ni la hora de salida ni el atuendo habían variado: pantalones cortos azules y naranja, zapatillas Nike muy usadas, calcetines y torso al descubierto.

El lugar idóneo estaba a cuatro kilómetros de la casa, en la cima de una loma atravesada por una pista rural, no lejos del punto en que solía dar media vuelta. Danilo alcanzó la cima del promontorio al cabo de veinte minutos de carrera, unos cuantos segundos antes de lo previsto. Había corrido más deprisa que otras veces. Por culpa de un nubarrón amenazador, seguramente.

En lo alto de la loma había un coche que bloqueaba la carretera. A juzgar por el maletero abierto y el gato hidráulico que sostenía las ruedas traseras a unos centímetros del suelo, el vehículo había sufrido un pinchazo. El conductor era un joven corpulento que fingió sorpresa al ver aparecer al escuálido corredor empapado de sudor y casi sin aliento. Danilo aminoró la marcha un momento. A la derecha había espacio suficiente para pasar.

—*Bom dia* —lo saludó el joven corpulento mientras daba un paso en dirección a él.

—*Bom dia* —respondió Danilo al llegar junto al coche.

De pronto el conductor sacó un gran revólver reluciente del maletero y lo acercó a la cara de Danilo. El corredor se quedó petrificado, con los ojos fijos en el arma y la boca abierta debido al cansancio. El conductor, un tipo de manos grandes y brazos largos y musculosos, cogió a Danilo por el cuello y lo empujó bruscamente hacia el coche hasta que sus piernas dieron contra el parachoques. Entonces se guardó el revólver en el bolsillo y, utilizando ambas manos, obligó a Danilo a introducirse en el portaequipajes. Danny Boy pataleó y se resistió cuanto pudo, pero no sirvió de nada.

El conductor cerró el maletero de golpe, retiró el gato hidráulico, se deshizo de él y emprendió la marcha. Al cabo de poco más de un kilómetro tomó un camino estrecho, donde sus compañeros lo esperaban con impaciencia.

Los raptores de Danny Boy le ataron las muñecas con cuerdas de nailon y le pusieron una venda negra sobre los ojos antes de meterlo a empellones en la parte de atrás de una furgoneta. Osmar se sentó a su derecha y otro brasileño a su izquierda. Alguien hurgó en la riñonera que Danilo llevaba sujeta con velcro a la cintura y le quitó las llaves. Este no protestó. Cuando la furgoneta arrancó, seguía sudando y jadeaba aún más que antes.

La furgoneta se detuvo en una carretera sin asfaltar cerca de un campo de cultivo. Fue entonces cuando Danilo abrió la boca por primera vez.

—¿Qué es lo que quieren? —les preguntó en portugués.

—Silencio —lo atajó Osmar en inglés.

El brasileño sentado a la izquierda de Danilo sacó una jeringuilla de una cajita metálica y la llenó rápidamente de un potente narcótico. Osmar sujetó a Danilo de las muñecas mientras el otro hombre le clavaba la aguja en la parte superior del brazo. La víctima intentó levantarse y alejarse del agresor, pero no tardó en comprender la inutilidad del esfuerzo. Los efectos del sedante se hicieron notar antes incluso de que la última gota hubiera entrado en contacto con su organismo. Ya no respiraba tan agitadamente, y la cabeza le daba vueltas. Cuando Danilo dejó caer la barbilla sobre el pecho, Osmar le levantó el borde del pantalón con el índice de la mano derecha. Sus sospechas eran ciertas: Danilo no tenía la piel oscura, sino simplemente bronceada.

El ejercicio físico lo ayudaba a mantenerse delgado y, al mismo tiempo, moreno.

En La Frontera los secuestros eran frecuentes, y los estadounidenses se contaban entre las presas favoritas de los delincuentes, pero ¿por qué él? Fue el último pensamiento consciente de Danilo antes de cerrar los ojos. La caída libre por el espacio lo hizo sonreír. Tuvo que esquivar cometas y meteoritos, y agarrarse de vez en cuando a alguna que otra luna. Galaxias enteras recorridas con una sonrisa en los labios.

Lo metieron debajo de unas cuantas cajas de cartón llenas de melones y de frutas silvestres. Los guardias fronterizos les franquearon el paso con un gesto afirmativo, y sin levantarse del asiento. No puede decirse que en aquel momento le importara demasiado, pero Danny Boy acababa de cruzar la frontera paraguaya. El estado de las carreteras empeoró y el terreno se hizo más accidentado. Mientras tanto, el secuestrado seguía dando tumbos en el suelo de la furgoneta. Osmar fumaba un cigarrillo tras otro y daba instrucciones ocasionales al conductor. Al cabo de una hora, después de tomar una última curva, Danny Boy y sus secuestradores llegaron a su destino. La cabaña estaba escondida entre dos colinas que la ocultaban casi por completo a los vehículos que circulaban por la estrecha carretera sin asfaltar. Danilo fue transportado como un saco de harina hasta la mesa donde Guy y el especialista en huellas dactilares esperaban para ponerse manos a la obra.

Danny Boy se dejó tomar las huellas entre ronquidos aparatosos. Los hombres de Guy, apiñados alrededor de la mesa, siguieron la operación sin perder detalle. Junto a la puerta había unas cuantas botellas de whisky para celebrar el éxito si aquel tipo resultaba ser el auténtico Danny Boy.

El hombre que había tomado las huellas dactilares salió repentinamente de la habitación y se encerró con llave en un cuartucho del fondo de la cabaña. Distribuyó las muestras recién tomadas delante de él, ajustó la intensidad de la bombilla y las comparó con las muestras originales, amablemente cedidas por un Danny Boy mucho más joven que solicitaba su ingreso en el Colegio de Abogados de Luisiana con el nombre de Patrick. Curiosa, esta costumbre de tomar las huellas dactilares a los abogados.

Las dos muestras estaban claras y resultaba obvio que coincidían exactamente. Aun así, el experto comprobó meticulosamente las yemas de los diez dedos. No había razón para precipitarse. Guy y los suyos podían esperar, y él también tenía derecho a divertirse. Por fin se decidió a salir. Con el entrecejo fruncido y una docena de caras escrutadoras frente a la suya, desplegó una sonrisa.

—Es él —dijo en inglés. Los demás aplaudieron.

Guy les dio permiso para celebrarlo, pero les advirtió que bebieran con moderación. Aún quedaba mucho trabajo por hacer. Danny Boy seguía inconsciente, pero recibió otra inyección antes de ser trasladado a un pequeño dormitorio sin ventanas y con una puerta maciza que solo se abría desde el exterior. Allí sería interrogado y, si era necesario, sometido a tortura.

Los muchachos descalzos que jugaban al fútbol en la calle estaban demasiado enfrascados en el juego para levantar la vista del balón. El llavero de Danny Boy solo tenía cuatro llaves, y no fue difícil encontrar la que abría la pequeña verja de la casa. Cuatro números más allá, a la sombra de un gran árbol, había un hombre vigilando desde un coche de alquiler. Un tercer cómplice detuvo su motocicleta al otro extremo de la calle y se puso a repasar los frenos.

Si el sistema de seguridad se accionaba con su presencia, el intruso tenía previsto echar a correr —por eso no había cerrado la verja— y desaparecer sin dejar rastro. Si no, se encerraría con llave y procedería al inventario.

La puerta se abrió sin que sonara ninguna sirena. Según el tablero de control de la alarma, el sistema estaba desconectado. El intruso respiró hondo y permaneció inmóvil por espacio de un minuto hasta empezar el registro. Después de tomar prestados el disco duro del ordenador de Danny Boy y todos sus disquetes, revisó los papeles que había ordenados sobre la mesa: recibos corrientes, algunos pagados y otros por pagar. El fax era un modelo barato y anodino que se declaraba averiado. Ropa, comida, muebles, estanterías y revisteros fueron debidamente fotografiados.

Cinco minutos después de producirse la llegada del intruso, una señal silenciosa activada en el desván de la casa envió un mensaje telefónico a una empresa privada de seguridad instalada a once manzanas de distancia, en el centro de Ponta Porã. La llamada no obtuvo respuesta inmediata porque el agente de guardia estaba meciéndose tranquilamente en la hamaca del patio. El mensaje, previamente grabado, informaba del allanamiento. Pasaron quince minutos, sin embargo, antes de que la noticia llegara a oídos humanos, y cuando el agente se desplazó a la casa de Danilo el intruso ya había desaparecido, al igual que el propio señor Silva. Todo parecía en orden. Tanto la puerta de la casa como la verja permanecían cerradas, y hasta el escarabajo estaba en su sitio.

Las instrucciones del cliente habían sido precisas. En caso de alarma, no debían ponerse en contacto con la policía, sino intentar localizar al señor Silva. De no poder hacerlo enseguida, tenían que llamar a cierto número de Río y preguntar por Eva Miranda.

Llegó la hora de la llamada a Washington. Guy se sentía incapaz de disimular su entusiasmo. Pronunció las palabras «Es él» con los ojos cerrados y una sonrisa en los labios. Su voz sonaba una octava más aguda que de costumbre.

Hubo una pausa al otro lado del hilo telefónico.

—¿Estás seguro?

—Sí, las huellas coinciden exactamente.

Otra pausa mientras Stephano ponía orden en su cerebro, lo que nunca le llevaba más de un par de milisegundos.

—¿Y el dinero?

—Aún no hemos empezado. Está sedado.

—¿Cuándo?

—Esta noche.

—Espero noticias —dijo Stephano antes de colgar. Habría podido seguir hablando durante horas.

Guy encontró un buen sitio detrás de la cabaña: la base de un tronco talado. La vegetación era densa. El aire, frío y cortante. Oía murmullos de alegría en la distancia. Lo peor ya había pasado.

Acababa de ganar una prima de cincuenta mil dólares. Encontrar el dinero significaría recibir otra bonificación, y estaba completamente seguro de poder dar con él.

2

Río de Janeiro. Un rascacielos del centro de la ciudad. En uno de los despachos del décimo piso, Eva Miranda agarró el auricular con ambas manos para repetir palabra por palabra el mensaje que acababa de recibir. La alarma insonora había puesto sobre aviso a la empresa de seguridad. El señor Silva no se hallaba en su domicilio, pero su coche estaba aparcado frente a la casa y la cerradura no presentaba señales de haber sido forzada.

Algún intruso había disparado la alarma. No, no podía tratarse de una avería: el sistema seguía activado cuando llegó el guardia de seguridad.

Danilo había desaparecido.

Tal vez había salido a correr y había hecho algo desacostumbrado. Según el informe del guardia, la alarma insonora había sido activada hacía exactamente una hora y diez minutos. Danilo no podía tardar tanto en regresar: nueve kilómetros y medio a unos cinco minutos cada uno representaban cincuenta minutos como máximo. No cabían excepciones. Estaba al corriente de todos sus movimientos.

Eva llamó por teléfono a la casa de Rua Tiradentes. No hubo respuesta. Lo intentó después con el número de un teléfono móvil que Danilo llevaba consigo de vez en cuando. Tampoco obtuvo respuesta.

Tres meses antes, Danilo había activado la alarma accidentalmente y los dos se habían llevado un buen susto. En aquella ocasión, una simple llamada telefónica había bastado para poner las cosas en su sitio.

Danilo era demasiado meticuloso con la cuestión de la seguridad para cambiar de un día para otro. Había demasiado en juego.

Eva repitió las llamadas de comprobación, con el mismo resultado que la primera vez. «Tiene que haber una explicación», se dijo.

Acto seguido marcó el número de un apartamento de Curitiba, una ciudad de un millón y medio de habitantes, capital del estado de Paraná. Que ellos supieran, nadie más conocía la existencia de aquel lugar. Lo habían alquilado con un nombre falso, y solo lo utilizaban como almacén y como punto de encuentro algún fin de semana esporádico. Las visitas a Curitiba eran breves y muy espaciadas. Demasiado, según Eva.

No esperaba que nadie descolgara el teléfono del apartamento, y, en efecto, nadie lo hizo. Danilo no se habría desplazado hasta allí sin comunicárselo previamente.

Agotados los números de teléfono, Eva se levantó para cerrar con llave su despacho. Apoyó la espalda en la puerta y, con los ojos cerrados, escuchó el ir y venir de las secretarias y de los abogados más jóvenes. En aquel momento el bufete tenía empleados a treinta y tres abogados en total, y era el segundo más grande de todo Río, con sucursales en São Paulo y Nueva York. El murmullo de los teléfonos, las fotocopiadoras y los aparatos de fax se unía para formar un coro distante.

A sus treinta y un años, y con cinco de ejercicio a sus espaldas, Eva ya era considerada una abogada experta; experta hasta el punto de tener que hacer horas extraordinarias y trabajar algún que otro sábado. El bufete tenía catorce socios, doce hombres y dos mujeres, una proporción que ella estaba dispuesta a alterar. Diez de los diecinueve abogados contratados, en cambio, eran de sexo femenino, buena prueba de que en Brasil, al igual que en Estados Unidos, las mujeres se estaban incorporando rápidamente al ejercicio de la profesión. Eva había estudiado derecho en la Universidad Católica de Río, que era, en su opinión, una de las mejores. Su padre, catedrático de filosofía, impartía clases en la misma institución.

El hecho de que hubiera ampliado estudios en Georgetown después de haberse licenciado en Río había obedecido, precisamente, a la insistencia de su padre, ex alumno de aquella universidad. La influencia del profesor Miranda, junto con un expediente inmejorable, una presencia impecable y un perfecto dominio del inglés le habían abierto rápidamente las puertas de un gran bufete como aquel.

Eva se detuvo junto a la ventana e intentó tranquilizarse. De repente, el tiempo se había convertido en un factor crucial. Los pasos que debía dar a partir de aquel momento requerían nervios de acero. Luego tendría que desaparecer. En cuanto a la reunión que debía celebrarse al cabo de media hora, habría que posponerla.

La carpeta que necesitaba estaba archivada en un cajón de pequeñas dimensiones hecho de material ignífugo. La abrió y releyó la hoja de instrucciones, las mismas que Danilo y ella habían repasado juntos en tantas ocasiones.

Él sabía que tarde o temprano lo localizarían.

Ella se había resistido siempre a admitir esa posibilidad.

¿Estaría bien Danilo? No podía pensar en otra cosa. El timbre del teléfono la sacó de su ensimismamiento. No, no era él. Era su secretaria, comunicándole que había un cliente esperándola. Había llegado antes de la hora a la que estaba citado. Eva pidió a la secretaria que transmitiera sus disculpas al cliente y que, con la máxima diplomacia posible, concertara la entrevista para cualquier otro día. No quería más interrupciones.

El dinero había sido dividido temporalmente en dos depósitos diferentes: una parte había ido a parar a un banco panameño; la otra, a un fondo de inversiones del paraíso fiscal de las Bermudas. El primer fax disponía la transferencia inmediata de la cantidad depositada en Panamá a cierto banco de Antigua. El segundo repartía el líquido entre tres bancos de la mayor de las islas Caimán. El tercero transfería el dinero procedente de los fondos de las Bermudas a las Bahamas.

En Río eran casi las dos, pero en Europa los bancos aún estaban cerrados. Eso la obligaría a hacer circular el dinero por el Caribe durante unas cuantas horas hasta que el resto del mundo se pusiera a trabajar.

Las instrucciones de Danilo eran claras, pero no concretas. Los detalles quedaban a su discreción. En especial, los de las transferencias iniciales. Eva decidía a qué bancos enviar el dinero y en qué cantidad, lo mismo que los nombres de las sociedades anónimas que debían constar como titulares de las cuentas. Danilo nunca había visto la lista de empresas fantasma, elaborada con antelación. Eva era quien dividía, dispersaba, transfería y hacía circular el capital. Habían ensayado la operación paso a paso muchas veces, aunque sin mencionar nombres concretos.

Era de vital importancia que Danilo no estuviera al corriente del paradero exacto del dinero. Solo Eva debía conocerlo. En aquellos momentos difíciles, la plena responsabilidad de proteger los intereses de ambos de la manera que considerara oportuna le correspondía en exclusiva. Eva estaba especializada en derecho mercantil. Su cartera de clientes estaba compuesta básicamente por empresarios brasileños que querían exportar sus productos a Estados Unidos y Canadá. Lo sabía casi todo sobre banca, divisas y mercados internacionales, y los pocos secretos que podía tener para ella el manejo del dinero se los había desvelado hacía tiempo Danilo.

Consultó el reloj varias veces. Había transcurrido más de una hora desde la llamada de Ponta Porã.

El teléfono volvió a sonar mientras pasaba el enésimo documento por fax. Seguro que era Danilo, con alguna historia extravagante que le demostraría la inutilidad de todas aquellas operaciones. Puede que solo hubiera sido un simulacro, un ensayo para poner a prueba su sangre fría. Un juego nada propio de Danilo, a decir verdad.

Quien llamaba era uno de los socios del bufete, amonestándola por llegar tarde a otra reunión. Eva se disculpó sin dar demasiadas explicaciones y siguió mandando mensajes a través del fax.

La tensión crecía por momentos. Danilo seguía sin dar señales de vida. Nadie descolgaba el teléfono en su casa. Si era cierto que lo habían atrapado, no tardarían mucho en tirarle de la lengua. Eso era lo que Danilo temía por encima de todo. Ese era el motivo de tanta prisa.

Una hora y media. Eva empezaba a tomar plena conciencia de la situación. Danilo había desaparecido, y nunca lo habría hecho por propia voluntad sin antes comunicárselo. Era demasiado meticuloso a la hora de programar sus actos, demasiado consciente de la presencia de sus perseguidores. Su peor pesadilla se estaba convirtiendo en realidad. Y a pasos agigantados, además.

Eva hizo otras dos llamadas desde el teléfono público del edificio donde trabajaba. La primera fue al conserje de su bloque de apartamentos. Eva vivía en Leblon, en la zona sur de Río, la preferida de todos los que llevan la fortuna escrita en el bolsillo o en la cara. Quería saber si había recibido alguna visita. La respuesta fue negativa, pero el conserje le prometió que estaría ojo avizor. La segunda llamada fue a la oficina del FBI en Biloxi, estado de Mississippi. «Es urgente», puntualizó. Le resultaba difícil mantener la calma y disimular su acento al mismo tiempo. Esperó. Sabía que ya no podía dar marcha atrás.

Alguien había secuestrado a Danilo. Había llegado el momento de ajustar cuentas con el pasado.

—¿Diga? —respondió una voz tan cercana que parecía salida del edificio de al lado.

—¿El agente Joshua Cutter?

—Sí.

Eva hizo una pequeña pausa.

—¿Está usted a cargo de la investigación del caso Patrick Lanigan? —preguntó como si no lo supiera de sobra.

Una pausa al otro lado del hilo.

—Sí. ¿Con quién hablo?

Les llevaría unos tres minutos localizar la llamada. Una vez en Río, sin embargo, la pista se perdería entre los diez millones de habitantes de la ciudad. Con todo, no pudo reprimir una mirada nerviosa a su alrededor.

—Llamo desde Brasil —declaró según lo previsto—. Han cogido a Patrick.

—¿Quién? —preguntó Cutter.

—Le daré un nombre.

—La escucho —dijo Cutter con la voz algo más tensa.

—Jack Stephano. ¿Lo conoce?

Una pausa. Cutter trataba de recordar dónde había oído ese nombre.

—No. ¿Quién es?

—Un investigador privado de Washington. Lleva cuatro años persiguiendo a Patrick.

—¿Y dice que lo ha encontrado?

—Sí. Él o sus hombres.

—¿Dónde?

—Aquí, en Brasil.

—¿Cuándo?

—Hoy. Creo que está en peligro.

Cutter rumió la afirmación de Eva durante un instante.

—¿Qué más puede decirme? —preguntó después.

Eva le dio el número de teléfono de Stephano en la capital. Acto seguido colgó y salió del edificio.

Guy repasó con cuidado los papeles robados en casa de Danny Boy y se maravilló de la habilidad de este para no dejar rastro. El informe mensual de un banco de Ponta Porã arrojaba un saldo de tres mil dólares, bastante menos de lo que él tenía en mente. La única imposición anotada era de mil ochocientos dólares, y los reintegros del mes sumaban menos de mil. Así pues, Danny Boy vivía de forma modesta. Las facturas de la luz y el teléfono aún no estaban pagadas, pero tampoco habían vencido.

Uno de los hombres de Guy se dedicó a comprobar todos los números de teléfono del recibo sin encontrar nada interesante. Otro examinó el disco duro del ordenador y confirmó que Danny Boy no era lo que se dice un pirata informático. Uno de los documentos era un extenso relato de sus aventuras en el interior del país.

La falta de recibos resultaba ya de por sí sospechosa. ¿Una sola carta del banco? ¿Desde cuándo se guarda solamente el saldo del último mes? ¿Dónde estaba el del mes anterior? No cabía duda de que Danny Boy tenía un escondrijo en alguna parte, lejos de casa. Otro indicio que encajaba perfectamente con el retrato de un fugitivo.

Al atardecer, aún inconsciente, Danny Boy fue despojado de su ropa. Solo le dejaron los calzoncillos, ajustados y de algodón. Bajo las zapatillas sucias y los calcetines sudados aparecieron unos pies tan blancos que casi brillaban en la oscuridad. Su recién adquirida tez morena formaba parte del engaño. Danilo fue colocado sobre una tabla de aglomerado de dos centímetros y medio que había junto a la cama. Los agujeros practicados en el tablero y unos fragmentos de cuerda de nailon sirvieron para atarle los tobillos, las rodillas, la cintura, el pecho y las muñecas. También le sujetaron la frente con un cinturón ancho de plástico negro. Sobre su cabeza colgaba una bolsa con un gota a gota. El tubo iba a parar a una vena de su muñeca izquierda.

Le clavaron otra aguja; un pinchazo en el brazo izquierdo para despertarlo. Siguió respirando con dificultad, pero más deprisa. Abrió los ojos. Los tenía rojos y vidriosos. Le llevó un buen rato identificar la bolsa con el gota a gota. El médico del grupo, un brasileño, apareció en escena y le puso otra inyección en el brazo izquierdo: pentotal, una droga poco elaborada que se utiliza en ocasiones, a falta de otro fármaco cien por cien efectivo, para tirar de la lengua a los recalcitrantes. El suero de la verdad. Los mejores resultados se obtienen cuando la víctima tiene secretos que confesar.

Pasaron diez minutos. Danilo intentó en vano mover la cabeza. El alcance de su visión periférica era de unos pocos metros. Excepto por un punto de luz oculto en algún rincón, la habitación estaba a oscuras.

La puerta se abrió y volvió a cerrarse enseguida. Era Guy. El jefe del grupo avanzó directamente hacia Danny Boy, apoyó las manos en el borde de la tabla y dijo:

—Hola, Patrick.

Patrick cerró los ojos. Danilo Silva acababa de pasar a la historia. Para siempre. Echaría de menos a aquel amigo tan leal, que se llevaba consigo la vida sencilla de Rua Tiradentes. Aquel cordial saludo, «Hola, Patrick», le había arrebatado su precioso anonimato.

A lo largo de cuatro años había tenido muchas ocasiones para preguntarse cómo se sentiría si lo capturasen. ¿Aliviado? ¿Redimido? ¿Emocionado ante la idea de regresar a su país y afrontar los hechos?

En absoluto. Lo único que sentía en aquel momento era puro y simple terror. Desnudo y atado como un animal salvaje, sabía que las horas siguientes serían difíciles de soportar.

—¿Me oyes, Patrick? —preguntó Guy con la cabeza inclinada hacia abajo.

Patrick respondió con una sonrisa. No es que tuviera ganas de sonreír, pero un impulso incontrolable lo empujaba a hacerlo.

La droga empezaba a surtir efecto, pensó Guy. El pentotal es un barbitúrico de acción efímera que debe ser administrado en dosis muy controladas. Es muy difícil dar con el nivel de conciencia más adecuado para el interrogatorio. Una dosis demasiado pequeña no consigue romper el silencio. Una dosis excesiva, por contra, y el sujeto cae inmediatamente en brazos de Morfeo.

La puerta se abrió y se cerró de nuevo. Otro estadounidense entró en la habitación a escuchar, pero se quedó fuera del alcance de los ojos de Patrick.

—Llevas tres días durmiendo, Patrick —mintió Guy. Habría sido más exacto decir cinco horas, pero ¿cómo iba a saberlo Patrick?—. ¿Tienes hambre? ¿Sed?

—Sed —dijo Patrick.

Guy desenroscó el tapón de un botellín de agua mineral y vertió parte de su contenido entre los labios de Patrick.

—Gracias —dijo sonriendo el prisionero.

—¿No tienes hambre? —insistió Guy.

—No. ¿Qué quieren de mí?

Guy depositó el botellín de agua mineral sobre la mesa y se inclinó para que Patrick lo viera más de cerca.

—Dejemos clara una cosa. Mientras dormías te hemos tomado las huellas dactilares. Sabemos exactamente quién eres, Patrick. Preferiría no tener que jugar al ratón y al gato, si no te importa.

—¿Y puede saberse quién soy? —preguntó Patrick con otra sonrisa.

—Patrick Lanigan.

—¿De?

—De Biloxi, estado de Mississippi. Nacido en Nueva Orleans. Licenciado en derecho por Tulane. Casado y con una hija de seis años. Desaparecido desde hace más de cuatro años.

—Respuesta correcta. Ese soy yo.

—Dime, Patrick, ¿asististe a tu propio entierro?

—¿Por qué? ¿Es ilegal?

—No. Pero corren rumores de que lo hiciste.

—Sí. Lo vi todo. Me pareció conmovedor. No sabía que tenía tantos amigos.

—Me alegro. ¿Dónde te escondiste después del funeral?

—Por ahí.

Una sombra apareció por la izquierda mientras una mano ajustaba el gota a gota a la válvula de la bolsa.

—¿Qué es eso? —preguntó Patrick.

—Un cóctel —respondió Guy antes de indicar por señas al otro hombre que volviera a su rincón—. ¿Dónde está el dinero, Patrick? —preguntó a continuación con una sonrisa.

—¿Qué dinero?

—El que te llevaste.

—Ah, ese —se burló Patrick después de inspirar profundamente.

De pronto se le cerraron los párpados y se le relajaron todos los músculos del cuerpo. Al cabo de unos segundos su pecho se movía más despacio, arriba y abajo.

—Patrick —lo llamó Guy mientras le sacudía levemente el brazo. Silencio. Había caído en un sueño profundo.

La dosis fue reducida de inmediato. Otro intervalo de espera.

El informe del FBI sobre Jack Stephano era diáfano: ex investigador de Chicago con dos títulos de criminología, ex cazador de recompensas reputado, buen tirador, experto autodidacta en temas de investigación y espionaje, y propietario de una empresa en la capital entre cuyas turbias actividades figuraban, según se decía, diversas labores de vigilancia y de localización de personas desaparecidas a cambio de sumas ingentes de dinero.

El informe del FBI sobre Patrick Lanigan estaba repartido entre ocho cajas. Visto el contenido de ambos informes, se entendía que estuvieran relacionados. La localización y el regreso de Patrick interesaban a mucha gente. Stephano y su equipo habían sido contratados para llevar a cabo esa tarea.

La empresa de Stephano, de nombre Edmund Associates, ocupaba el último piso de un edificio anodino de la calle K, a seis manzanas de la Casa Blanca. Mientras dos compañeros se apostaban en el vestíbulo, junto al ascensor, otros dos agentes irrumpían en el despacho de Stephano. Una secretaria entradita en carnes insistía en que el señor Stephano no podía atenderlos en aquel momento, y casi hubo que convencerla por la fuerza. Stephano estaba sentado frente a su mesa, charlando tranquilamente por teléfono. La visión de las placas le borró la sonrisa del rostro.

—¿Qué significa esto? —protestó Stephano.

La pared que había a su espalda era un mapamundi detallado con lucecitas intermitentes de color rojo repartidas entre varios continentes verdes. ¿Cuál de ellas correspondería a Patrick?

—¿Quién le paga para encontrar a Patrick Lanigan? —preguntó el primer agente.

—Esa información es confidencial —replicó Stephano con sorna.

Había sido policía durante años y no se dejaba intimidar con facilidad.

—Esta tarde hemos recibido una llamada desde Brasil —anunció el segundo agente.

«Igual que yo», pensó Stephano, sorprendido pero resuelto a disimular su estupor. Los músculos de la mandíbula y de los hombros se le distendieron sin querer mientras repasaba a toda velocidad las distintas teorías que justificaban la presencia en su despacho de aquel par de gorilas. No había hablado con nadie a excepción de Guy, y él era su hombre de confianza. Por nada del mundo se iría de la lengua, y menos con alguien del FBI. Su lealtad estaba fuera de duda.

Por otra parte, Guy lo había llamado desde las montañas del este del Paraguay a través de un teléfono móvil. Era imposible que hubieran interceptado la llamada.

—¿Sigue ahí? —preguntó el agudo segundo agente.

—Sí —respondió Stephano ensimismado.

—¿Dónde está Patrick? —inquirió el primer agente.

—¿En Brasil?

—¿En qué parte de Brasil?

Stephano reunió el aplomo suficiente para encogerse de hombros.

—No lo sé. Es un país muy grande.

—Tenemos una orden de busca y captura contra él —dijo el primer agente—. Es nuestro.

Stephano volvió a encogerse de hombros. Un gesto informal que significaba algo así como: ¿Y a mí qué me cuentas?

—Lo queremos —exigió el segundo agente—. Ya.

—Me temo que no puedo ayudarles.

—Miente —gruñó el primer agente. Los dos hombres del FBI formaron una barrera humana frente a la mesa de Stephano y lo fulminaron con la mirada—. Hemos apostado hombres en el vestíbulo, en la calle, en toda la manzana y delante de su casa de Falls Church. Vigilaremos todos y cada uno de sus movimientos desde este momento hasta que encontremos a Lanigan.

—Me parece muy bien. Ya saben por dónde se sale.

—Y no se le ocurra ponerle la mano encima. Si le pasa algo, lo enviaremos una buena temporada a la sombra. Con mucho gusto, además.

Los dos hombres salieron del despacho con paso marcial. Stephano se encerró con llave apenas hubieron atravesado el umbral. El despacho no tenía ventanas. Se paró un momento a contemplar el mapamundi. En Brasil había tres lucecitas encendidas, nada especialmente significativo. Luego hizo un gesto de incredulidad con la cabeza. Aún no daba crédito.

Había invertido mucho tiempo y mucho dinero en seguir la pista del tal Patrick Lanigan.

En determinados círculos su empresa era considerada la número uno, tanto en eficacia como en discreción. Nunca los habían cogido en falta. Era la primera vez que alguien no relacionado con la empresa estaba al corriente de sus actividades.

3

Otra inyección para despertarlo. Y otra más para estimularle el sistema nervioso.

La puerta se abrió sin el sigilo de costumbre y la habitación se iluminó de repente. Había muchos hombres hablando a la vez, hombres ocupados, todos con un cometido específico que llevaban a cabo con pies de plomo. Alguien tradujo las instrucciones de Guy al portugués.

Patrick parpadeó semiinconsciente hasta que las drogas lo despabilaron de golpe. Había mucha gente a su alrededor, manos por todas partes. Alguien poco remilgado lo dejó sin calzoncillos de un tijeretazo. Estaba desnudo y más indefenso que nunca. Oyó el zumbido de una máquina de afeitar y sintió el contacto de las cuchillas en varios puntos del pecho, las ingles, los muslos y las pantorrillas. Se mordió el labio inferior e hizo una mueca. El corazón le latía muy deprisa. Y lo peor era que el dolor aún no había empezado.

Guy se inclinó sobre él con las manos quietas pero los ojos muy atentos.

Patrick no había intentado pedir auxilio, pero, por si acaso, varias manos surgidas de la nada lo amordazaron con un trozo de cinta aislante plateada. Sintió el frío de los electrodos y las pinzas de contacto sobre la piel recién afeitada. Luego oyó una voz potente que decía algo sobre «la corriente».

Le aplicaron más cinta aislante sobre los electrodos. Ocho en total, le pareció haber contado. Nueve, tal vez. Tenía los nervios alterados. Aunque cerrase los ojos para no verlas, notaba el vaivén de todas aquellas manos sobre su cuerpo. Y la presión de la cinta adherida a la piel.

En un rincón de la habitación había dos o tres hombres ocupados en conectar un dispositivo que quedaba fuera del alcance de la vista de Patrick. Poco a poco le fueron llenando el cuerpo de cables como si fuera un árbol de Navidad.

No iban a matarlo, se repetía una y otra vez, a sabiendas de que la muerte no le parecería algo tan terrible al cabo de unas horas. A lo largo de los últimos cuatro años había tenido tiempo de imaginar aquella pesadilla miles de veces. Había rezado para que no llegara a hacerse realidad, pero siempre había sabido que pasaría. Siempre había sabido que estaban cerca, escondidos en la sombra, al acecho, abriéndose paso hacia él con sobornos y todos los recursos a su alcance.

Siempre lo había sabido. Eva, en cambio, era demasiado ingenua.

Patrick volvió a cerrar los ojos y se concentró en mantener el ritmo respiratorio, haciendo un esfuerzo por conservar el control de su mente y olvidar la presencia de los hombres de Guy, que seguían preparando su cuerpo para lo que fuera que le tenían reservado. Las drogas le aceleraban el pulso y le irritaban la piel.

No sé dónde está el dinero. No sé dónde está el dinero. Estuvo a punto de decirlo en voz alta, pero, por suerte, estaba amordazado. No sé dónde está el dinero.

Llamaba a Eva todos los días. Sin falta. Entre las cuatro y las seis de la tarde. Trescientos sesenta y cinco días al año. Siete días a la semana. Sin otras excepciones que las previstas. En el fondo de su acelerado corazón, Patrick sabía que el dinero ya había sido transferido a distintos lugares del mundo. Podía decir que desconocía su paradero sin temor a faltar a la verdad.

Pero ¿cómo convencer a sus raptores?

La puerta se abrió por enésima vez para dejar salir a dos o tres personas de la habitación. La actividad disminuyó y se hizo el silencio. Patrick abrió los ojos. La bolsa de suero había desaparecido.

Guy se inclinó sobre él y le quitó la mordaza tirando suavemente de un extremo de la cinta adhesiva para que pudiera hablar. Si quería.

—Gracias —dijo Patrick.

El médico brasileño volvió a aparecer a la izquierda del catre de madera y le puso otra inyección con una jeringuilla muy aparatosa. Solo contenía agua coloreada, pero Patrick no podía saberlo.

—¿Dónde está el dinero? —le preguntó Guy.

—No sé de qué me habla —replicó Patrick.

La tabla de madera le había dejado la cabeza dolorida. El cinturón que le sujetaba la frente estaba ardiendo. Llevaba horas en la misma posición.

—Me lo dirás tarde o temprano, Patrick. Tenlo por seguro. Puedes hacerlo ahora o bien dentro de diez horas, cuando ya estés más muerto que vivo. ¿Por qué no te ahorras el sufrimiento?

—No quiero morir —declaró Patrick con el miedo escrito en los ojos. Quería convencerse a sí mismo de que no lo matarían.

Guy cogió un aparato de aspecto simple y amenazador que había dejado junto al cuerpo de Patrick y se lo enseñó. Era un dispositivo en forma de cubo, con una palanca cromada en cuyo extremo había un botón de goma y dos cables conectados.

—¿Ves esto? —preguntó Guy, como si Patrick pudiera evitarlo—. Cuando la palanca está en posición vertical, el flujo de corriente se interrumpe.

Guy cogió el botón con el índice y el pulgar, y lo fue desplazando muy despacito.

—Pero si la muevo hasta aquí, el circuito se cierra y la corriente pasa por los cables hasta los electrodos que te hemos pegado a la piel.

Guy detuvo la palanca a escasos milímetros del punto de contacto. Patrick contuvo la respiración. La habitación estaba en silencio.

—¿Te gustaría ver qué pasa cuándo se produce una descarga? —preguntó Guy.

—No.

—Entonces dime dónde está el dinero.

—No lo sé. Se lo juro.

A treinta centímetros de la cara de su víctima, Guy empujó la palanca hasta el punto de contacto. La descarga fue instantánea, y sus efectos, escalofriantes. Patrick sintió lo mismo que si le hubieran clavado tornillos al rojo vivo en la carne. Las cuerdas lo mantenían en contacto con la tabla pese a las sacudidas. Patrick cerró los párpados con fuerza y apretó los dientes, decidido a no gritar. Al cabo de un segundo olvidó su propósito de guardar silencio y soltó un alarido que llegó hasta el último rincón de la cabaña.

Guy enderezó la palanca y esperó unos cuantos segundos para que Patrick tuviera tiempo de recobrar el aliento y abrir los ojos.

—Este es el nivel uno —le dijo—, el más bajo. Tengo cuatro más y estoy dispuesto a llegar hasta el último si es necesario. Ocho segundos de nivel cinco y habrás pasado a la historia. No me obligues a hacerlo. ¿Me has oído, Patrick?

La carne le quemaba desde el pecho hasta los tobillos. Tenía el corazón desbocado y respiraba a toda velocidad.

—¿Me has oído? —repitió Guy.

—Sí.

—La situación es muy simple. Tú me dices dónde está el dinero y yo te dejo salir de esta habitación. Te llevo de vuelta a Ponta Porã y sigues haciendo tu vida. Te aseguro que no tenemos intención de hablar con el FBI. —Una pausa estudiada para juguetear con la palanca cromada—. En cambio, si te niegas a decirme dónde está el dinero, no saldrás vivo de aquí. ¿Entiendes lo que te digo, Patrick?

—Sí.

—Me alegro. ¿Dónde está el dinero?

Guy apretó la palanca sin previo aviso. Las descargas producían el mismo efecto que el contacto de un ácido efervescente.

—¡No lo sé! —gritó Patrick con desesperación—. ¡Lo juro! ¡Juro que no lo sé!

Guy enderezó la palanca y esperó unos segundos hasta que Patrick se hubo recuperado.

—¿Dónde está el dinero? —le preguntó sin perder la calma.

—Le juro que no lo sé.

Otro grito recorrió la cabaña y atravesó las ventanas abiertas hasta llenar el espacio limitado por las dos montañas. El eco lo reprodujo débilmente cuando ya se perdía en la selva.

El apartamento de Curitiba estaba a escasa distancia del aeropuerto. Eva dijo al taxista que la esperara frente al portal y dejó la bolsa de fin de semana en el maletero. Llevaba consigo un maletín abultado.

El ascensor la llevó hasta el noveno piso. El corredor estaba en silencio y a oscuras. Eran casi las once de la noche. Andaba despacio, atenta a cualquier movimiento que pudiera producirse a su alrededor. Apenas abierta la puerta del apartamento, desconectó el sistema de alarma con una segunda llave.

Danilo no estaba en el apartamento. No podía decir que se esperara lo contrario, pero se sintió algo decepcionada. No había ningún mensaje en el contestador. No había ni rastro de él. Su desazón iba en aumento.

Los hombres que habían cogido a Danilo podían andar tras ella. No había tiempo que perder. Sabía exactamente lo que debía hacer, pero aun así se movía despacio, a la fuerza. El apartamento solo tenía tres habitaciones y la inspección fue breve.

Los papeles que quería estaban en un archivador del salón, guardados bajo llave. Abrió tres cajones llenos a rebosar y los vació en una espaciosa maleta de piel que Danilo había dejado en el armario de al lado. La mayoría de las carpetas contenían documentación financiera, aunque no mucha teniendo en cuenta la magnitud de la fortuna que manejaban. A Danilo no le gustaba dejar rastro. Una vez al mes acudía a Curitiba para archivar los recibos domésticos, y al menos una vez al mes destruía los papeles más antiguos.

Danilo no debía saber dónde se hallaban aquellos papeles.

Eva volvió a conectar el sistema de alarma y abandonó el edificio a toda prisa y sin ser vista. Se instaló en un pequeño hotel del centro, cerca del Museo de Arte Contemporáneo. Los bancos asiáticos estaban abiertos, y en Zurich ya eran casi las cuatro. Lo primero que hizo fue sacar el fax portátil de la bolsa y conectarlo a la clavija telefónica de la habitación. La cama no tardó en llenarse de hojas de instrucciones y de autorizaciones.

Estaba rendida de cansancio, pero no podía permitirse ni una hora de sueño. Danilo le había advertido que irían tras ella. No podía volver a casa. En aquellos momentos el dinero no le importaba. Tan solo pensaba en él. ¿Estaría vivo? Y si lo estaba, ¿qué le estarían haciendo? ¿Cuánto les habría contado y a qué precio?

Se secó los ojos y empezó a ordenar los papeles. No había tiempo para lágrimas.

La tortura produce resultados óptimos al cabo de tres días de aplicación episódica. Al cabo de ese tiempo, incluso las voluntades más obstinadas acaban por quebrantarse. El dolor se extiende de la vigilia al sueño, y se prolonga en forma de amenaza cierta. Tres días bastan para rendir por completo la resistencia de la inmensa mayoría de los sujetos.

Pero Guy no disponía de tres días. No tenía en sus manos a un prisionero de guerra, sino a un ciudadano de Estados Unidos buscado por el FBI.

Ya era casi medianoche cuando Guy decidió dejar sola a su víctima unos minutos para que sufriera pensando en la siguiente sesión. Patrick tenía el cuerpo empapado de sudor, y la piel enrojecida por la electricidad y el calor. Los electrodos del pecho, demasiado apretados, le abrasaban la carne. Sangraba. Abrió la boca para coger aire y se humedeció los labios cortados. Las ataduras de nailon le habían dejado las muñecas y los tobillos en carne viva.

Guy regresó solo a la habitación y se sentó en un taburete junto a la tabla de madera. Esperó un minuto en silencio. Durante ese tiempo solo se oyó la respiración de Patrick, que luchaba con todas sus fuerzas por conservar el control de la situación. Tenía los ojos cerrados con fuerza.

—Eres un tipo muy testarudo —dijo Guy al fin.

Silencio.

Las dos primeras horas no habían dado fruto. Todas las preguntas habían estado relacionadas con el dinero, y él no sabía dónde estaba. Lo había repetido cientos de veces. Había negado su existencia hasta la saciedad. No, no sabía adónde había ido a parar.

La experiencia de Guy como torturador era muy limitada. Había consultado a un experto, un sujeto lo bastante retorcido para disfrutar con ese tipo de trabajo, y había leído un manual muy completo, pero no era un campo en el que abundaran las oportunidades de pasar de la teoría a la práctica.

En todo caso, se suponía que, una vez concienciada la víctima de su precaria situación, lo más importante era darle conversación.

—¿Dónde estabas el día de tu entierro? —preguntó Guy.

Una ligera distensión de los músculos. Por fin una pregunta que no tenía nada que ver con el dinero. Patrick vaciló unos instantes antes de responder. ¿Qué importaba ya eso? Lo habían cogido. El secreto había sido desvelado para siempre. Además, si colaboraba, tal vez disminuirían el voltaje.

—En Biloxi.

—¿Escondido?

—¿A usted qué le parece?

—¿Y viste cómo te enterraban?

—Sí.

—¿Desde dónde?

—Con prismáticos, desde la copa de un árbol.

Patrick mantenía los ojos cerrados y los puños en tensión.

—¿Adónde fuiste después del funeral?

—A Mobile.

—¿A tu escondite?

—A uno de ellos.

—¿Cuánto tiempo estuviste en Mobile?

—En total, unos dos meses.

—Tanto, ¿eh? ¿Dónde vivías?

—En moteles baratos. Procuraba no quedarme mucho en ningún sitio. Estuve por todo el golfo de México: en Destin, en Panama City Beach, luego otra vez en Mobile...

—Y cambiaste de aspecto.

—Sí. Me afeité el bigote, me teñí el pelo y perdí veintitrés kilos.

—Y te pusiste a estudiar idiomas.

—Sí, portugués.

—Porque ya tenías intención de trasladarte aquí.

—¿Dónde es aquí?

—Digamos que Brasil.

—De acuerdo. Sí, pensé que era un buen sitio para esconderse.

—¿Adónde fuiste después de Mobile?

—A Toronto.

—¿Por qué a Toronto?

—Porque tenía que ir a alguna parte. Es una ciudad muy bonita.

—¿Fue allí donde conseguiste la documentación falsa?

—Sí.

—Y donde te convertiste en Danilo Silva, ¿no?

—Sí.

—¿Seguiste estudiando?

—Sí.

—Y perdiste unos cuantos kilos más.

—Sí, catorce.

Patrick seguía con los ojos cerrados, intentando no hacer caso del dolor o, al menos, intentando encontrar la manera de convivir con él de momento. Los electrodos del pecho le abrasaban la carne y parecían hundirse cada vez más.

—¿Cuánto tiempo estuviste en Toronto?

—Tres meses.

—O sea, que te fuiste en julio de mil novecientos noventa y dos, más o menos.

—Más o menos.

—¿Adónde?

—A Portugal.

—¿Por qué a Portugal?

—Porque tenía que ir a alguna parte. Es un país muy bonito. No había estado nunca.

—¿Cuánto tiempo te quedaste?

—Un par de meses.

—¿Y luego?

—São Paulo.

—¿Por qué São Paulo?

—Veinte millones de habitantes. ¿Se le ocurre un sitio mejor para esconderse?

—¿Cuánto tiempo te quedaste?

—Un año.

—¿Qué hiciste en São Paulo? Cuéntame.

Patrick respiró hondo. Su rostro se convulsionó cuando quiso mover los tobillos. Se relajó.

—Mezclarme con la gente. Contratar a un profesor y perfeccionar mi portugués. Perder unos cuantos kilos más. Mudarme de apartamento en apartamento.

—¿Qué hiciste con el dinero?

Una pausa. Un espasmo. ¿Dónde estaba la maldita palanca cromada? ¿Por qué no podían seguir hablando de la persecución y dejar el dinero al margen?

—¿Qué dinero? —preguntó fingiendo desesperación.

—Lo sabes de sobra, Patrick. Los noventa millones de dólares que robaste a tu bufete y a su cliente.

—Ya se lo he dicho. Se equivocan conmigo.

Guy se volvió hacia la puerta y dijo algo a gritos. La puerta se abrió de inmediato y el resto de los estadounidenses entraron en tropel. El médico brasileño vació dos jeringuillas más en las venas de Patrick y desapareció. Dos hombres manipulaban el aparato del rincón. La grabadora estaba en marcha. Guy y su palanca no se separaban de Patrick. Tenía el entrecejo fruncido y se notaba que estaba enfadado, más dispuesto que nunca a llegar hasta el final si no hablaba de una maldita vez.

—El dinero fue transferido a la cuenta que tu bufete había abierto en Nassau. Eran exactamente las diez y quince minutos, hora oriental. Eso pasó el veintiséis de marzo de mil novecientos noventa y dos, cuarenta y cinco días después de tu entierro. Y allí estabas tú, Patrick, bronceado y fresco como una rosa, haciéndote pasar por otra persona. Tenemos las imágenes de la cámara de seguridad del banco. Y sabemos que utilizaste documentos falsos. Poco después el dinero había desaparecido. Una simple transferencia a un banco de Malta. Eres un ladrón, Patrick. Y quiero que me digas dónde está ese dinero. Dímelo y vivirás.

Patrick se despidió de Guy y su palanca con una última mirada. Luego apretó los párpados, respiró hondo y dijo:

—Le juro que no sé de qué me está hablando.

—Patrick, Patrick...

—Por favor —suplicó—. ¡No!

—Este es el nivel tres, Patrick. Aún nos queda la mitad.

Guy empujó la palanca hasta el tope y contempló las convulsiones del cuerpo de su víctima.

Patrick no intentó siquiera reprimir el grito. Un grito tan atroz que Osmar y los demás brasileños que estaban en el porche se quedaron petrificados. Durante un instante, dejaron de hablar y escrutaron la oscuridad. Uno de ellos ofreció una oración en silencio.

En la carretera, a unos cuantos centenares de metros, otro brasileño armado montaba guardia por si pasaba algún coche, cosa poco probable teniendo en cuenta que el núcleo habitado más cercano estaba a muchos kilómetros de distancia. El vigía también musitó una oración cuando los gritos se repitieron.

4

Cuatro o cinco llamadas de los vecinos bastaron para acabar con la paciencia de la señora Stephano y obligar a su marido a contarle la verdad. Los tres hombres vestidos con traje oscuro que montaban guardia junto a un coche aparcado frente a la casa eran agentes del FBI. Para explicar el repentino interés de las autoridades, Jack tuvo que poner a su esposa al corriente de la historia de Patrick Lanigan, algo totalmente contrario a la ética profesional.

Por lo general, la señora Stephano no hacía preguntas ni se preocupaba en absoluto por la actividad de su marido en horas de oficina, una indiferencia solo comparable a la importancia que atribuía a su reputación en el vecindario: no estaba dispuesta a convertirse en la comidilla de Falls Church.

La señora Stephano se acostó a medianoche, pero Jack decidió quedarse en el sofá del salón para controlar los movimientos de los agentes apostados en la calle. Cada media hora se levantaba y asomaba la nariz entre las persianas. A las tres de la madrugada, cuando por fin llamaron a la puerta, acababa de conciliar el sueño.

Se despertó y fue a abrir en chándal. Entre los cuatro hombres que esperaban en el umbral reconoció enseguida a Hamilton Jaynes, subdirector del FBI. Casualmente, el número dos de la agencia federal vivía en el vecindario y pertenecía al mismo club de golf que los Stephano. Con todo, era la primera vez que se encontraban cara a cara.

Efectuadas las presentaciones de rigor en medio de un ambiente más bien tenso, todos los presentes tomaron asiento en el espacioso salón de la planta baja. La señora Stephano, en albornoz, volvió a toda prisa a su habitación tras haber sido sorprendida por la llegada de los hombres vestidos de negro en el momento de bajar la escalera.

Jaynes habló en nombre del FBI.

—Hemos seguido muy de cerca este caso y, según nuestros servicios de información, Patrick Lanigan se encuentra bajo su custodia. ¿Puede usted confirmar o desmentir este dato?

—No —respondió Stephano sin inmutarse.

—Tengo una orden de arresto contra usted.

El anuncio hizo mella en el interesado. Stephano se volvió hacia otro de los agentes de mirada glacial.

—¿De qué se me acusa?

—De dar refugio a un prófugo, de obstaculizar la acción de la justicia y de un largo etcétera. Eso es lo de menos. Me trae absolutamente sin cuidado que los cargos sean justos o no. Me basta con la prisión preventiva: primero lo encerraremos a usted, luego a sus socios, y para terminar a sus clientes. Nos llevará unas veinticuatro horas localizarlos a todos. Nos ocuparemos de los cargos más adelante, cuando sepamos si tiene o no intención de entregarnos a Lanigan. ¿Se va situando?

—Creo que sí.

—¿Dónde está Lanigan?

—En Brasil.

—No por mucho tiempo. Quiero que me lo entregue inmediatamente.

Stephano apenas tuvo tiempo de parpadear un par de veces antes de tomar una decisión. Teniendo en cuenta las circunstancias, lo de entregar a Lanigan no era mala idea. Los federales podían sonsacarle la información que sus hombres no habían logrado obtener. Enfrentado a la posibilidad de pudrirse en la cárcel, Patrick era muy capaz de hacer aparecer el dinero de la nada. Le sería difícil resistir toda la presión que se generaría a su alrededor.

Por otra parte, ¿quién demonios había puesto al FBI al corriente de la localización de Lanigan? Stephano decidió no plantearse la cuestión de momento.

—De acuerdo. Le propongo un trato —dijo—. Tendrán a Lanigan dentro de cuarenta y ocho horas. A cambio, quiero que queme la orden de arresto y que olvide esas amenazas de procesamiento.

—Trato hecho.

Ambas partes saborearon la victoria en silencio.

—¿Dónde se efectuará la entrega? —preguntó Jaynes.

—Envíe un avión a Asunción.

—¿A Paraguay? ¿Qué ha pasado con Brasil?

—En Brasil tiene demasiados amigos.

—De acuerdo.

Uno de los agentes abandonó la casa de inmediato tras recibir órdenes de Jaynes.

—¿Lanigan sigue de una pieza? —le preguntó el subdirector del FBI.

—Sí.

—Más le vale. Un solo moretón y haré que se arrepienta de haber nacido.

—Tengo que hacer una llamada.

Jaynes desplegó una sonrisa forzada.

—Está usted en su casa —dijo mientras echaba un vistazo a su alrededor.

—¿Me han intervenido el teléfono?

—No.

—¿Lo jura?

—Ya me ha oído.

—Disculpen.

Stephano entró en la cocina y desde allí accedió a un cuarto trastero donde guardaba un teléfono móvil. Luego salió por la puerta de atrás y se detuvo bajo una lámpara de gas, rodeado de hierba mojada. Marcó el número de Guy.

Los gritos habían cesado temporalmente cuando el brasileño que hacía guardia en la furgoneta oyó sonar el teléfono, que estaba recargándose en el asiento delantero del vehículo. La antena medía casi cinco metros y sobresalía del techo. El vigía dijo algo en inglés antes de echar a correr en busca de uno de los estadounidenses.

Guy salió a toda prisa del refugio para ponerse al aparato.

—¿Le habéis sacado algo? —preguntó Stephano.

—Poca cosa. Hace solo una hora que ha dejado de resistirse.

—¿Qué habéis averiguado?

—Que el dinero está en lugar seguro, aunque él no sabe dónde. Lo tiene una mujer de Río, una abogada.

—¿Sabéis cómo se llama?

—Sí, estamos haciendo unas llamadas. Osmar tiene agentes en Río.

—¿Crees que se le puede sacar algo más?

—Lo dudo. Está más muerto que vivo.

—Dad por terminada la sesión. ¿Está ahí el médico?

—Sí.

—Dile que le dé algo y que lo recomponga un poco. Hay que llevarlo a Asunción enseguida.

—¿A qué viene...?

—Nada de preguntas. No hay tiempo que perder. Los federales nos están pisando los talones. Haz lo que te he dicho y asegúrate de que tenga buen aspecto.

—¿Buen aspecto? ¡Pero si llevo cinco horas intentando matarlo!

—Ya me has oído. Reanimadlo como sea, drogadlo y poned rumbo a Asunción ahora mismo. Llámame cada hora. En punto.

—Lo que tú digas.

—Y localizad a esa mujer.

Los hombres de Guy se encargaron de Patrick. Le levantaron la cabeza despacio y le humedecieron los labios con agua fría. Luego cortaron las cuerdas que lo mantenían sujeto por las muñecas y los tobillos, y le fueron quitando la cinta adhesiva, los cables y los electrodos. El pobre temblaba y emitía gemidos ininteligibles. Sus venas exhaustas recibieron una dosis de morfina y otra de un fármaco ligeramente depresivo. Patrick volvió a sentirse en el limbo.

Cuando salió el sol, Osmar ya estaba en el aeropuerto de Ponta Porã esperando un avión que lo llevara a Río. Había sacado a sus contactos de la cama prometiéndoles sumas de varios ceros y suponía que habrían empezado a recorrer las calles según sus instrucciones.

La primera llamada, justo después de la salida del sol, fue para su padre. Sabía que le gustaba pasar aquella hora del día sentado tranquilamente en la terraza, con su periódico y su café. El viejo profesor vivía solo en un pequeño apartamento de Ipanema, a tres manzanas de la playa, no lejos de su querida Eva. El edificio tenía treinta años y era uno de los más antiguos de la zona residencial de Río.

Supo que algo andaba mal nada más oír su voz. Eva le aseguró que no pasaba nada; simplemente, un cliente había requerido sus servicios con urgencia y tendría que permanecer dos semanas en Europa. Sí, llamaría todos los días. Luego le explicó que se trataba de un cliente algo especial y le dijo que no se asustara si aparecía alguien tratando de averiguar cosas sobre su pasado. En el mundo de los negocios era algo habitual.

El viejo profesor tenía muchas preguntas que hacer a su hija, pero sabía que no serviría de nada formularlas.

La segunda llamada fue para dar explicaciones a su supervisor, y resultó mucho más difícil que la primera. Por suerte, y a pesar de los puntos flacos de la historia, el bufete aceptó la excusa que había estado ensayando. Había recibido la llamada de un cliente potencial recomendado por un abogado estadounidenses que había estudiado con ella, y tenía que desplazarse inmediatamente a Hamburgo. Iba a coger el primer vuelo. El cliente en cuestión se movía en el sector de las telecomunicaciones, y Brasil entraba en sus planes de expansión.

El supervisor, medio dormido, le dijo que volviera a llamar para darle más información.

A su secretaria le contó la misma historia, y le pidió que pospusiera hasta su regreso todas las citas y reuniones que ya tenía concertadas.

En Curitiba cogió el avión para São Paulo, y allí embarcó en un vuelo directo de Aerolíneas Argentinas con destino a Buenos Aires. Era la primera vez que utilizaba su nuevo pasaporte, adquirido con la ayuda de Danilo y guardado durante todo un año en el apartamento junto con dos tarjetas de crédito nuevas y ocho mil dólares estadounidenses en efectivo.

Se llamaba Leah Pires, nacida el mismo año pero no el mismo día que Eva. Por motivos de seguridad, Danilo no estaba al corriente de los detalles de su nueva identidad.

La verdad es que se sentía otra persona.

Podían haber pasado muchas cosas. Danilo podía haber sido víctima de cualquiera de las bandas de forajidos que actuaban en las pistas rurales del país. En La Frontera no era infrecuente. Podía haber caído en manos de las sombras de su pasado. Podía haber sido torturado y asesinado. Tal vez ya estuviera enterrado en algún rincón de la selva. Tal vez había hablado y mencionado su nombre, y aquello era solo el principio de su vida de fugitiva. Y ni siquiera le quedaba el consuelo de poder decir que no se lo había advertido. Aunque también era posible que no hubiera hablado. Entonces podría seguir siendo Eva.

Sí, Danilo no tenía por qué estar muerto. De hecho, le había prometido que su vida no corría peligro. Podían torturarlo hasta hacerle desear la muerte, pero no podían permitirse el lujo de matarlo. Por otra parte, si las autoridades estadounidenses lo encontraban antes de eso, la palabra clave sería «extradición», y Danilo había escogido Latinoamérica precisamente por su resistencia histórica a conceder extradiciones.

Si lo encontraban primero las sombras, en cambio, le arrancarían a la fuerza la información sobre el dinero. Y eso era lo que más miedo le daba a Patrick: saber hasta dónde serían capaces de llegar.

Eva intentó dormir un poco en el aeropuerto de Buenos Aires, pero le resultó imposible conciliar el sueño. Aprovechó la espera para llamar de nuevo a la casa de Ponta Porã, al teléfono móvil de Patrick y al apartamento de Curitiba.

En el aeropuerto de Nueva York tuvo que esperar tres horas más para coger el avión de Swissair que la llevaría a Zurich.

Los hombres de Guy lo tendieron en el asiento de atrás de la furgoneta Volkswagen y le colocaron el cinturón de seguridad para evitar que se cayera. Les esperaban muchos kilómetros de carreteras difíciles. Patrick no llevaba más ropa que los pantalones de atletismo. El médico comprobó que no se le hubieran desprendido los vendajes —ocho capas de gasa en total— y se sentó delante de su paciente con el maletín entre los pies. Le había aplicado ungüentos en las quemaduras, además de inyectarle varios antibióticos, y estaba decidido a hacer lo posible por protegerlo. Según él, ya había sufrido bastante.

Un par de días de descanso y unos cuantos analgésicos, y Patrick empezaría a mostrar signos de recuperación. En cuanto a las cicatrices que le dejarían las quemaduras, el tiempo se encargaría de hacerlas desaparecer.

El médico se volvió hacia Patrick y le dio unos golpecitos en el hombro. Se alegraba mucho de que siguiera vivo.

—Cuando quiera —dijo a Guy, que ocupaba el asiento del copiloto. La furgoneta, conducida por uno de los brasileños, dejó atrás la cabaña.

Cada hora, cada sesenta minutos exactos, tenían que detenerse para instalar la larga antena que les permitía hacer uso del teléfono móvil a pesar del obstáculo de las montañas. Una de las veces Stephano contestó desde su despacho de Washington, donde se hallaba en compañía de Hamilton Jaynes y de un alto funcionario del Departamento de Estado. El Pentágono iba a tomar cartas en el asunto.

«¿Qué demonios está pasando aquí? —se preguntaba Guy—. ¿Quién ha metido a los federales en todo esto?»

Tardaron seis horas en recorrer los primeros ciento cincuenta kilómetros. La carretera tenía tramos prácticamente intransitables, y tampoco resultaba fácil contactar con Washington vía telefónica. A las dos de la tarde dejaron atrás las montañas y el estado de las carreteras mejoró considerablemente.

Una extradición formal habría representado muchas complicaciones, y Hamilton Jaynes prefería ahorrárselas. La maquinaria diplomática se puso en funcionamiento: el director del FBI llamó al jefe del Estado Mayor; el embajador estadounidense en Paraguay puso manos a la obra; las promesas y las amenazas se sucedieron.

En Paraguay los trámites de extradición podían llevar años, e incluso décadas, si el sujeto reclamado por la justicia tenía el dinero y la determinación suficientes. Para su desgracia, Patrick no llevaba encima ni un centavo, y ni siquiera sabía en qué país se encontraba.

Los paraguayos renunciaron a regañadientes a abrir un expediente formal de extradición.

A las cuatro de la tarde Guy recibió de Stephano instrucciones de dirigirse al aeropuerto de Concepción, una pequeña ciudad a tres horas en coche de Asunción. El brasileño que conducía la furgoneta se puso a soltar improperios en portugués cuando le dijeron que tenía que dar la vuelta y poner rumbo al norte.

Cuando llegaron a Concepción ya estaba oscureciendo, y en el momento en que entraron en el recinto del aeropuerto, un pequeño edificio de ladrillo construido junto a una estrecha lengua de asfalto, ya era noche cerrada. Guy volvió a llamar a Stephano. Las órdenes fueron abandonar la furgoneta con Patrick en el asiento de atrás y las llaves en el contacto. Guy, el médico, el conductor y uno de los estadounidenses se alejaron del vehículo mirando hacia atrás por encima del hombro. A un centenar de metros encontraron un escondite adecuado: un árbol grande que les permitiría observar sin ser vistos.

Una hora más tarde, un aparato de King Air con matrícula estadounidenses aterrizó en la pista y se acercó a la pequeña terminal. Dos miembros de la tripulación bajaron del avión y se metieron en el edificio de ladrillo. Al cabo de unos segundos salieron y se dirigieron hacia la furgoneta. Abrieron las puertas, encontraron la llave, pusieron el vehículo en marcha y lo acercaron al avión.

Patrick fue trasladado con cuidado de la parte trasera de la furgoneta a un avión con turbopropulsor. Un médico del Ejército del Aire esperaba a bordo para hacerse cargo del prisionero. Los pilotos devolvieron la furgoneta al aparcamiento. El avión despegó minutos después.

Mientras el aparato de King Air repostaba en la pista del aeropuerto de Asunción, Patrick se despertó. Estaba demasiado débil, dolorido y mareado para incorporarse. El médico le dio agua fría y galletas.

Hubo que repostar de nuevo en los aeropuertos de La Paz y Lima. En Bogotá, el aparato de King Air fue reemplazado por un pequeño Lear que volaba al doble de velocidad. Después de una última escala en Aruba, una isla de la costa venezolana, el avión puso rumbo a las instalaciones de la Marina estadounidense en San Juan de Puerto Rico. Una ambulancia recogió a Patrick en la pista y lo trasladó al hospital de la base.

Después de casi cuatro años y medio, Patrick volvía a encontrarse en territorio estadounidense.

5

El bufete donde trabajaba Patrick antes de fingir su propia muerte se declaró en suspensión de pagos un año después del entierro del socio fallecido. Su nombre, debidamente actualizado como Patrick S. Lanigan (1954-1992), figuraba en el membrete del papel de cartas, en el extremo superior derecho, por encima de la lista de procuradores. Hasta que un día empezaron a circular rumores insistentes que ponían en tela de juicio su honradez. Los demás miembros del bufete no tardaron en convencerse de que Patrick era el responsable del desfalco y había huido con el botín. Tres meses más tarde no quedaba nadie en la costa del golfo de México que siguiera creyendo que estaba muerto. El nombre de Patrick desapareció inmediatamente del membrete, pero eso no sirvió para pagar las deudas acumuladas por la empresa.

Los cuatro socios restantes, obligados por el vínculo de la bancarrota, aún permanecían juntos, como juntos aparecían sus nombres en las hipotecas y los pagarés firmados cuando el negocio iba viento en popa, y ellos, camino de convertirse en millonarios. También habían tenido que asumir conjuntamente la responsabilidad de varias demandas presentadas en su contra que los habían llevado a la quiebra. Desde la marcha de Patrick habían intentado por todos los medios disolver la sociedad, pero no había sido posible. Dos de los socios eran un par de borrachos capaces de encerrarse a beber en sus respectivos despachos; los otros dos, inmersos en un programa de desintoxicación, se debatían entre la sobriedad y el abismo.

Patrick había huido con su dinero. Con sus millones. Un dinero que ellos, como buenos abogados, ya habían gastado mucho antes de que llegara a sus manos reformando por todo lo alto su sede en el centro de Biloxi, comprando yates, casas, apartamentos en el Caribe... Al fin y al cabo, les constaba que el dinero estaba en camino y todos los papeles en orden. Entonces, cuando ya casi creían estar viéndolo, oliéndolo, tocándolo, su socio resucitó y se lo arrebató todo.

El cómo era un misterio. Patrick estaba muerto. Ellos mismos habían asistido a su entierro, celebrado el 11 de febrero de 1992, y habían consolado a su viuda. Incluso habían modificado su bonito membrete para rendirle homenaje. Sin embargo, seis semanas después de su muerte, Patrick Lanigan los había dejado en la ruina.

La proliferación de acusaciones mutuas convirtió el bufete en un campo de batalla. De Charles Bogan, mano de hierro y socio fundador de la empresa, había partido la idea de que el dinero fuera transferido de su punto de origen a una cuenta abierta en un banco de algún paraíso fiscal. Le había costado convencer a los demás, pero al final lo había conseguido. Un tercio de los noventa millones correspondía a la comisión del bufete, e iba a ser imposible ocultar todo ese dinero en Biloxi, una población de cincuenta mil habitantes. Una pequeña indiscreción por parte de alguno de los empleados del banco, y enseguida lo sabría todo el mundo. Los cuatro socios habían prometido mantener en silencio la operación sin que ello les impidiera hacer planes de lo más ostentosos; incluso habían llegado a considerar la posibilidad de adquirir un avión privado con capacidad para seis pasajeros.

Bogan, pues, cargó con buena parte de las culpas. A sus cuarenta y nueve años, era el mayor de los cuatro supervivientes y, de momento, el más equilibrado. Aun así, tenía que convivir con los remordimientos que le provocaba haber propuesto la contratación de Patrick nueve años atrás.

A Doug Vitrano, por su parte, el especialista en pleitos, le cabía el trágico honor de haber sugerido la admisión de Patrick como quinto socio. Una vez que los miembros fundadores hubieron logrado el consenso, Patrick Lanigan se convirtió en un socio más del bufete, con acceso a prácticamente todos sus documentos. Bogan, Rapley, Vitrano, Havarac y Lanigan, abogados. Su especialidad, según rezaba un gran anuncio en las páginas amarillas, eran los conflictos generados por la explotación del petróleo en la costa del Golfo. Como la mayoría de los bufetes, sin embargo, aceptaban cualquier caso que les pareciera lucrativo. El suyo contaba con una extensa plantilla integrada por personal administrativo y procuradores, tenía que hacer frente a muchos gastos fijos y disponía de más contactos políticos que cualquier otro de la Costa.

Todos los socios tenían entre cuarenta y cinco y cincuenta años. Havarac había crecido pescando gambas en el barco de su padre, y siempre presumía de los callos que adornaban sus manos, unas manos con las que esperaba agarrar a Patrick por el cuello hasta oír el crujido de sus huesos. Rapley sufría una profunda depresión y pocas veces salía de casa; prefería permanecer en su oscuro despacho del desván y comunicarse con el resto del mundo por escrito.

Bogan y Vitrano ya estaban al pie del cañón cuando, poco después de las nueve, el agente Cutter entró en el edificio de la calle Vieux Marché, en el casco antiguo de Biloxi, que albergaba la sede del bufete. Cutter saludó a la recepcionista con una sonrisa y le preguntó si había llegado alguno de los abogados. La pregunta no era gratuita. En Biloxi todo el mundo los tenía por una pandilla de borrachos que pocas veces se molestaban en acudir al trabajo.

La recepcionista lo acompañó hasta una pequeña sala de

conferencias y le ofreció una taza de café. Vitrano, mucho más aseado y despejado que de costumbre, fue el primero en atenderlo. Bogan apareció al cabo de pocos segundos. Los tres hombres compartieron una jarra de café azucarado y hablaron del tiempo.

Durante los meses que siguieron a la desaparición de Patrick y del dinero, Cutter visitó periódicamente el bufete para mantener a los socios al corriente de la investigación que llevaba a cabo el FBI. Las noticias eran siempre decepcionantes, pero llegó a establecerse un clima de cierta cordialidad. Los meses se convirtieron en años, y las visitas se fueron espaciando cada vez más. El mensaje era siempre el mismo: ni rastro de Patrick. Había transcurrido casi un año desde la última visita de Cutter, y eso hizo pensar a los abogados que se trataba de un simple acto de cortesía. Seguramente había tenido que ir al centro por alguna razón y le apetecía tomar una taza de café. Les daría la información de costumbre y volvería a irse enseguida.

—Tenemos a Patrick —anunció Cutter.

Charlie Bogan cerró los ojos y enseñó hasta la última muela.

—¡Dios mío! —exclamó antes de esconder la cara entre las manos—. ¡Dios mío!

Vitrano, incrédulo y boquiabierto, levantó la vista hacia el techo.

—¿Dónde? —acertó a decir.

—En una base militar de Puerto Rico. Lo encontraron en Brasil.

Bogan se puso en pie y se acercó a las estanterías que había en un rincón de la sala. Intentaba contener las lágrimas.

—¡Dios mío! —repetía una y otra vez.

—¿Estáis seguros de que es él? —preguntó Vitrano, poco convencido.

—Completamente.

—¿Qué más puedes contarnos? —dijo Vitrano.

—¿Qué más queréis saber?

—Por ejemplo, cómo habéis dado con él. Dónde estaba. Qué hacía. Qué aspecto tiene.

—No hemos dado con él. Nos lo han entregado.

Bogan volvió a la mesa sonándose.

—Perdón —se disculpó, algo avergonzado.

—¿Conocéis a un tal Jack Stephano? —preguntó Cutter.

Los dos abogados asintieron con reservas.

—¿Formáis parte de su pequeño consorcio?

Los socios dijeron que no con la cabeza.

—En ese caso, os podéis considerar afortunados. Stephano lo encontró, lo torturó y luego nos lo entregó medio muerto.

—Eso de la tortura promete —dijo Vitrano—. ¿No puedes ser más explícito?

—Muy gracioso. Lo recogimos ayer por la noche en Paraguay y lo metimos en un avión. Ahora está en un hospital de Puerto Rico. Dentro de unos cuantos días le darán el alta y nos lo enviarán.

—¿Qué hay del dinero? —preguntó Bogan con la voz entrecortada y la garganta seca.

—De momento, ni rastro. Falta por saber qué ha averiguado Stephano.

Vitrano movía los ojos sin apartar la mirada de la mesa. Noventa millones de dólares en cuatro años. Era imposible que Patrick se hubiera gastado todo el dinero. Por más mansiones, helicópteros y mujeres que hubiera comprado, aún debían de quedarle decenas de millones en los bolsillos. Y tenía que haber alguna forma de dar con ellos. Una tercera parte de aquella cantidad seguía correspondiendo al bufete.

Tal vez. O tal vez no.

Bogan se enjugó las lágrimas y pensó en su ex esposa, una mujer encantadora a quien las circunstancias habían convertido en una arpía. La vergüenza de la bancarrota la empujó a coger a su hijo y mudarse a Pensacola poco antes de presentar la demanda de divorcio. Las acusaciones fueron graves. Bogan bebía y consumía cocaína, y ella supo utilizar aquella información en su favor. La defensa no tenía muchos argumentos, de modo que Bogan tuvo que renunciar a su hijo a cambio de salvar su reputación.

A pesar de todo, y por más extraño que pudiera parecer, seguía enamorado de ella y soñaba con el día de su reconciliación. El dinero podía ser un buen anzuelo. Sí, tal vez aún quedaba un resquicio de esperanza. Estaba seguro de que los millones volverían a aparecer.

Cutter rompió el silencio.

—Stephano se ha metido en un buen lío. Patrick tiene el cuerpo lleno de quemaduras. Es evidente que lo han torturado.

—Bravo por Stephano —sentenció Vitrano.

—¿Qué esperas que digamos? —preguntó Bogan—. ¿Que nos da lástima?

—Stephano es lo de menos. Pero lo mantendremos vigilado. Puede que nos lleve hasta el dinero.

—El dinero será fácil de encontrar —dijo Vitrano—. Si no recuerdo mal, nuestro querido Patrick se llevó a alguien por delante. Y lo hizo por dinero. Homicidio con premeditación. Asesinato. Pena capital. No tiene vuelta de hoja. Patrick cantará como un ruiseñor cuando llegue el momento.

—Se me ocurre una idea mejor —propuso Bogan completamente en serio—. Déjanoslo a nosotros. Diez minutos y lo sabremos todo.

Cutter consultó el reloj.

—Me voy. Aún tengo que ir a Point Clear a comunicar la noticia a Trudy.

Bogan y Vitrano soltaron un bufido al unísono y luego se echaron a reír.

—¿Quieres decir que aún no lo sabe? —le preguntó Bogan.

—No. Todavía no.

—Hazme un favor —suplicó Vitrano sin dejar de carcajearse—. Grábalo. Daría cualquier cosa por ver la cara que pondrá cuando se lo digas.

—Yo también siento cierta curiosidad —admitió Cutter.

—La muy zorra —masculló Bogan.

—Decídselo a los demás socios —añadió Cutter mientras se ponía en pie—, pero no hagáis circular la noticia antes del mediodía. Hemos convocado una rueda de prensa para esa hora. Seguiremos en contacto.

Los dos abogados se quedaron un buen rato en silencio después de la partida de Cutter. ¡Había tantas preguntas, tantas cosas que decir...! Un mundo de posibilidades acababa de abrirse ante ellos.

Patrick circulaba solo por una carretera rural cuando su coche se despeñó. No se encontraron testigos del accidente. Su mujer, vestida de Armani de la cabeza a los pies, dio sepultura al cadáver el 11 de febrero de 1992. Era evidente que a Trudy le iba a sentar bien el luto. El ataúd aún no estaba cubierto del todo, y ya había empezado a gastarse el dinero.

Patrick se lo había dejado todo. El testamento era simple y reciente. Horas antes de la ceremonia fúnebre, Trudy y Doug Vitrano habían abierto la caja fuerte del despacho de Patrick para proceder al inventario. Además del testamento, la caja contenía los títulos de propiedad de dos coches, la escritura de la casa de los Lanigan, un seguro de vida de medio millón de dólares, y una segunda póliza de dos millones cuya existencia Trudy desconocía.

Vitrano examinó rápidamente la segunda póliza. Patrick la había suscrito ocho meses antes, y Trudy era la única beneficiaria. Los dos seguros habían sido contratados con la misma compañía, una de las más poderosas y solventes.

Trudy juró y perjuró que Patrick nunca le había hablado de aquella segunda póliza, y la sonrisa que desplegó al confesarlo convenció a Vitrano de que la sorpresa no era fingida. Ni la muerte de su marido podía empañar la alegría que sentía en aquellos momentos. Debió de ser la noticia de su inesperada riqueza lo que la ayudó a sobrellevar el entierro con aquella admirable entereza.

La aseguradora puso alguna que otra traba, como era su obligación, pero el buen hacer de Vitrano aceleró considerablemente los trámites. Cuatro semanas después del entierro, los dos millones y medio ya estaban en poder de Trudy.

Al cabo de una semana, la viuda se paseaba por Biloxi a bordo de un Rolls Royce rojo. Sus paisanos no tardaron en tomarle inquina.

Tal vez no fuera viuda.

Patrick fue el primer sospechoso del desfalco, y acabó por ser el único. Los rumores se hicieron tan insistentes que Trudy decidió coger a su hija y a su novio —Lance, un antiguo amor de la escuela secundaria—, meterlos en el Rolls Royce y trasladarse a Mobile, a una hora de Biloxi en dirección este. Contrató los servicios de un abogado astuto que pudiera aconsejarle la mejor manera de sacar partido de su fortuna, se compró un magnífico caserón en Point Clear, con vistas a la bahía de Mobile, y puso sus bienes a nombre de Lance.

Lance era el nombre del apuesto haragán que la había desflorado a la tierna edad de catorce años. Condenado por tráfico de drogas a los diecinueve, se había pasado tres años en la cárcel mientras ella disfrutaba de la vida universitaria, se hacía animadora y seducía a jugadores de fútbol estadounidense. Trudy sabía ser el alma de todas las fiestas sin dejar de sacar buenas notas. Al salir de la universidad se casó con un compañero de clase, un niño bien del que se divorció al cabo de veinticuatro meses. Luego vinieron varios años de alegre soltería que terminaron cuando conoció a Patrick Lanigan, un abogado joven y prometedor que acababa de llegar a la costa del Golfo, y decidió casarse con él. La boda fue tan precipitada como apasionado el noviazgo.

Dentro y fuera de la universidad, con o sin anillo de casada, Trudy nunca había renunciado a la compañía de Lance.

Su relación con él era una especie de adicción, un dulce que nunca la amargaba. Siempre había sabido que permanecerían juntos. Desde que tenía catorce años.

Lance abrió la puerta con el pecho al descubierto, la melena negra recogida en la coleta de rigor, y un diamante enorme en el lóbulo de la oreja izquierda.

Cutter recibió la misma mirada de desprecio que dedicaba al resto del mundo.

—¿Está Trudy? —preguntó Cutter al ver que no decía nada.

—Puede.

Cutter blandió su placa y consiguió hacer desaparecer durante un segundo la expresión desdeñosa de Lance.

—Agente Cutter, del FBI. Trudy ya me conoce.

Lance importaba marihuana de México en un barco grande y rápido que Trudy le había comprado. Luego vendía la mercancía a una organización de Mobile. El negocio pasaba por un mal momento porque los de narcóticos habían empezado a olerse algo.

—Está en el gimnasio —le dijo Lance sin mirarle a la cara—. ¿Qué quiere?

Cutter no le hizo caso y se dirigió a un garaje reconvertido en gimnasio de donde salía una música ensordecedora. Lance lo siguió.

Trudy estaba en plena sesión de aerobic. Una supermodelo dictaba ejercicios de nivel avanzado desde una gran pantalla de televisión instalada en un rincón de la sala. Trudy ejecutaba saltos y giros mientras cantaba en voz baja una canción desconocida. Todo con un estilo impecable. Iba enfundada en licra amarilla y lucía una coleta rubia y un cuerpo sin un gramo de grasa. A Cutter no le habría importado contemplarla durante horas. Ni siquiera sudaba como el resto de los mortales.

Trudy se entrenaba dos veces al día. A sus treinta y cinco años seguía pareciendo una estudiante de secundaria.

Lance apagó el vídeo pulsando un interruptor. Trudy dio media vuelta y fulminó a Cutter con la mirada.

—¿Qué haces? —le espetó a Lance.

Estaba claro que no quería que la molestaran durante las horas de ejercicio.

—Soy el agente especial Cutter, del FBI —dijo este mientras le enseñaba la placa y se acercaba a ella—. Nos conocimos hace años.

Trudy se secó la cara con una toalla amarilla que hacía juego con sus prendas de licra. Estaba sin aliento.

—¿Qué puedo hacer por usted? —le preguntó con una sonrisa dentífrica que hacía olvidar su primera reacción.

Lance se puso a su lado. Llevaban las coletas a juego.

—Tengo buenas noticias —anunció Cutter sonriendo.

—¿Ah, sí?

—Sí, hemos encontrado a su marido, señora Lanigan. Está vivo.

—¿A Patrick? —dijo Trudy después de una pequeña pausa para procesar la información.

—¿Ha perdido a algún otro?

—No es posible —dijo Lance con desdén.

—Me temo que sí lo es. Lo tenemos bajo custodia en Puerto Rico. Si todo va bien, estará aquí como mucho dentro de una semana. He pensado que le gustaría saber la buena noticia antes de que se la comunicáramos a la prensa.

Trudy retrocedió tambaleándose hasta un banco de ejercicios que había al lado de una máquina de pesas. No daba crédito a sus oídos. La piel radiante y bronceada de su rostro se estaba quedando lívida por momentos. Su cuerpo de atleta empezaba a desmoronarse. Lance corrió a socorrerla.

—Dios mío —murmuraba una y otra vez.

Cutter le ofreció su tarjeta de visita.

—Llámeme si me necesita —dijo, y se fue sin más.

Era obvio que no estaba resentida porque aquel hombre la hubiera abandonado después de fingir su propia muerte, y que tampoco se alegraba en absoluto al saber que había resucitado.

Las aguas habían vuelto a su cauce, pero su reacción no tenía nada que ver con el alivio que se siente en esos casos.

Trudy solo sentía miedo, miedo de perder el dinero. Sabía que la compañía de seguros la demandaría de inmediato.

Mientras Cutter iba a Mobile, otro agente de la oficina de Biloxi fue a visitar a la madre de Patrick a Nueva Orleans para comunicarle la gran noticia. La anciana señora Lanigan no cabía en sí de gozo, y suplicó al agente que se quedara un momento para contestar a sus preguntas. El agente accedió y estuvo con ella una hora entera, pero no pudo satisfacer su curiosidad. La mujer lloraba de alegría. El resto del día se lo pasó llamando a sus amigos para comunicarles la maravillosa noticia de que su único hijo estaba vivo.

6

Tras ser detenido por el FBI en su propio despacho de Washington, Jack Stephano permaneció en la cárcel durante treinta minutos. Al cabo de ese tiempo lo trasladaron rápidamente a una sala de vistas del juzgado federal donde mantuvo una entrevista a puerta cerrada con el juez. Acto seguido fue puesto en libertad bajo fianza, a sabiendas de que el FBI controlaría sus movimientos las veinticuatro horas del día y de que le sería imposible salir de la ciudad. Mientras él hablaba con el juez, un pequeño ejército de agentes irrumpió de nuevo en su oficina, despachó a sus empleados y confiscó hasta el último documento archivado en las dependencias.

A la salida del juzgado, Stephano fue conducido al edificio Hoover de Pennsylvania Avenue, donde lo esperaba Hamilton Jaynes. Una vez a solas, el subdirector del FBI se disculpó por el arresto sin demasiada convicción, alegando que no había tenido más remedio que proceder de aquel modo. Las autoridades no podían consentir que la gente fuera por ahí capturando prófugos, drogándolos, torturándolos y dejándolos medio muertos.

De todas formas, la detención era lo de menos; una manera como otra de convencerlo de la importancia de confesar el paradero del dinero robado. Stephano juró y perjuró que Patrick no había soltado prenda.

Mientras esta segunda entrevista tenía lugar, los agentes del FBI procedían a precintar la oficina de Stephano y a cubrir las ventanas con avisos amenazadores. En su residencia de Falls Church, la señora Stephano jugaba al bridge ajena a la intervención de su línea telefónica.

Después de su breve e infructuoso encuentro con Jaynes, Stephano fue liberado definitivamente en las cercanías del Tribunal Supremo. Ante la imposibilidad de regresar a su oficina, Stephano paró un taxi y pidió al conductor que lo llevara al hotel Hay-Adams, en la esquina de la calle H con la Dieciséis. De vez en cuando dejaba de leer el periódico para acariciar el dispositivo de seguimiento que le habían cosido en el dobladillo de la chaqueta, un potente transmisor miniaturizado empleado para controlar los desplazamientos de personas, objetos e incluso vehículos. Se había percatado del ardid mientras hablaba con Jaynes, y había tenido que hacer un esfuerzo para no arrancarse el dispositivo en las mismísimas narices del subdirector del FBI.

En cuanto a vigilancia y seguridad se refiere, Stephano no era ningún aficionado. Al llegar frente a Lafayette Park, escondió la chaqueta debajo del asiento del taxi y entró rápidamente en el hotel. En recepción le dijeron que no había habitaciones libres, pero, poco después de hablar con el gerente —antiguo cliente suyo—, ya se encontraba en una suite del tercer piso con una vista espléndida de la Casa Blanca. Lo primero que hizo fue quitarse la ropa —toda menos los calcetines y los calzoncillos— y colocarla sobre la cama para examinar cuidadosamente hasta el último centímetro de tela. Luego pidió que le sirvieran la comida en la habitación y llamó por teléfono a su casa, pero nadie descolgó el auricular.

Una segunda llamada lo puso en contacto con Benny Aricia, el destinatario de los noventa millones de dólares desviados subrepticiamente de la cuenta de Nassau. De hecho, a Aricia le correspondían solo sesenta millones, ya que el resto debía ir a parar a los bolsillos de un bufete de Biloxi regentado por Charles Bogan, Doug Vitrano y otros estafadores. El dinero se le había evaporado prácticamente entre las manos, apenas unos minutos después de llegar al banco.

Aricia esperaba la llamada de Stephano en su escondite del hotel Willard, cerca de la Casa Blanca. Una hora después de haberla recibido, los dos se encontraron en el hotel Four Seasons de Georgetown, en una suite que Aricia acababa de reservar para una semana.

Benny tenía casi sesenta años, pero, por su aspecto atlético y por el tono de su piel —el bronceado perpetuo de los jubilados del sur de Florida acostumbrados a la buena vida y a la práctica diaria del golf—, nadie le habría echado más de cincuenta. Vivía en una casa construida al borde de un canal, con una mujer sueca lo bastante joven para ser su hija.

En el momento de la sustracción, el bufete de Biloxi era beneficiario de una póliza de seguros que cubría los daños producidos por estafa y desfalco. Desgraciadamente, los casos de malversación de fondos son frecuentes entre abogados. La póliza había sido contratada con la compañía aseguradora Monarch-Sierra, y tenía un límite de cuatro millones de dólares pagaderos al bufete. Aricia demandó a los abogados con la esperanza de recuperar los sesenta millones que le correspondían, pero, en vista de las circunstancias —el bufete estaba a punto de declararse en suspensión de pagos—, se conformó con los cuatro millones del seguro. La mitad de ese dinero había sido invertida en la localización de Patrick. Otro medio millón había servido para pagar el lujoso apartamento de Boca. Estos y otros gastos explicaban que Benny se encontrara en aquel momento echando mano de su último millón.

—¿Me detendrán? —preguntó mientras miraba por la ventana con una taza de café descafeinado en la mano.

—No lo creo. Pero no estaría de más que procurara pasar inadvertido una temporada.

Benny dejó la taza sobre la mesa y se sentó frente a Stephano.

—¿Ha hablado con las compañías de seguros? —preguntó.

—Todavía no. Llamaré luego. No hay por qué preocuparse.

Northern Case Mutual, la compañía aseguradora que había convertido a Trudy en una mujer rica, había destinado un fondo secreto de medio millón de dólares a la búsqueda de Patrick. En total, la operación de Stephano había costado más de tres millones.

—¿Ha habido suerte con la chica? —preguntó Aricia.

—Todavía no. Nuestros hombres siguen en Río. Han localizado a su padre, pero no han podido sacarle nada. El bufete donde trabajaba la chica tampoco ha soltado prenda. Dicen que ha salido del país en viaje de negocios.

Aricia entrecruzó los dedos y habló sin prisa.

—Cuénteme qué dijo exactamente.

—Aún no he oído la cinta. Tenía que llegar a mi oficina esta tarde, pero las cosas se han complicado. Además, tenga en cuenta que la grabaron en plena selva paraguaya.

—Eso ya lo sé.

—Según Guy, aguantó cinco horas de descargas antes de empezar a hablar. Luego admitió que el dinero seguía en su poder, pero dijo que estaba escondido y que no sabía en qué bancos. Guy intentó sacarle los nombres a la fuerza, pero solo consiguió dejarlo medio muerto. Entonces dedujo que el dinero debía de controlarlo alguna otra persona. Hubo que aplicarle unas cuantas descargas más para averiguar el nombre de la chica. Los hombres de Guy llamaron a Río en cuanto lo supieron, pero solo pudieron confirmar la información. La chica ya había volado.

—Quiero oír esa cinta.

—Le advierto que es muy desagradable. Lo están quemando vivo y no para de gritar.

Benny no podía dejar de sonreír.

—Lo sé. Por eso quiero escucharla.

La habitación de Patrick estaba al fondo de una de las alas del hospital de la base, y era diferente de todas las demás: la puerta solo se abría desde fuera y las ventanas estaban siempre cerradas y con las persianas echadas. Dos soldados montaban guardia en el pasillo.

Con o sin medidas de seguridad, lo cierto es que Patrick no tenía intención de ir a ninguna parte. Las descargas eléctricas le habían provocado quemaduras graves en los tejidos y en los músculos de las piernas y del pecho, y le dolían los huesos y las articulaciones de todo el cuerpo. Tenía heridas abiertas en cuatro puntos diferentes —dos en el pecho, una en el muslo y otra en la pantorrilla—, y quemaduras de segundo grado en otros cuatro.

La intensidad del dolor había convencido a los médicos, cuatro en total, de la conveniencia de mantener al paciente completamente sedado. Ya habría tiempo de trasladarlo. Patrick era un hombre reclamado por la justicia, pero llevaría unos cuantos días decidir a quién correspondía su custodia.

El personal del hospital mantenía la habitación a oscuras, el volumen de la música al mínimo, y el gota a gota lleno a rebosar de una deliciosa mezcla de narcóticos. El bueno de Patrick llevaba horas roncando tranquilamente y soñando en el vacío, completamente ajeno a la tormenta que se formaba en su patria.

En agosto de 1992, cinco meses después de la desaparición del dinero, un jurado de Biloxi había decidido en una vista preliminar que habían indicios suficientes para acusar a Patrick del robo, ya que todas las pruebas apuntaban exclusivamente hacia él. El FBI había tomado cartas en el asunto por tratarse de un delito cometido fuera de las fronteras del estado.

Por su parte, el sheriff del condado de Harrison y el fiscal del distrito habían emprendido una investigación conjunta sobre el asesinato. El caso, abandonado al cabo de un tiempo en favor de problemas más acuciantes, acababa de ser reabierto.

La conferencia de prensa del mediodía tuvo que ser retrasada porque, a esa hora, las autoridades implicadas seguían reunidas en el despacho de Cutter, en el centro de Biloxi. Todos los presentes defendían intereses encontrados, y eso provocó un clima de tensión. En un lado de la mesa estaban Cutter y una delegación del FBI encabezada por Maurice Mast, el fiscal general del distrito occidental del estado de Mississippi, llegado expresamente desde Jackson. En el otro lado estaban Raymond Sweeney, el sheriff del condado de Harrison, y su mano derecha, Grimshaw, detractores acérrimos de la agencia federal. Su portavoz era T. L. Parrish, fiscal del distrito de Harrison y de los condados de los alrededores. Se trataba de dilucidar si el caso de Patrick debía ser resuelto en el ámbito local o federal, lo cual implicaba no solo rivalidades presupuestarias sino también personales.

—Lo que está en juego es la pena de muerte —dijo T. L. Parrish.

—El procedimiento federal también contempla esa posibilidad —se defendió el fiscal general sin la vehemencia que lo caracterizaba.

Parrish sonrió y bajó la vista. La aplicación de la pena de muerte a delitos federales acababa de ser aprobada por un puñado de congresistas ineptos. El presidente había firmado el decreto en una bonita ceremonia de ratificación, pero quedaba por demostrar la efectividad del gesto.

El estado de Mississippi, en cambio, tenía a sus espaldas una larga historia de ejecuciones.

—El nuestro es mejor —insistió Parrish—. Y todos lo sabemos.

Parrish ya había firmado ocho órdenes de ejecución. Mast aún tenía que estrenarse.

—Y luego está la cuestión de la reclusión —siguió Parrish—. Nosotros lo enviaríamos a Parchman y lo tendríamos veintitrés horas diarias encerrado en una sauna con dos raciones de bazofia al día, dos duchas a la semana, y un montón de cucarachas y de violadores. Con vosotros se pasará el resto de sus días en un club de campo bajo la protección de los tribunales federales.

—No creo que «club de campo» sea la expresión más adecuada. —Mast estaba contra las cuerdas.

—Si no es de campo, será de playa —replicó Parrish—. Reconócelo, Maurice. Si no convencemos a Lanigan para que hable, se llevará sus dos secretos a la tumba. El primero es el dinero. ¿Dónde está? ¿Qué ha hecho con él? ¿Estamos a tiempo de recuperarlo y devolverlo a sus dueños? El segundo es el tipo que enterraron en su lugar. Maurice, tengo la corazonada de que Lanigan es el único que puede ayudarnos a resolver este misterio, y no lo hará a menos que lo obliguemos. Hay que asustarlo como sea, y Parchman es justo lo que necesitamos. Ese tipo está rezando para que lo juzguen los federales. Estoy seguro.

Mast también lo estaba, pero no podía dar su brazo a torcer. El caso era demasiado importante para dejarlo en manos de las autoridades locales.

—Hay otras cosas que se deben tener en cuenta —dijo mientras llegaban las primeras cámaras—. El robo tuvo lugar en el extranjero, muy lejos de aquí.

—Sí, pero la víctima residía en este condado —contraatacó Parrish.

—De cualquier forma, no será un caso fácil.

—¿Y bien?

—Tal vez deberíamos emprender una acción conjunta —sugirió Mast.

La propuesta hizo disminuir la tensión. Los federales tenían prioridad, y el ofrecimiento del fiscal general de compartir el caso colmaba las esperanzas de Parrish.

Parchman era el elemento clave, de eso no cabía duda. Lanigan había ejercido como abogado en aquel estado y no haría falta explicarle qué clase de vida le aguardaba en aquel lugar. La perspectiva de pasar diez años en el infierno esperando el día de la ejecución bastaría para convencer a cualquiera.

Una vez alcanzado un acuerdo tácito sobre cómo repartir el protagonismo entre Parrish y Mast, los presentes diseñaron un plan para dividir el pastel del caso Lanigan. El FBI continuaría trabajando en la localización del dinero. El sheriff y los suyos se concentrarían en el asesinato. Parrish se comprometió a convocar de inmediato al jurado de acusación, y ambas partes coincidieron en la necesidad de presentar un frente común ante la opinión pública. La discusión sobre el juicio y las apelaciones subsiguientes se dejó para más adelante con el fin de no entorpecer el desarrollo de las negociaciones. Lo único que importaba en aquel momento era llegar a un acuerdo que evitara más suspicacias.

Como la sede del FBI estaba ocupada por culpa de un juicio, la convocatoria se trasladó al juzgado de Biloxi, situado al otro lado de la calle, que disponía de una sala de vistas vacía en el primer piso. Había docenas de periodistas, enviados de la prensa local en su mayoría, pero también llegados de Jackson, Nueva Orleans y Mobile. El desconcierto era general. Los reporteros se empujaban y se arremolinaban como niños a la salida de un colegio.

Mast y Parrish ocuparon con aire lúgubre un estrado cargado de micrófonos y cables. Cutter y el resto de los agentes formaban una pared humana a sus espaldas. Había focos encendidos y destellos de flashes.

Mast carraspeó y empezó a hablar:

—Nos complace poner en su conocimiento la captura de Patrick S. Lanigan, ex residente de Biloxi. El señor Lanigan se encuentra en nuestro poder y disfruta de buena salud.

Las hienas habían olido la carroña. Mast hizo una pausa para crear expectación y saborear aquellos momentos de celebridad antes de hacer públicos algunos detalles de la operación: Brasil, dos días atrás, documentación falsa, etcétera. Nada que pudiera dar a entender que ni él ni el FBI habían sido capaces de localizar a Patrick por sus propios medios. Siguieron algunos datos insignificantes sobre la llegada del detenido, las acusaciones pendientes y las excelencias de la justicia federal.

Parrish fue al grano. Se limitó a prometer un proceso rápido por homicidio en primer grado y por cualquier otra cosa que se le ocurriera.

La rueda de prensa concluyó con un torrente de preguntas. Mast y Parrish se negaron a hacer comentarios sobre prácticamente todo y consiguieron aguantar el tipo durante una hora y media.

Trudy insistió en que Lance se quedara a su lado durante la entrevista. Lo necesitaba, dijo. Vestido con aquellos vaqueros cortos y ajustados resultaba bastante atractivo. Tenía las piernas musculosas, bronceadas y cubiertas de vello. El abogado habría preferido hablar a solas con su cliente, pero estaba acostumbrado a ver cosas peores.

Trudy se había vestido para la ocasión: minifalda ajustada, blusa roja, maquillaje y joyas a juego. Se sentó con las piernas cruzadas para atraer la atención del abogado. Lance se puso a acariciar la rodilla de su compañera mientras ella le daba palmaditas en el brazo.

El abogado hizo caso omiso de las piernas y de los arrumacos.

Trudy le repitió lo que ya le había anunciado por teléfono: quería presentar una demanda de divorcio. Estaba enfadada y resentida. ¿Cómo había podido hacerle algo así? A ella y a Ashley Nicole, su preciosa hija. A ella, que lo había querido con toda su alma. ¿Y los años felices que habían pasado juntos? ¿No significaban nada para él?

—Por el divorcio no se preocupe —la tranquilizó varias

veces el abogado. Se llamaba J. Murray Riddleton, y era un matrimonialista reputado con una abultada cartera de clientes—. Es un caso claro de abandono de hogar. Según la ley de Alabama, obtendrá el divorcio, la custodia sin restricciones de su hija y todos los bienes. En una palabra, todo.

—Quiero que presente la demanda lo antes posible —dijo mirando en dirección a la pared llena de diplomas que había tras el abogado.

—Estará lista mañana a primera hora.

—¿Cuándo sabremos el fallo?

—Dentro de noventa días. Será coser y cantar.

Las palabras del abogado no sirvieron para tranquilizarla.

—No me cabe en la cabeza cómo se puede hacer algo así a la propia familia. Me siento estúpida.

El masaje de Lance continuó algo más arriba de la rodilla.

Lo que menos le preocupaba era el divorcio, y el abogado lo sabía. De nada servían sus lamentos.

—¿Cuánto dinero le reportó el seguro de vida? —preguntó Riddleton mientras hojeaba el expediente.

Trudy fingió sorpresa.

—¿A qué viene esa pregunta? —protestó.

—La compañía de seguros exigirá la devolución de la prima. Su marido no está muerto, señora Lanigan. Y sin muerto no hay seguro de vida que valga.

—¿Me está tomando el pelo?

—No.

—No es posible. No pueden hacerme eso.

—Ya lo creo que sí. De hecho, no creo que tardemos en tener noticias suyas.

Lance retiró la mano y se arrellanó en la silla. Trudy se quedó boquiabierta.

—No es posible —repitió con lágrimas en los ojos.

El abogado cogió un bloc de notas sin estrenar y destapó un bolígrafo.

—Hagamos una lista —dijo.

El Rolls rojo, que aún conservaba, le había costado ciento treinta mil dólares. Lance llevaba un Porshe de ochenta y cinco mil. Por la casa había pagado novecientos mil dólares en efectivo, pero la escritura estaba a nombre de Lance. No había hipoteca. El barco de contrabandista había costado otros sesenta mil. En joyas se había gastado alrededor de cien mil dólares más. Etcétera, etcétera. La lista se detuvo al llegar al millón y medio. El abogado no tuvo valor para decirle que aquellas preciosas propiedades serían las primeras en desaparecer.

Trudy se vio obligada a confesar sus gastos mensuales. Habría preferido que le arrancaran una muela sin anestesia. Según sus cálculos, durante los últimos cuatro años había gastado unos diez mil dólares mensuales. Lance y ella habían hecho viajes fabulosos. Habían gastado a espuertas un dinero que ninguna compañía aseguradora podría recuperar.

Trudy estaba desempleada o, como ella prefería decir, retirada. Lance no tenía ninguna intención de declarar sus ingresos por narcotráfico. Ninguno de los dos se atrevió a confesar, ni siquiera a su abogado, que habían escondido trescientos mil dólares en un banco de Florida.

—¿Cuándo cree que presentarán la demanda? —preguntó.

—Antes del fin de semana —vaticinó el abogado.

En efecto, la reacción no se hizo esperar. En plena conferencia de prensa, mientras el fiscal general anunciaba al mundo la resurrección de Patrick Lanigan, los representantes de la Northern Case Mutual entraban discretamente en un despacho de la planta baja e interponían una demanda contra Trudy Lanigan. Además de reclamarle el pago de dos millones y medio de dólares más intereses y costas, tenían intención de solicitar un embargo preventivo para evitar el alzamiento de bienes.

Una vez presentada la demanda, los abogados se dirigieron a las dependencias de un juez favorable a sus intereses con el que ya habían hablado horas antes. A puerta cerrada y por el procedimiento de urgencia, el juez redactó la orden de embargo. El nombre de Lanigan le resultaba familiar por partida doble: no solo conocía el caso de Patrick al dedillo, como el resto de sus colegas, sino que Trudy había estado a punto de atropellar a su esposa poco después de tomar posesión del Rolls.

Mientras Trudy y Lance hacían manitas y jugaban a estrategas con su abogado, una copia de la orden de embargo viajaba hasta el juzgado de Mobile. Dos horas más tarde, mientras tomaban un refresco en la terraza y contemplaban apesadumbrados la bahía, un agente judicial irrumpía en su propiedad para entregar a Trudy una copia de la demanda presentada por la Northern Case Mutual, una citación del juzgado de Biloxi y una copia certificada de la orden de embargo. A partir de aquel momento el juez le prohibía, entre otras cosas, extender un solo cheque sin su expreso consentimiento.

7

El abogado Ethan Rapley dejó su oscuro desván para ducharse y afeitarse. Tenía los ojos inyectados en sangre. Unas gotas de colirio, un trago de café bien cargado, una americana azul marino casi limpia, y le pareció que ya estaba listo para bajar al centro. Llevaba dieciséis días sin aparecer por el despacho, y durante ese tiempo nadie lo había echado de menos. Ni viceversa. Cuando requerían su participación en algún asunto, le enviaban un fax, y él remitía su respuesta del mismo modo. Sin moverse de casa, Rapley redactaba los documentos, los memorandos y las peticiones que el bufete necesitaba para sobrevivir, y hacía trabajo de zapa para colegas que no podía tragar. De vez en cuando se veía obligado a ponerse corbata y reunirse con algún cliente, o a conferenciar con el resto de los socios. Rapley odiaba el bufete y a todos los abogados que trabajaban con él, incluso a los que apenas conocía. Odiaba todos y cada uno de los libros de las estanterías y todos y cada uno de los expedientes repartidos por las mesas. Odiaba las fotos de su despacho y el olor que desprendía todo, desde la cafetera del vestíbulo hasta la tinta de la fotocopiadora, pasando por el perfume de las secretarias. Absolutamente todo.

Sí, Ethan Rapley se sorprendió sonriendo mientras avanzaba entre los automóviles que circulaban por la Costa a última hora de la tarde. En el Vieux Marché se encontró a un viejo conocido y lo saludó con una inclinación de cabeza a pesar de llevar bastante prisa. Y al llegar al bufete se dignó incluso a hablar con la recepcionista, una mujer cuyo sueldo contribuía a pagar pero cuyo apellido habría sido incapaz de recordar.

En la sala de conferencias había una pequeña multitud. La mayoría de los presentes eran abogados de los bufetes cercanos, pero también había un par de jueces y varios personajes del mundillo de los juzgados. Eran las cinco pasadas, y la concurrencia no podía estar más animada. El aire olía a habano.

Rapley divisó una mesa llena de botellas y dirigió sus pasos hacia ella. Mientras se servía un vaso de whisky escocés, habló con Vitrano e hizo lo posible por aparentar satisfacción. En el otro extremo de la sala de conferencias yacía abandonada una selección de refrescos y aguas minerales.

—Llevamos así toda la tarde —comentó Vitrano mientras ambos contemplaban el gentío y escuchaban la alegre conversación de los presentes—. Desde que se ha corrido la noticia.

Las nuevas del regreso de Patrick se habían extendido por la comunidad jurídica de la Costa en cuestión de minutos. Es bien sabido que los abogados son muy dados a las habladurías, y capaces de distorsionar y hacer circular cualquier rumor a una velocidad asombrosa. La historia de Patrick había ido de boca en boca y estimulado la creatividad de muchos. No llega a los sesenta kilos, decían unos. Habla cinco idiomas, comentaban otros. Han encontrado el botín. El dinero se ha esfumado. Vivía casi en la miseria. No, en una mansión. Vivía solo. Ha tenido tres hijos con otra mujer. Ya saben dónde está el dinero. No hay ninguna pista.

Quien más quien menos, todo el mundo estaba interesado en el tema del dinero. Todos los amigos y curiosos que se habían dado cita en la sala de conferencias para hablar sobre esto y aquello acabaron discutiendo acerca del paradero del botín. El tema no era ningún secreto. Al contrario, la pérdida de aquella comisión de treinta millones era del dominio público desde hacía años. La más remota posibilidad de recuperar el dinero justificaba, pues, el interés de los presentes por compartir un par de copas, algún que otro rumor y las últimas noticias sobre el caso, a las cuales no cabía otra respuesta que el consabido «Ojalá aparezca ese dinero».

Rapley se perdió entre el gentío a la segunda copa. Bogan conversaba con un juez y bebía agua mineral con gas. Vitrano se dedicaba a las relaciones públicas y a confirmar o negar cuanto estaba a su alcance. Havarac hablaba en un rincón con un viejo reportero de los juzgados que de repente le había tomado cariño.

El alcohol siguió corriendo en abundancia mientras la noche iba cayendo. Cada rumor reciclado contribuía a aumentar las esperanzas de un final feliz.

El canal de la Costa dedicó buena parte —por no decir la totalidad— de la edición vespertina de las noticias a Patrick. Al otro lado de las cámaras, Mast y Parrish contemplaban la barrera de micrófonos instalada sobre el estrado con la misma expresión taciturna que si los hubieran obligado a comparecer en contra de su voluntad. Un primer plano de la puerta del bufete sirvió de fondo a la ausencia de comentarios por parte de los interesados. Una crónica sensiblera retransmitida desde el cementerio especulaba sobre la identidad del pobre diablo cuyas cenizas habían sido enterradas en lugar de las de Patrick. Las imágenes de archivo rememoraban el terrible accidente de circulación acaecido cuatro años atrás y mostraban la carrocería calcinada de un Chevrolet Blazer propiedad de Patrick Lanigan. La esposa del prófugo, el FBI y el sheriff habían declinado la invitación del programa a hacer declaraciones al respecto, un vacío informativo que los periodistas no tuvieron inconveniente en llenar con sus propias y disparatadas especulaciones.

La cobertura de la noticia se extendió hasta Nueva Orleans, Mobile, Jackson y Memphis. La CNN empezó a prestarle atención a primera hora de la noche, y le dedicó una hora de emisión a escala nacional antes de retransmitirla al extranjero. Desde el punto de vista de los medios de comunicación, la historia de Patrick Lanigan era simplemente irresistible.

Eran casi las siete de la mañana, hora suiza, cuando Eva oyó los primeros comentarios desde su habitación del hotel. No sabía con certeza a qué hora se había dormido, pero había sido después de las doce. El televisor había estado encendido toda la noche, mientras ella se debatía entre el sueño y la vigilia con la esperanza de ver aparecer el rostro de Patrick en la pantalla. Estaba cansada y asustada. Habría dado cualquier cosa por volver a casa, pero sabía que eso era imposible.

Patrick seguía con vida. Le había explicado cientos de veces que sus perseguidores no se atreverían a matarlo aunque dieran con él, pero hasta entonces no había creído en sus promesas.

¿Qué les habría contado?

¿Qué le habrían hecho? ¿Cuánto le habrían sonsacado?

Eva pronunció una oración en voz baja y dio gracias a Dios por haber salvado a Patrick.

Luego se puso a escribir una lista con todo lo que tenía que hacer.

Bajo la mirada indiferente de dos guardias uniformados y con la pobre ayuda de Luis, un anciano camillero puertorriqueño, Patrick recorrió el pasillo arrastrando los pies descalzos y vestido exclusivamente con unos calzoncillos blancos de militar. Las heridas debían secarse al aire: nada de ropa ni vendajes de momento; solo ungüentos y oxígeno. Los músculos de las pantorrillas y los muslos le dolían una barbaridad, y las rodillas y los tobillos le temblaban a cada paso.

Al diablo los calmantes. Lo que él necesitaba era despejarse. Agradecía el dolor de las heridas abiertas porque le ayudaba a mantener la lucidez. Sabe Dios qué porquerías habrían estado circulando por sus venas durante aquellos últimos tres días.

Las sesiones de tortura estaban cubiertas por una niebla densa y espeluznante que apenas había empezado a levantarse. A medida que los productos químicos fueron descompuestos, disueltos y eliminados por su organismo, Patrick empezó a recordar sus propios gritos. ¿Qué les habría contado sobre el dinero?

Se apoyó en el alféizar de la ventana de la cantina vacía y esperó a que el camillero le llevara un refresco. A un kilómetro y medio de distancia, separado de él por varias filas de barracones, se veía el mar. Estaba en una base militar.

Había confesado que el dinero aún existía. Sí, de eso se acordaba porque la revelación había conseguido que las descargas cesaran temporalmente. Luego debía de haberse desmayado, porque solo recordaba haber despertado al cabo de un rato al notar el contacto del agua fría. Habría dado cualquier cosa porque le hubieran dejado beber un sorbo, pero no hacían más que clavarle agujas.

Bancos. ¿Por qué no se le ocurría el nombre de ninguno? Con el cuerpo acribillado por las descargas, les había explicado cómo se había apoderado del dinero ingresado en el United Bank of Wales de las Bahamas, cómo lo había transferido a un banco de Malta y cómo, desde allí, lo había hecho llegar hasta Panamá, donde nadie podría encontrarlo.

No, no sabía dónde estaba el dinero en aquel momento. Seguía en su poder, eso sí. De hecho, al cabo de los años disponía, además, del producto de los intereses y las inversiones. Seguramente se lo había contado. Sí, se acordaba. Se acordaba de haber pensado: «¿Qué más da? Saben que lo robé, que lo tengo, que nadie sería capaz de pulirse noventa millones en cuatro años». Sentía cómo se le derretía la carne, pero la verdad seguía siendo la misma: no sabía dónde estaba el dinero en aquel momento.

El camillero le llevó el refresco, y él respondió «*Obrigado*», «gracias» en portugués. ¿Por qué hablaba en portugués?

Después de lo del dinero había un espacio en blanco. «¡Basta!», había gritado una voz anónima desde un rincón de la habitación. Lo habían dado por muerto.

No tenía ni idea de cuánto tiempo había estado inconsciente, pero recordaba un período de oscuridad al despertar. El sudor, las drogas y el esfuerzo debían de haberlo dejado ciego. ¿O era una venda? Ah, sí. Recordó haber pensado que tal vez le habían vendado los ojos para probar un nuevo método de tortura, algo peor que las corrientes. Amputación de miembros, quizá. Estaba desnudo, en sus manos.

Otro pinchazo en el brazo le aceleró el pulso de repente y le puso la carne de gallina. Su amigo había vuelto a utilizar el macabro juguetito. Había recobrado la vista. «¿Quién tiene el dinero?», oyó.

Patrick bebió un trago de refresco. El camillero lo esperaba con una sonrisa paciente en los labios, la misma que dedicaba a los demás enfermos. De pronto sintió náuseas, y eso que apenas había comido. La cabeza le daba vueltas, pero él estaba decidido a mantenerse en pie para que la sangre volviera a circularle por todo el cuerpo y lo dejara pensar. Fijó la vista en un barco de pesca que atravesaba el horizonte lejano.

Más descargas. Habían querido sonsacarle el nombre de la persona que tenía el dinero, pero él había negado a gritos su existencia. Entonces le habían aplicado un electrodo en los testículos y el dolor se había vuelto insufrible. Después, el vacío.

No recordaba nada más. No recordaba la última fase de la tortura. Tenía el cuerpo al rojo vivo. Había visto la muerte de cerca. Había dicho el nombre de Eva, pero no sabía si lo había hecho en voz alta. ¿Dónde estaría ella?

Patrick dejó el refresco y buscó el apoyo del camillero.

Stephano no salió de casa hasta la una de madrugada. A esa hora cogió el coche de su mujer y recorrió la calle a oscuras. Al pasar por delante de una furgoneta aparcada en la esquina, saludó con la mano a los dos agentes del FBI que ocupaban el vehículo. Iba despacio. Así tendrían tiempo de ponerse en marcha y seguirlo. Cuando llegó al puente de Arlington, llevaba detrás al menos dos coches.

El pequeño convoy motorizado avanzó por calles vacías hasta Georgetown. Stephano jugaba con la ventaja de saber adónde iba. Al llegar a la calle K hizo un giro brusco a la derecha y, una vez en Wisconsin Street, giró otra vez hacia la calle M. Dejó el coche en zona prohibida y echó a andar. A media manzana de distancia había un Holiday Inn.

El ascensor lo llevó hasta el segundo piso. Guy lo esperaba cn una de las suites. Era la primera vez desde hacía meses que ponía los pies en Estados Unidos, y llevaba casi tres días sin dormir, pero a Stephano no le interesaban sus problemas.

Sobre la mesa, al lado de un magnetófono alimentado con pilas, había seis cintas cuidadosamente etiquetadas.

—Las habitaciones de al lado están vacías —comentó Guy acompañando sus palabras con un gesto—. Puedes poner el casete a todo volumen.

—Supongo que serán bastante desagradables —dijo Stephano sin desviar la mirada de las cintas.

—Desagradables es poco. No vuelvas a contar conmigo para este tipo de cosas.

—Ya te puedes ir.

—De acuerdo. Si me necesitas, estaré en el vestíbulo.

En cuanto Guy hubo salido de la habitación, Stephano hizo una llamada telefónica. Un minuto más tarde Benny Aricia llamaba a la puerta. Los dos hombres pasaron el resto de la noche bebiendo café solo y escuchando los gritos de Patrick en plena selva paraguaya.

Benny saboreó con gusto su venganza.

8

Decir que aquel fue el día de Patrick en la prensa sería quedarse corto. La edición matutina del periódico de la Costa le dedicó íntegramente la primera página. LANIGAN REGRESA DE ENTRE LOS MUERTOS, proclamaba el titular en enormes mayúsculas. Cuatro columnas de texto con no menos de seis fotografías ocupaban el resto de la página. El relato seguía en el interior. Patrick también ocupó un lugar destacado en las primeras páginas de la prensa de Nueva Orleans, su ciudad natal, y en las de Jackson y Mobile. Memphis, Birmingham, Baton Rouge y Atlanta, por su parte, ilustraron sus artículos de primera página con fotografías de archivo.

Dos unidades móviles de televisión estuvieron montando guardia toda la mañana frente a la casa de la madre del protagonista, residente en Gretna, una zona residencial de las afueras de Nueva Orleans. La señora Lanigan no quería hacer declaraciones, y su silencio contaba con la protección de dos matronas robustas, vecinas suyas, que desfilaban ante la casa por turnos y fulminaban con la mirada a los carroñeros de los medios de comunicación.

La prensa también se congregó a la entrada de la propiedad de Trudy, en Point Clear. Lance, sentado a la sombra con una escopeta entre las manos, se encargó de mantener a raya a los periodistas. Vestido de negro de la cabeza a los pies —pantalones, botas y camiseta ceñida—, encarnaba a la perfección el ideal del mercenario satisfecho. Los reporteros le hicieron todo tipo de preguntas intrascendentes a gritos, pero él se limitó a fruncir el entrecejo. Trudy no se atrevía a salir de la casa. Su hija de seis años, Ashley Nicole, tampoco había podido ir a la escuela.

El bufete de Biloxi fue otra de las víctimas del acoso de los medios. Dos agentes de seguridad contratados a toda prisa fueron los encargados de negar a los reporteros el acceso al edificio.

También se vieron representantes de la prensa cerca de la oficina del sheriff, en la sede del FBI y, en general, en cualquier lugar mínimamente relacionado con el caso. Un soplo de lo más oportuno, por ejemplo, les permitió acudir al juzgado a tiempo para ver a Vitrano, ataviado con su mejor traje gris, entregando al oficial un documento que el propio interesado describió como una demanda interpuesta por el bufete contra Patrick S. Lanigan. Como era de esperar, el bufete exigía la devolución del dinero. Vitrano se mostró dispuesto a colaborar con la prensa tanto como fuera preciso.

Aquella mañana los juzgados registraron una actividad febril. El abogado de Trudy causó auténtica conmoción en los medios al filtrar la noticia de que tenía intención de presentar una demanda de divorcio en nombre de su representada. La cita fue a las diez en el juzgado de Mobile, y Riddleton ejecutó su papel de forma admirable. Había solicitado miles de divorcios antes de aquel, pero nunca ante un equipo de informativos de televisión. El abogado se avino a regañadientes a una entrevista en profundidad. Trudy alegaba abandono de hogar y toda clase de pecados abyectos. Las imágenes se rodaron en el corredor que conducía al despacho del oficial del juzgado.

Los rumores sobre la demanda presentada el día anterior por la Northern Case Mutual contra Trudy Lanigan con objeto de anular el pago de los dos millones y medio de la prima se extendieron rápidamente. Los reporteros consultaron con avidez los archivos del juzgado y se pusieron en contacto con los abogados implicados. Un par de indiscreciones y de comentarios inocuos bastaron para poner a docenas de periodistas al corriente de que la falsa viuda no podía extender ni un cheque para pagar la cuenta del supermercado sin el permiso del juez.

Para no ser menos, la compañía aseguradora Monarch-Sierra, con sede en Palo Alto, también reclamó sus cuatro millones de dólares (más intereses y costas, claro está). Sus abogados de Biloxi redactaron a toda prisa sendas demandas contra el bufete, acusado de haber cobrado indebidamente la prima del seguro, y contra el bueno de Patrick, culpable de haber engañado a todo el mundo. Como ya iba siendo habitual, hubo filtraciones a la prensa, y los periódicos recibieron copias de la demanda minutos después de su presentación en el juzgado.

Nadie se sorprendió, pues, de que Benny Aricia también quisiera hacer valer sus derechos sobre los noventa millones de dólares sustraídos por Patrick. Su flamante abogado, un picapleitos con tendencia al histrionismo, tenía su propio estilo a la hora de tratar con los medios de comunicación. Después de convocar una conferencia para las diez de la mañana y de discutir públicamente hasta el último detalle de la reclamación de su cliente, el locuaz abogado fue a presentar la demanda correspondiente acompañado de sus nuevos amigos de la prensa. La captura de Patrick Lanigan hizo más por las finanzas de los bufetes de la Costa que cualquier otro acontecimiento de la historia reciente.

Mientras el juzgado del condado de Harrison vivía momentos de actividad frenética, diecisiete miembros del jurado de acusación ocupaban discretamente una sala anónima del primer piso. Aquella misma noche habían recibido llamadas urgentes de parte del mismísimo fiscal del distrito, T. L. Parrish, y estaban al corriente de los motivos de la convocatoria. Nada más llegar se sirvieron café y tomaron posesión de los asientos que les habían asignado alrededor de una larga mesa rectangular. Estaban inquietos y, a la vez, impacientes por empezar. Se sabían en el ojo del huracán.

Parrish saludó a los miembros del jurado, se disculpó por haber requerido su presencia con tan poca antelación, y dio la bienvenida al sheriff Sweeney, al inspector jefe Ted Grimshaw y al agente especial Joshua Cutter.

—Todo parece indicar que nos encontramos ante otro caso de asesinato —dijo mientras desplegaba un ejemplar del periódico de la mañana—. Estoy seguro de que la mayoría de ustedes ya han visto la noticia.

Todos asintieron con la cabeza.

Parrish leyó los datos de que disponía mientras paseaba por la habitación: la biografía del presunto acusado, la representación de Benny Aricia por parte de su bufete, su muerte —fingida, a la vista de los últimos acontecimientos— y su entierro. Nada que no hubieran podido leer en el periódico de la mañana que Parrish acababa de dejar sobre la mesa.

El fiscal repartió entre los presentes un puñado de fotografías tomadas en el lugar del accidente: el automóvil calcinado de Patrick, el mismo sitio una vez retirado el vehículo, los arbustos carbonizados por las llamas del incendio, el suelo, y la maleza y el tronco de un árbol chamuscados. Las últimas imágenes, distribuidas después de advertir de la naturaleza de su contenido, fueron una serie de fotografías ampliadas de los restos mortales del único ocupante del coche.

—En su momento, claro está, creímos que se trataba de Patrick Lanigan —admitió con una sonrisa—. Ahora sabemos que estábamos equivocados.

No había nada en aquella masa carbonizada que hiciera pensar en restos humanos. No se distinguía ningún miembro; tan solo un hueso pálido que sobresalía del conjunto y que, según explicó Parrish con gravedad, correspondía a la zona pélvica.

—Una pelvis humana —añadió, para disipar cualquier duda sobre el origen de los restos encontrados, no fuera que algún jurado pensase que Patrick había sacrificado a un cerdo o a cualquier otro animal.

Los miembros del jurado de acusación examinaron las pruebas sin sobresaltos. No había mucho que ver: ni sangre, ni tejidos, ni vísceras. Nada que moviera a la náusea. El cadáver —hombre, mujer o lo que fuera— había pasado a mejor vida en el asiento del copiloto, convertido en cenizas junto con el resto.

—La voracidad del incendio se explica por la gasolina —aclaró Parrish—. Sabemos que Patrick había llenado el depósito doce kilómetros antes del accidente. Eso significa que ardieron más de setenta litros de combustible. Aun así, los informes de la policía hablan de un fuego más intenso y calorífico de lo habitual.

—¿Encontraron restos de envases en el coche? —preguntó uno de los miembros del jurado encargado de decidir la pertinencia de la acusación de asesinato.

—No. Para este tipo de incendios, los pirómanos suelen usar envases de plástico. Botellas de leche y de anticongelante, sobre todo. El plástico desaparece por completo. De todas formas, dentro de los incendios provocados, el caso de los vehículos es un poco especial.

—¿Y los cadáveres siempre quedan tan irreconocibles? —preguntó otro de los miembros.

Parrish respondió rápidamente.

—No, la verdad es que no. He de confesar que nunca había visto un cadáver carbonizado hasta este punto. Lo normal en estos casos sería pedir la exhumación, pero, como seguramente ya saben, fue incinerado.

—¿Tienen alguna idea de quién puede ser? —preguntó Ronny Burkes, de profesión estibador.

—Tenemos un candidato, pero de momento trabajamos solo con especulaciones.

Las preguntas se sucedieron sin añadir nada a la investigación. Los presentes las formulaban con la vana esperanza de averiguar algo que no hubiera salido ya en los periódicos. El jurado decidió por unanimidad acusar a Patrick de un delito merecedor de la pena máxima: homicidio cometido en el curso de la comisión de otro delito —robo, en este caso— y castigado con la muerte por inyección letal en la penitenciaría estatal de Parchman.

En menos de veinticuatro horas, el nombre de Patrick había aparecido como acusado de homicidio en primer grado, como demandado en un caso de divorcio, como destinatario de la reclamación de más de noventa millones de dólares presentada por Aricia, como deudor de más de treinta millones a su antiguo bufete, y como responsable de la devolución de los cuatro millones exigidos por la compañía aseguradora Monarch-Sierra, que también solicitaba la imposición de una multa ejemplar de diez millones de dólares.

Patrick siguió los acontecimientos en directo. Por cortesía de la CNN.

Los fiscales T. L. Parrish y Maurice Mast se enfrentaron una vez más a las cámaras para anunciar —conjuntamente, a pesar de que los federales no habían tenido nada que ver con dicha diligencia— que el condado de Harrison, por mediación de su jurado de acusación, había presentado cargos de asesinato contra Patrick Lanigan. Sin responder a las preguntas que no podían contestar ni a las que sí podrían haber contestado, dieron a entender que la lista de acusaciones se ampliaría.

Tan pronto como las cámaras abandonaron la sala, los dos hombres se reunieron en secreto con el honorable Karl Huskey, uno de los tres jueces del condado de Harrison. Su señoría había sido amigo íntimo de Patrick hasta el día de su muerte.

En teoría, los expedientes se asignaban al azar, pero Huskey, lo mismo que los demás jueces, sabía cómo mover los hilos burocráticos de manera que le correspondiera o no un caso determinado. Y Huskey quería sobre todas las cosas llevar el caso de Patrick. Al menos, de momento.

Lance estaba a solas en la cocina, comiéndose un bocadillo de tomate, cuando vio moverse algo en el patio de atrás, cerca de la piscina. Agarró la escopeta, salió de la casa, se escondió tras unos arbustos del jardín y descubrió a un fotógrafo gordinflón agazapado junto a la caseta de la piscina. Llevaba tres cámaras colgadas al cuello. Lance, descalzo y de puntillas, dio la vuelta a la caseta hasta situarse a medio metro de la espalda del intruso. Entonces se inclinó, acercó el arma a la cabeza del mirón, apuntó al aire y apretó el gatillo.

El fotógrafo se desplomó sobre sus cámaras profiriendo gritos de terror. Lance le dio una patada en la entrepierna. El periodista se volvió y vio la cara de su agresor mientras este le propinaba un segundo puntapié.

Lance arrebató las tres cámaras al intruso y las arrojó a la piscina. Trudy estaba en el patio, horrorizada. Lance le gritó que avisara a la policía.

9

—Hay que retirar toda esta piel muerta —le explicó el dermatólogo poco antes de aplicar un instrumento cortante a una de las heridas que tenía en el pecho—. Creo sinceramente que debería administrarle algún tipo de analgésico.

—No, gracias —declinó Patrick.

Estaba sentado en la cama, desnudo, ante un médico, dos enfermeras y Luis, el camillero puertorriqueño.

—Esto le va a doler —le advirtió.

—He pasado por cosas peores. Además, ¿dónde iba a clavarme la aguja? —preguntó mientras levantaba el brazo izquierdo y mostraba los hematomas azules y violáceos que le habían provocado los pinchazos inmisericordes del médico brasileño. Tenía todo el cuerpo cubierto de cardenales y cicatrices—. Basta de drogas —dijo.

—Muy bien, como usted diga.

Patrick se tendió y se agarró a los largueros de la cama. Las enfermeras y Luis le sujetaron los tobillos. El dermatólogo inspeccionó las quemaduras de tercer grado que tenía en el pecho y, con la ayuda de varios escalpelos, procedió a retirar la piel muerta que cubría las heridas.

Patrick hizo una mueca de dolor y cerró los ojos.

—¿Está seguro de que no quiere una inyección? —insistió el médico.

—No —masculló Patrick.

Más escalpelos. Más piel muerta.

—Tiene buena encarnadura. No creo que necesite ningún injerto.

—No sabe cuánto me alegro —dijo Patrick con otra mueca de dolor.

Cuatro de las nueve quemaduras merecían la consideración de tercer grado: dos en el pecho, una en el muslo izquierdo y otra en la pantorrilla derecha. Las rozaduras causadas por las cuerdas en codos, muñecas y tobillos estaban cubiertas de ungüentos.

El doctor acabó la cura en media hora y le recomendó que, por el momento, permaneciera inmóvil, desnudo y sin vendajes. Luego le aplicó un bactericida de acción balsámica y se ofreció de nuevo a administrarle calmantes. Patrick los rechazó una vez más.

El médico y las enfermeras dieron por terminada la visita y se marcharon. Una vez a solas con Patrick, Luis cerró la puerta, bajó las persianas, y sacó una cámara desechable Kodak del bolsillo de su chaqueta blanca.

—La primera desde aquí —dijo Patrick señalando los pies de la cama—. Hazla de cuerpo entero, que se me reconozca.

Luis se acercó la cámara a la cara, enfocó, retrocedió hasta la pared y apretó el obturador. El flash se disparó.

—Otra desde aquí —le indicó Patrick.

Luis obedeció sus órdenes. Al principio se había mostrado reacio a colaborar sin el permiso de su superior. Gracias a la situación fronteriza de Ponta Porã, Patrick no solo había perfeccionado su portugués, sino que también había aprendido a defenderse en español. Así pues, entendía casi todo lo que decía Luis. El camillero, en cambio, tenía ciertos problemas para entenderle a él.

Por suerte para Patrick, el dinero es un lenguaje elocuente, y Luis acabó por comprender que sus servicios como fotógrafo serían recompensados con un donativo de quinientos dólares estadounidenses. Su parte del trato consistía en comprar tres cámaras desechables, tomar casi un centenar de instantáneas, llevarlas a cualquier establecimiento de revelado rápido y guardarlas lejos del hospital hasta nueva orden.

Patrick no tenía los quinientos dólares consigo, pero consiguió convencer a Luis de que, a pesar de lo que se decía de él, era hombre de palabra y le haría llegar el dinero tan pronto como regresara a su país.

Luis no era lo que se dice un buen fotógrafo, pero las prestaciones de la cámara también eran bastante limitadas. Patrick dirigió la sesión. Luis tomó primeros planos de las quemaduras más graves del pecho y del muslo, así como de los brazos magullados, y planos generales desde todos los ángulos. Tenían que darse prisa si no querían ser sorprendidos en plena faena. Era casi la hora de comer, y la habitación no tardaría en ser invadida por la actividad y la cháchara incesante de las enfermeras.

Luis aprovechó su hora libre para salir del hospital y dejar la cámara en una tienda de fotografía.

En Río, mientras tanto, Osmar había sobornado a una secretaria mal pagada del bufete de Eva. A cambio de mil dólares en efectivo, la joven se comprometió a mantenerlo al tanto de todos los rumores que circulaban por el bufete. No había mucho que contar. Los socios se tomaban las cosas con calma. Aun así, los recibos de la compañía telefónica revelaban dos llamadas hechas al bufete desde cierto número de Zurich que pertenecía a un hotel. Guy determinó el origen de las llamadas desde Washington, pero no pudo obtener más información. Discreción suiza.

La desaparición de Eva agotó enseguida la paciencia de los socios. Los primeros comentarios informales sobre la abogada se convirtieron en reuniones diarias sobre las medidas que se imponía tomar. Una llamada el primer día, otra el segundo, y a partir de entonces el más absoluto silencio. La identidad del potentado con el que debía reunirse en Hamburgo seguía siendo un misterio; mientras tanto, los clientes de carne y hueso no cesaban de llamar al bufete con exigencias y amenazas. La lista de reuniones canceladas y plazos incumplidos era cada vez más larga.

Se tomó la decisión de apartarla temporalmente del bufete. Ya hablarían del tema cuando se dignara regresar.

Osmar y sus hombres persiguieron al padre de Eva hasta quitarle el sueño. Mantenían vigilada la entrada de su apartamento y no lo dejaban ni a sol ni a sombra, ya fuera en coche o a pie por las aceras abarrotadas de Ipanema. Se habló incluso de raptarlo y obligarlo a hablar a la fuerza, pero el viejo profesor se andaba con mucho cuidado y no se lo ponía nada fácil.

Lance se aventuró por tercera vez hasta el dormitorio de Trudy. La puerta, por fin, estaba abierta. Sin hacer ruido, entró y se sentó al borde de la cama. Le llevaba otro valium y un vaso de su agua mineral preferida, importada de Irlanda a cuatro dólares la botella. Trudy aceptó sin decir nada la píldora que le ofrecía —la segunda en una hora— y se la tragó con un poco de agua.

Un coche de la policía había recogido al fotógrafo gordinflón hacía una hora. Veinte minutos más tarde se habían marchado los dos agentes encargados de hacerles las preguntas de rigor. La policía parecía inclinada a pasar por alto el incidente. Al fin y al cabo, se trataba de una propiedad privada, y lo mejor para los interesados era mantener alejada a la prensa. Además, el fotógrafo trabajaba para una revista del norte, una publicación más bien sórdida. Así pues, los agentes demostraron cierta comprensión —respeto, se diría— ante el comportamiento de Lance. Trudy les dio el nombre de su abogado por si decidían presentar cargos contra el intruso. Lance amenazó con demandar a la propia policía si era llamado a declarar.

Una vez a solas, Trudy sufrió un ataque de nervios. La niñera tuvo el tiempo justo de poner a salvo a su pupila del bombardeo de almohadones. Lance, por su parte, aguantó con resignación la lluvia de insultos. Las noticias sobre Patrick, la demanda de la compañía aseguradora, el embargo, el acecho de los carroñeros... El intruso descubierto por Lance junto a la piscina había sido la gota que colmaba el vaso.

Por suerte, los calmantes habían surtido efecto. Lance, que también se había tomado un valium, suspiró aliviado al verla respirar tranquila otra vez. Sintió el impulso de acariciarla, de darle una palmadita en la rodilla y decirle algo agradable, pero se contuvo. Sabía que ese tipo de cosas no funcionaban con Trudy cuando estaba fuera de quicio. Un paso en falso y el ataque se repetiría. Lo mejor era dar tiempo al tiempo.

Trudy reposó la cabeza sobre la almohada, cerró los ojos y apoyó el dorso de la muñeca en la frente. La habitación estaba a oscuras al igual que el resto de la casa. Las persianas estaban bajadas, las cortinas echadas y las luces apagadas o amortiguadas. Al otro lado del jardín había un centenar de periodistas que no se cansaban de merodear, hacer fotos y captar imágenes que sirvieran de fondo a la narración de las aventuras de Patrick. A mediodía había reconocido su propia casa en las noticias locales. Una imbécil con dientes de conejo y piel anaranjada hablaba sin parar sobre Patrick y la demanda de divorcio presentada por su esposa aquella misma mañana.

¡La esposa de Patrick! Imposible. Hacía casi cuatro años y medio que ya no lo era. Había asistido a su entierro. Había procurado olvidarlo y buscar consuelo en el dinero. Y lo había conseguido: cuando la compañía de seguros se decidió a pagar, Patrick ya no era más que un vago recuerdo.

El único momento que recordaba con tristeza era el día que tuvo que decir a Ashley Nicole, con dos años recién cumplidos, que su padre ya no volvería con ellas, que se había ido al cielo y que allí sería mucho más feliz que en la tierra. La reacción de la niña fue, durante unos instantes, de perplejidad, pero luego superó la traumática noticia con la misma facilidad que cualquier otra criatura de su edad. Trudy prohibió que se mencionara el nombre de Patrick en presencia de la niña. Por su propio bien, decía. Si no se acordaba de su padre, ¿para qué hacerla sufrir?

Al margen de aquel triste episodio, Trudy había sobrellevado su viudedad con una notable entereza. Iba de compras a Nueva Orleans, recibía alimentos dietéticos de California, se pasaba tres horas al día enfundada en sus mallas de diseño y se sometía a todo tipo de tratamientos faciales carísimos. Gracias al buen hacer de la niñera, Lance y ella podían viajar sin remordimientos de conciencia. Les encantaba el Caribe, sobre todo St. Barts y sus playas nudistas, donde podían pasear su esbelta desnudez entre los turistas franceses.

Navidad en el Plaza de Nueva York; enero en Vail, con la flor y nata; mayo en París y Viena... Lo único que les faltaba para ser completamente felices era uno de aquellos jets privados en los que se desplazaban algunas de las personas maravillosas con las que se habían codeado. Un Lear pequeño de segunda mano se podía conseguir por un millón, pero, por desgracia, aún no podían permitírselo.

Lance se tomaba muy en serio lo del avión —o eso decía—, pero Trudy no las tenía todas consigo. Sabía que él traficaba con droga, y le daba miedo que quisiera ampliar el negocio. El hachís y la marihuana que traía de México le parecían más que suficientes: mínimo riesgo y alta rentabilidad. Además, le gustaba tener la casa para ella sola de vez en cuando.

No odiaba a Patrick, al menos al Patrick que la había dejado viuda. Solo odiaba el hecho de que no estuviera muerto, de que hubiese resucitado y regresado para complicarle la vida. Se habían conocido en Nueva Orleans, en una fiesta. Trudy había reñido con Lance e iba a la caza de un segundo marido, a ser posible rico y prometedor. Tenía veintisiete años, hacía cuatro que había dejado atrás una mala experiencia matrimonial y deseaba con todas sus fuerzas un poco de estabilidad. Él tenía treinta y tres, estaba soltero y dispuesto a sentar cabeza. Además, acababa de aceptar un trabajo en un bufete reputado de Biloxi, que es donde vivía ella por aquel entonces. Una boda en Jamaica fue el justo colofón de cuatro meses de noviazgo apasionado. Tres semanas después de la luna de miel, Trudy invitó a Lance a pasar la noche en su apartamento mientras Patrick estaba de viaje de negocios.

No podían quitarle el dinero. Ni hablar. Su abogado tendría que hacer algo al respecto, encontrar alguna laguna jurídica con la que poder hacer frente a las pretensiones de las aseguradoras. Para eso cobraba. ¿Cómo iba a perder la casa, los muebles, los coches, la ropa, las cuentas corrientes, el barco y todas las demás cosas bonitas que había comprado con el dinero de la prima? No le parecía justo. Al fin y al cabo, Patrick había muerto. Ella lo había enterrado y había ejercido de viuda durante más de cuatro años. De algo tenía que servirle tanto sacrificio.

Además, ¿qué culpa tenía ella de que Patrick estuviera vivo?

—Tendremos que matarlo —dijo Lance casi a oscuras.

Estaba sentado en una butaca cubierta de almohadones, entre la cama y la ventana, con los pies descalzos apoyados en una otomana.

Trudy tardó un instante en procesar la información y reaccionar:

—No seas bruto —lo reprendió sin demasiada convicción.

—No tenemos otra alternativa. Lo sabes tan bien como yo.

—Como si no tuviéramos ya bastantes problemas...

Trudy se concentró en el ritmo de su respiración, sin apartar la mano de la frente, sin abrir los ojos, sin mover un solo músculo. Se alegraba de que Lance hubiera sacado el tema. Ni que decir tiene que ella ya había pensado en aquella posibilidad minutos después de conocer la noticia de que Patrick regresaba a casa. Había estado rumiando la cuestión, y todas las soluciones pasaban por una premisa inexorable: la muerte de Patrick.

¿Quién podía ser el brazo ejecutor? Ella no, desde luego. Qué idea tan descabellada. Tal vez algún amigo de Lance, alguien acostumbrado a moverse en los bajos fondos.

—¿Quieres conservar el dinero, sí o no? —preguntó.

—Ahora no estoy de humor, Lance. Ya hablaremos más tarde.

Más tarde significaba enseguida, pero Trudy no debía contagiar su entusiasmo a Lance hasta haber atado todos los cabos sueltos. De lo contrario, echaría a perder sus planes. Era mejor seguir la táctica de costumbre: manipularlo y comprometerlo hasta que no pudiera echarse atrás.

—No hay tiempo que perder. ¡Los del seguro ya nos tienen con el agua al cuello!

—Lance, por favor.

—No hay otra solución. Si quieres conservar la casa, el dinero y todo lo demás, Patrick tiene que morir.

Reconfortada por las palabras de su amante, Trudy siguió inmóvil y en silencio un buen rato. A pesar de su estupidez y sus otros muchos defectos, era el único hombre al que había amado de verdad. Sabía que Lance era lo bastante canalla para ocuparse de Patrick. Lo que dudaba era que fuera lo bastante listo para hacerlo sin ser descubierto.

Se llamaba Brent Myers y era uno de los agentes adscritos a las oficinas del FBI en Biloxi. Cutter lo había enviado a Puerto Rico para que se hiciera cargo del prisionero. Patrick lo vio aparecer y mostrarle la placa al tiempo que se presentaba, pero no le hizo caso. Estaba ocupado buscando el mando a distancia.

—Mucho gusto.

Patrick se tapó los calzoncillos con la sábana.

—Acabo de llegar de Biloxi —dijo Myers, un tipo simpático de nacimiento.

—Vaya, no me diga —comentó Patrick con cara de póquer—. ¿Dónde está eso?

—Ya. He pensado que era buena idea venir a conocerlo. Seguramente pasaremos bastante tiempo juntos durante los próximos meses.

—No esté tan seguro.

—¿Tiene abogado?

—Todavía no.

—¿Tiene alguno en mente?

—No es asunto suyo.

Myers no estaba preparado para dar réplica a un abogado con la experiencia de Lanigan. Tal vez conseguiría mejores resultados si intentaba intimidarlo.

—Según el médico —dijo con las manos apoyadas en los pies de la cama y la mirada fija en los ojos de Patrick—, dentro de un par de días ya podremos trasladarlo.

—Por mí como si quieren trasladarme ahora mismo.

—En Biloxi hay mucha gente esperándole.

—Sí, ya lo he visto —dijo Patrick señalando el televisor.

—Supongo que no servirá de nada que le pregunte por el dinero.

Menuda ocurrencia. Patrick ni siquiera se dignó contestar.

—Ya me lo suponía.

Myers se detuvo un momento antes de llegar a la puerta y dejó una tarjeta de visita sobre la cama.

—Nos veremos en el avión. Si le apetece hablar con alguien, aquí tiene el número de mi hotel.

—No me espere despierto.

10

Sandy McDermott había seguido con gran interés las nuevas de la increíble reaparición de su viejo amigo y condiscípulo. Patrick y él habían compartido tres años de estudio y diversión en la facultad de derecho de Tulane, habían sido oficiales del mismo juzgado después de superar el correspondiente examen y habían pasado muchas horas en su pub favorito de St. Charles conspirando para tomar por asalto el mundo jurídico. Juntos habían querido establecer su propio bufete, pequeño pero influyente, en compañía de otros abogados dispuestos a darlo todo en el estrado sin rebajar un ápice sus principios. Creían que aquella filosofía los convertiría, pese a todo, en hombres ricos, y ya habían decidido donar diez horas de trabajo mensuales a clientes que no pudieran permitirse la minuta. Lo tenían todo previsto.

Pero la vida interfirió en sus planes. Sandy aceptó una oferta de trabajo en la fiscalía del estado, lo mismo que habría hecho cualquier otro recién casado a la vista de los ingresos que reportaba el puesto. Patrick, por su parte, se perdió entre otros doscientos abogados empleados en un bufete del centro de Nueva Orleans. En su caso, con una jornada laboral de ochenta horas semanales, el matrimonio estaba totalmente fuera de lugar.

Aquellos planes para establecer el bufete perfecto les sirvieron para mantenerse en contacto hasta pasados los treinta. Durante muchos años procuraron verse de vez en cuando para comer o tomar una copa, aunque tanto las llamadas telefónicas como los encuentros se fueron espaciando inexorablemente. La ruptura definitiva se produjo cuando Patrick decidió trasladarse a Biloxi en busca de una vida más relajada: desde entonces apenas hablaban una vez al año.

La irrupción de Sandy en el mundo de las demandas millonarias llegó de la mano de un primo suyo que recomendó sus servicios a un amigo mutilado por un accidente en una plataforma del Golfo. Sandy pidió un préstamo de diez mil dólares, se estableció por su cuenta y demandó a Exxon. De los casi tres millones que obtuvo el demandante, una tercera parte correspondieron a sus honorarios. Había conseguido abrirse camino. Después de aquello se asoció con otros dos abogados y fundó un bufete especializado en accidentes laborales relacionados con la explotación del petróleo. Sin Patrick. Cuando su amigo murió, Sandy consultó el calendario y se dio cuenta de que habían pasado nueve meses desde su última conversación. Se sintió algo culpable, como es natural, pero se consoló pensando que su caso no era diferente al de otros muchos compañeros de universidad: la vida los había separado.

Sandy estuvo al lado de Trudy en los momentos más difíciles, y fue una de las personas que transportaron la urna.

Seis semanas después del entierro, cuando el dinero desapareció y empezaron a circular los primeros rumores sobre la intervención de Patrick, Sandy se alegró y deseó suerte a su amigo. Corre, Patrick, corre, había pensado a menudo durante los últimos cuatro años, siempre con una sonrisa en los labios.

El despacho de Sandy estaba en una travesía de Poydras Street, a nueve manzanas del Superdome, cerca del cruce de Magazine, en un bonito edificio del siglo XIX que había comprado gracias a una minuta sustanciosa. Incluso después de alquilar el primer piso y el segundo, le había quedado espacio suficiente en la planta baja para instalarse junto con sus dos socios, tres ayudantes y media docena de administrativos.

Sandy estaba muy ocupado cuando su secretaria entró en el despacho.

—Una señora pregunta por usted —le anunció con expresión contrariada.

—¿Tiene cita? —preguntó Sandy mientras consultaba una de las tres agendas que tenía abiertas sobre la mesa.

—No. Dice que es urgente y que no se irá sin verlo. Viene de parte de Patrick Lanigan.

Sandy levantó la vista lleno de curiosidad.

—Dice que es abogada —añadió la secretaria.

—¿Le ha dicho de dónde es?

—De Brasil.

—¿De Brasil?

—Sí.

—¿Y tiene cara de brasileña?

—Supongo que sí.

—Hágala pasar.

Sandy salió a recibirla a la puerta y la saludó efusivamente. Eva dijo llamarse Leah. Leah a secas.

—No he entendido su apellido —insistió Sandy con una sonrisa de oreja a oreja.

—No tengo —dijo—. Al menos, de momento.

«Debe de ser una costumbre brasileña —pensó Sandy—. Con Pelé, el futbolista, pasaba lo mismo.»

Sandy le ofreció asiento y una taza de café. Leah declinó el refrigerio y se sentó con cierta parsimonia. El abogado le miró las piernas. Iba vestida con ropa informal y nada llamativa. Luego se sentó al otro lado de la mesita de café y reparó en los ojos de la desconocida, unos ojos de color miel tan hermosos como cansados. Llevaba el pelo largo, por debajo de los hombros.

Patrick siempre había tenido buen gusto. Trudy no era la pareja ideal para él, pero había que reconocer que quitaba el hipo.

—Vengo en nombre de Patrick —titubeó.

—¿La envía él? —preguntó Sandy.

—Sí.

Leah hablaba despacio, pronunciando las palabras con delicadeza. Casi no tenía acento extranjero.

—¿Ha vivido en Estados Unidos?

—Sí. Estudié derecho en la Universidad de Georgetown.

Eso explicaba su inglés casi perfecto.

—¿Y dónde ejerce?

—En un bufete de Río. Llevo casos de comercio internacional.

A Sandy le preocupaba que su visitante no hubiera sonreído aún ni una sola vez. Hermosa, exótica, con la cabeza sobre los hombros y un par de buenas piernas. Sí, habría preferido verla más relajada. Al fin y al cabo, aquello era Nueva Orleans...

—¿Y allí es donde conoció a Patrick? —preguntó.

—Sí, en Río.

—¿Y ha hablado con él desde que...?

—No. No he sabido nada de él desde que lo cogieron.

Tuvo que morderse la lengua para no añadir que estaba muerta de preocupación. Sabía que eso habría resultado poco profesional. No era momento para confidencias. Su relación con Patrick debía seguir siendo un secreto. Sandy McDermott era de fiar, pero no tenía por qué saberlo todo de golpe.

Ambos desviaron la mirada. Hubo un momento de silencio. Sandy se dio cuenta de que no tendría acceso a todos los capítulos de aquella historia, pero le resultaba casi imposible refrenar la curiosidad. ¿Cómo robó el dinero? ¿Cómo llegó hasta Brasil? ¿Dónde se conocieron?

Y la pregunta por excelencia: ¿Dónde está el dinero?

—¿Por qué ha venido a verme? —preguntó.

—Quiero contratarlo como abogado de Patrick.

—Estoy a su disposición.

—La confidencialidad será un elemento crucial.

—Siempre lo es.

—Este caso es diferente.

En eso tenía razón. La diferencia estribaba en noventa millones de dólares.

—Le aseguro —la tranquilizó con una sonrisa— que todo cuanto Patrick y usted me cuenten será tratado con la máxima discreción.

Leah respondió con una sonrisa forzada.

—Puede que lo presionen para que traicione el secreto profesional —le advirtió.

—Por eso no se preocupe. Sé cuidarme solito.

—Puede que reciba amenazas.

—No sería la primera vez.

—Puede que lo sigan.

—¿Quién?

—Sujetos poco recomendables.

—¿Por ejemplo?

—Los que persiguen a Patrick.

—Creo que ya han dejado de perseguirlo.

—A él, sí. Al dinero, no.

—Ya veo.

Así pues, el dinero seguía existiendo. Sandy no se sorprendió. Él, lo mismo que el resto del mundo, sabía que Patrick no podía haberse gastado semejante cantidad en solo cuatro años. ¿Cuánto debía de quedar todavía?

—¿Dónde está el dinero? —preguntó a sabiendas de que no recibiría respuesta.

—Eso no me lo puede preguntar.

—Lo acabo de hacer.

Leah sonrió y se dispuso a despachar cuanto antes aquella reunión.

—Aclaremos un par de cosas. ¿Cuánto quiere cobrar?

—¿Por qué?

—Por defender a Patrick.

—¿De cuál de sus pecados? Según los periódicos, haría falta un ejército entero de abogados para cubrir todos los flancos.

—¿Le parecen bien cien mil dólares?

—Para empezar, ¿estamos hablando de las causas civiles o de las penales?

—De todas.

—¿Y quiere que lo represente yo solo?

—Sí. Patrick no se fía de nadie más.

—Eso es conmovedor —dijo Sandy con sinceridad.

Había docenas de abogados a los que Patrick podría haber acudido, abogados más importantes y con más experiencia en casos de delitos de sangre, abogados de la Costa muy bien relacionados, bufetes más grandes y con más recursos, y, qué duda cabe, colegas a los que habría tratado más durante aquellos últimos ocho años.

—Si es así, me doy por contratado —dijo—. Patrick y yo somos viejos amigos, ¿sabe?

—Lo sé.

«¿Cuánto sabrá ella en realidad? —se preguntó—. ¿Será solo una abogada?»

—Querría efectuar la transferencia hoy mismo. Si no le importa darme sus datos bancarios...

—Desde luego. Prepararé el contrato enseguida.

—A Patrick también le preocupa el tema de la publicidad. No quiere que haga declaraciones a los medios de comunicación. Ni ahora ni nunca. Ni una sola palabra. Ni siquiera el «sin comentarios» de rigor. Y, por descontado, nada de conferencias de prensa.

—De acuerdo.

—Ni de libros autobiográficos.

Sandy se echó a reír. Leah no le vio la gracia.

—Ni se me había pasado por la imaginación —confesó.

—Patrick quiere una garantía por escrito.

Sandy dejó de reír y garabateó algo en su bloc.

—¿Algo más?

—Sí. No se sorprenda si le intervienen los teléfonos de casa y del despacho. Y contrate a un experto en vigilancia para que lo proteja. Patrick correrá con los gastos.

—Perfecto.

—Será mejor que no nos volvamos a encontrar aquí. Hay gente buscándome. Creen que puedo llevarlos hasta el dinero. Tendremos que vernos en otra parte.

¿Qué podía decir él? Le habría gustado ayudarla, ofrecerle protección, preguntarle si tenía a donde ir y cómo se escondería, pero ella parecía tenerlo todo bajo control.

Leah consultó el reloj.

—Dentro de tres horas sale un vuelo para Miami. Tengo dos billetes de primera clase. Hablaremos en el avión.

—¿Puedo saber adónde voy?

—A San Juan, a ver a Patrick. Ya está todo arreglado.

—¿Y usted?

—Yo voy en otra dirección.

Sandy pidió que le trajeran café y magdalenas mientras Leah se ocupaba de la transferencia. Todas las citas y comparecencias previstas para los tres días siguientes quedaron canceladas. Su mujer le llevó a la oficina una bolsa con todo lo necesario para pasar la noche fuera de casa.

Uno de los procuradores los llevó en coche al aeropuerto. Durante el trayecto, Sandy se dio cuenta de que ella no llevaba equipaje; tan solo un bonito bolso de piel bastante usado.

—¿Dónde vive? —le preguntó en la cafetería del aeropuerto, con un vaso de Coca-Cola entre las manos.

—Aquí y allá —contestó Leah sin apartar la vista de la ventana.

—¿Cómo podré ponerme en contacto con usted?

—Ya lo decidiremos más adelante.

Les asignaron dos asientos de la tercera fila. Durante los veinte minutos que siguieron al despegue, Leah hojeó en silencio una revista mientras él intentaba descifrar una declaración ininteligible. Sandy no estaba de humor para papeles. Eso podía esperar. Quería hablar, hacerle un sinfín de preguntas, las mismas que tenía en mente el resto del mundo.

Pero entre ellos había un muro. Un muro infranqueable que no tenía nada que ver con el hecho de que fueran hombre y mujer ni de que se hubieran conocido apenas unas horas antes. Leah sabía las respuestas que él quería oír, pero no tenía ni la más mínima intención de compartirlas. Sandy hizo lo posible por estar a la altura de las circunstancias.

Los auxiliares de vuelo distribuyeron cacahuetes y galletitas saladas entre los pasajeros. Sandy y Leah prefirieron el agua mineral al champán incluido en su billete de primera clase.

—¿Cuánto hace que conoce a Patrick? —preguntó el abogado con cautela.

—¿Por qué lo pregunta?

—Lo siento. Mire, ¿hay algo en los últimos cuatro años de la vida de Patrick que no sea un secreto? Le recuerdo que él y yo somos viejos amigos. Y que ahora soy su abogado. No puede reprocharme que sienta cierta curiosidad.

—Las preguntas tendrá que hacérselas a él —respondió Leah con una pizca de dulzura antes de volver a su revista.

Sandy dio cuenta de su bolsita de cacahuetes.

Leah no volvió a hablar hasta que el avión sobrevoló el aeropuerto de Miami e inició el descenso.

—Tardaremos varios días en vernos —anunció con una precisión ensayada—. No puedo permitirme el lujo de quedarme mucho tiempo en ninguna parte. Patrick le dará las instrucciones que necesite. Él y yo nos comunicaremos a través de usted. Mantenga los ojos bien abiertos a partir de ahora. Voces desconocidas al teléfono, coches que sigan el mismo camino que el suyo, gente merodeando por la oficina... En cuanto se sepa que es el abogado de Patrick, empezarán a pisarle los talones.

—¿Quién?

—Patrick se lo dirá.

—Es usted quien tiene el dinero, ¿verdad?

—No puedo responder a esa pregunta.

Sandy contempló las nubes; cada vez estaban más cerca del ala. Los noventa millones debían de haberse multiplicado. Patrick no tenía un pelo de tonto. Lo habría dejado en manos de buenos profesionales, en algún banco extranjero. ¿A cuánto ascenderían los beneficios? Un doce por ciento anual, por lo menos.

El avión aterrizó sin que entre ellos mediara palabra. Luego tuvieron que atravesar la terminal a la carrera para no perder el avión que llevaría a Sandy a San Juan. Leah se despidió con un apretón de manos.

—Dígale a Patrick que estoy bien.

—Me preguntará dónde está.

—En Europa.

Sandy la vio desaparecer entre el enjambre de viajeros apresurados y sintió envidia de su viejo amigo: dinero a espuertas y una belleza exótica a su lado.

Un aviso de embarque lo sacó de su ensimismamiento. Mientras se desperezaba, se preguntó cómo podía envidiar a un hombre que se enfrentaba a la posibilidad de pasarse tres años esperando el día de su ejecución, y a una jauría de abogados dispuestos a arrancarle la piel a tiras con tal de recuperar el dinero robado.

¡Envidia! Sandy ocupó su asiento —también de primera clase— y empezó a sentir sobre los hombros el peso de la tarea que acababa de imponerse.

Eva volvió en taxi al hotel de South Beach donde había pasado la noche anterior. Aún no había decidido cuánto tiempo permanecería en él. Todo dependía del cariz que tomaran los acontecimientos en Biloxi. Patrick le había desaconsejado que se quedara en el mismo sitio durante más de cuatro días. Había reservado una habitación a nombre de Leah Pires, titular de una tarjeta sin límite de crédito. Según su documentación, la señorita Pires residía habitualmente en São Paulo.

Nada más llegar al hotel se cambió de ropa y bajó a la playa. Era media tarde y no cabía un alfiler en la arena; justo lo que necesitaba. Las playas a las que solía ir en Río también estaban abarrotadas, con la diferencia de que allí siempre había algún amigo entre la multitud. En Miami era una extraña, una de tantas bellezas anónimas vestidas con un biquini minúsculo y tostadas por el sol. ¡Qué ganas tenía de volver a casa!

11

Sandy tardó una hora en atravesar la barrera humana que custodiaba la entrada a la base. No cabía duda de que su nuevo cliente no se lo estaba poniendo nada fácil. Los marines no habían sido informados de su visita y, a falta de una invitación formal, Sandy tuvo que recurrir al manido repertorio del abogado en apuros: amenazas, demandas, influencias en el Senado, exabruptos y peroratas sobre derechos conculcados. Llegó al hospital al anochecer, dispuesto a hacer frente a la retaguardia, y se encontró con la agradable sorpresa de que la enfermera del mostrador de recepción avisó a Patrick enseguida.

La habitación estaba a oscuras, sin más luz que el reflejo azulado de un aparato mudo de televisión suspendido de la pared: estaban retransmitiendo un partido de fútbol brasileño. Los dos amigos se dieron la mano. Hacía seis años que no se veían. Patrick se había tapado hasta la barbilla para ocultar las heridas del pecho, y parecía más interesado en el partido que en entablar una conversación en serio.

Sandy disimuló la decepción que le había provocado aquella fría bienvenida, y examinó el rostro de su amigo sin que este se diera cuenta. Estaba muy delgado, casi demacrado, y tenía la barbilla más cuadrada y la nariz más afilada que de costumbre. Habría podido engañarlo de no ser por los ojos. Y la voz. El tono de Patrick era inconfundible.

—Gracias por venir —dijo Patrick.

Hablaba pausadamente, como si el acto de comunicarse requiriera mucho esfuerzo y reflexión.

—De nada. La verdad es que no he tenido más remedio. Tu amiga es muy convincente.

Patrick cerró los ojos y reprimió un suspiro. Dio gracias a Dios en voz baja. Eva estaba bien.

—¿Cuánto te ha pagado? —preguntó entonces.

—Cien mil.

—Bien —dijo Patrick antes de hacer una larga pausa.

Sandy comprendió que en sus conversaciones habría siempre largos intervalos de silencio.

—No te preocupes por ella —lo tranquilizó—. Además de guapa, es más lista que el hambre. Sabe perfectamente lo que está haciendo, sea lo que sea. Lo digo por si te interesa.

—Me alegro.

—¿Cuándo os visteis por última vez?

—Hace un par de semanas. He perdido la noción del tiempo.

—¿Es tu mujer, tu novia, tu amante, la acompañante de turno...?

—Mi abogada.

—¿Tu abogada?

—Exacto.

Sandy sonrió. Patrick volvió a encerrarse en sí mismo. Ni una palabra, ni la más mínima muestra de movimiento bajo las sábanas. Así pasaron varios minutos. Sandy se sentó en la única silla de la habitación, dispuesto a esperar el tiempo que hiciera falta. Su amigo estaba a punto de regresar a un mundo cruel lleno de fieras al acecho, así que no sería él quien le impidiera contemplar un rato las musarañas. Tendrían tiempo de sobra para hablar, y no les faltarían temas de conversación.

Patrick estaba vivo. Eso era lo único que importaba. Sandy sonrió otra vez al recordar el entierro de su amigo: la urna, el aire frío, el cielo encapotado, las palabras del sacerdote y el llanto contenido de Trudy. Si los medios de comunicación estaban en lo cierto, Patrick lo había observado todo desde un árbol cercano. Daban ganas de echarse a reír.

Un buen día desapareció para quedarse con el dinero. Acusar la crisis de los cuarenta no tiene nada de original, siempre y cuando uno se limite a cambiar de esposa o a volver a la universidad.

El caso de Patrick fue diferente. Él combatió la angustia existencial matándose, robando noventa millones de dólares y esfumándose sin dejar rastro.

El recuerdo del cadáver calcinado borró la sonrisa del rostro de Sandy.

—Menudo recibimiento te están organizando, chico —dijo por decir algo.

—¿Quién?

—Nadie en particular. Trudy presentó la demanda de divorcio hace dos días, pero por eso no tienes que preocuparte.

—En eso tienes razón. No me lo digas. Quiere la mitad del dinero.

—Quiere muchas cosas. También te han acusado formalmente de asesinato. Piden la pena máxima. El FBI te ha dejado en manos del Estado.

—Lo he visto en la tele.

—Perfecto. Entonces ya sabes lo de las demandas.

—Sí. La CNN ha tenido la amabilidad de mantenerme informado.

—¿Y qué esperabas? Tienes que reconocer que es una historia alucinante.

—Gracias.

—¿Cuándo quieres que hablemos?

Patrick se volvió y levantó la vista por encima de Sandy. Detrás de su amigo no había nada que ver excepto la pared, pintada del mismo blanco aséptico que las otras. Para Patrick era como tener los ojos cerrados.

—Sandy... —dijo con un hilo de voz—. Me torturaron.

—¿Quién?

—Me llenaron el cuerpo de cables y me electrocutaron hasta que hablé.

Sandy se levantó y se acercó al borde de la cama.

—¿Qué les contaste? —preguntó con una mano sobre el hombro de Patrick.

—No lo sé. Hay muchas cosas que no recuerdo. Estaba drogado. Mira.

Patrick levantó el brazo izquierdo para que su abogado pudiera echar un vistazo a los hematomas.

Sandy encendió la luz para verlos mejor.

—¡Santo Dios! —exclamó.

—No paraban de preguntar por el dinero —dijo Patrick—. Cada vez que me desmayaba, me hacían volver en mí para seguir con las descargas. Tengo miedo de haber hablado de ella.

—¿De la abogada?

—Sí, la abogada. ¿Cómo te dijo que se llamaba?

—Leah.

—Bien. Entonces la llamaremos Leah. Creo que les conté lo de Leah. Estoy casi seguro.

—¿A quién se lo contaste, Patrick?

Patrick cerró los ojos e hizo una mueca de dolor. Aún tenía los músculos de las piernas resentidos y había empezado a sentir los primeros calambres. Con cuidado, volvió a la posición anterior y apoyó la espalda en la almohada. Luego se bajó la sábana hasta la cintura.

—Mira —dijo mientras señalaba con la mano las dos quemaduras graves del pecho—. ¿Necesitas más pruebas?

Sandy examinó las heridas más de cerca. Pedazos de carne viva rodeados de piel afeitada.

—¿Quién fue? —insistió.

—No lo sé. Varios hombres. Suficientes para llenar una habitación.

—¿Dónde?

Patrick se compadeció de su amigo. Sandy se moría por saber qué había pasado, y no solo con respecto a la tortura. Todos querían conocer hasta el último detalle de aquella apasionante o, como había dicho Sandy, alucinante historia. Por desgracia, Patrick no estaba en disposición de satisfacer tanta curiosidad, sobre todo en lo relacionado con el accidente de circulación que había reducido a cenizas a aquel pobre diablo. En cambio, no tenía inconveniente en divulgar los pormenores relativos al secuestro y las sesiones de tortura. Patrick cambió de postura por enésima vez y se cubrió con la sábana. Habían pasado dos días desde la última inyección. ¿Conseguiría resistir el dolor sin la ayuda de las drogas?

—Acerca la silla y siéntate —ordenó—. Y dale a ese interruptor. La luz me molesta.

Sandy obedeció con presteza y se sentó lo más cerca posible de la cama.

—Ya has visto lo que me hicieron —dijo Patrick en la penumbra, y prosiguió con el relato del incidente de Ponta Porã, incluidos el footing, el falso pinchazo y todo lo demás.

Ashley Nicole contaba veinticinco meses cuando su padre fue enterrado, de manera que no se acordaba de Patrick. Lance era el único hombre de la casa, el único hombre que había visto al lado de su madre. De vez en cuando la llevaba a la escuela, y en ocasiones hasta cenaban los tres juntos, como una familia.

Después del entierro, Trudy escondió todos los recuerdos de su vida con Patrick, incluidas las fotografías. Desde entonces, Ashley Nicole ni siquiera había oído mencionar el nombre de su padre.

Tres días enteros de sitio periodístico, sin embargo, despertaron la curiosidad de la niña. Su madre se comportaba de forma extraña, y en la casa se respiraba un ambiente tan tenso que hasta una niña de seis años podía darse cuenta de que algo andaba mal.

Trudy aprovechó la ausencia de Lance —quien había acudido a su cita con el abogado— para sentarse en la cama con su hija y contarle la verdad.

Por de pronto, tuvo que admitir que había estado casada. De hecho, lo había estado dos veces, pero consideró que, dadas las circunstancias, Ashley Nicole aún no tenía por qué estar al corriente de toda su biografía. Así pues, se concentró en sus segundas nupcias.

—Patrick y yo estuvimos casados cuatro años. Hasta que él hizo algo terrible.

—¿Qué? —preguntó Ashley Nicole con los ojos muy abiertos.

En aquellos momentos, a Trudy no le habría importado tener una hija menos despierta.

—Mató a un hombre e hizo que pareciera... Bueno, hubo un accidente. El coche se incendió y, como era el coche de Patrick y había alguien dentro, la policía pensó que era él. Todos pensamos que era él, que había muerto, que se había quemado dentro del coche. Me puse muy triste. Patrick era mi marido. Yo lo quería mucho, ¿sabes? Se me hizo muy difícil aceptar que había desaparecido de repente. Aún recuerdo el día que lo enterramos en el cementerio. Ahora, cuatro años más tarde, me dicen que lo han encontrado. Que se había refugiado en el otro extremo del mundo. Que no estaba muerto, solo escondido.

—¿Y por qué estaba escondido?

—Porque robó mucho dinero a sus amigos y quería quedárselo todo. Patrick es un hombre muy malo.

—O sea, que es un asesino y un ladrón.

—Eso es, cariño. Patrick no es una buena persona.

—Ojalá no te hubieras casado con él.

—Cariño, no sé cómo decírtelo, pero... Tú naciste mientras Patrick y yo estábamos casados.

Trudy esperó unos instantes para ver si la pequeña entendía el mensaje. Por su mirada, dedujo que no.

—Patrick es tu padre —le dijo entonces, tomándola de la mano.

Ashley Nicole miró a su madre en silencio. Estaba procesando la información.

—No es justo. Yo no...

—Lo siento, cariño. Habría preferido contártelo cuando fueras mayor, pero, ahora que Patrick está a punto de regresar, es importante que lo sepas.

—¿Y qué pasa con Lance? ¿También es mi padre?

—No. Lance y yo vivimos juntos. Nada más.

Trudy nunca había consentido que la pequeña se refiriera a Lance como a su padre. Él, por su parte, tampoco tenía ningún interés en asumir el papel de figura paterna. A todos los efectos, pues, Trudy era una madre soltera, y Ashley Nicole una niña sin padre. Como tantas otras.

—Somos amigos desde hace mucho tiempo —siguió Trudy. Tenía la esperanza de que, si tomaba la iniciativa, no tendría que contestar a las mil preguntas que debían de estar ocurriéndosele a la niña—. Muy amigos. Y no es que Lance no te quiera. Te quiere mucho, pero no es tu padre. Tu padre de verdad es Patrick. De todas formas, eso no significa que tengas que preocuparte por él.

—¿Crees que querrá verme?

—No lo sé, cariño, pero haré lo imposible para mantenerlo lejos de ti. Es una mala persona. Te abandonó cuando solo tenías dos años. Me abandonó a mí. Robó un montón de dinero y desapareció. Está claro que ni le importábamos entonces ni le importamos ahora. Si no le hubieran cogido, no habría regresado nunca más. Nunca más habríamos vuelto a verlo. Con que no te preocupes por Patrick ni por lo que haga o deje de hacer.

Ashley Nicole avanzó a gatas sobre la cama y se acurrucó en el regazo de su madre. Trudy la acogió con una caricia.

—Todo saldrá bien, cariño. Te lo prometo. Siento haber tenido que contarte todo esto, pero no tenía otro remedio. Con todos esos periodistas pululando por ahí fuera y la televisión hablando del tema todo el día, te habrías enterado de todas maneras.

—Mamá, ¿quién es toda esa gente? —preguntó Ashley Nicole agarrada a los brazos de su madre.

—No lo sé, cielo. Ojalá se marcharan.

—¿Qué quieren?

—Fotos tuyas, fotos mías, fotos para los periódicos que hablan de Patrick y de sus fechorías.

—¿Están ahí por culpa de Patrick?

—Sí, cariño.

Ashley Nicole se volvió y miró a Trudy a los ojos.

—Le odio —sentenció.

Trudy la reprendió con un gesto. Luego la abrazó fuerte y sonrió.

Lance había nacido y crecido en Point Cadet, una antigua colonia situada en una pequeña península de la bahía de Biloxi donde convivían los pescadores de gambas y los inmigrantes recién llegados al país. Conocía al dedillo todas aquellas calles de ambiente obrero, y aún conservaba muchos amigos en el barrio; entre ellos, un tal Cap. Este era quien conducía la furgoneta cargada de marihuana el día de su detención. Los agentes de narcóticos le dieron el alto y encontraron a Lance, con la escopeta en la mano, durmiendo entre los paquetes de cannabis. A la tierna edad de diecinueve años, Cap y Lance habían compartido abogado, sentencia y condena.

Además de regentar su bar, Cap se dedicaba a prestar dinero con usura a los trabajadores de las fábricas de conservas. Lance y él se estaban tomando un par de cervezas en la trastienda, algo que procuraban hacer al menos una vez al mes y que hacían cada vez menos desde que Trudy se había mudado a Mobile con todos sus millones. Cap sabía que su compinche estaba en apuros. Lo había leído en los periódicos. De hecho, no se había sorprendido en absoluto al verlo aparecer con cara de pocos amigos y ganas de desahogarse.

Lance quería ponerse al día de las novedades: quién había ganado pasta, cuánta y en qué casino, por qué zona se movían los vendedores de crack, a quién habían echado el ojo los de narcóticos y cosas por el estilo. Habladurías de facinerosos con aspiraciones millonarias.

Cap desconfiaba de Trudy y solía mofarse de Lance por seguirla a todas partes.

—¿Cómo está la zorra? —preguntó.

—Bien. Preocupada por lo de su marido.

—No me extraña. ¿Cuánto le dieron los del seguro?

—Un par de millones.

—Dos y medio, según la prensa. Aunque, con el tren de vida que lleva, ya se lo debe de haber cepillado.

—El dinero está a buen recaudo.

—Que te lo has creído. El periódico decía que la compañía de seguros ya le ha metido un buen puro.

—Nosotros también tenemos abogados.

—Si estuvieras tan tranquilo como dices, no te habrías dejado caer por aquí. ¿Me equivoco? Has venido porque necesitas ayuda. La clase de ayuda que no pueden prestar los abogados.

Lance sonrió y tomó un trago de cerveza. Luego aprovechó que Trudy no estaba para encender un cigarrillo.

—¿Has visto a Zeke?

—¡No falla! —protestó Cap, indignado—. En cuanto la cosa se pone fea y ve peligrar sus millones, te envía al barrio a buscar a Zeke o a cualquier otro merluzo que esté dispuesto a jugarse el tipo por un puñado de billetes. Luego lo cogen, te cogen a ti, tú te las cargas y ella se olvida de que existes. Tú eres tonto, chico.

—Ya lo sé. ¿Sabes dónde está o no?

—En la cárcel.

—¿Cuál de ellas?

—Texas. Los federales lo trincaron por venta de armas. Tú eres tonto, chico. Hazme caso y no te compliques la vida. Ese tío llegará rodeado de pasma por todas partes, y lo encerrarán donde no pueda verlo ni su propia madre. Tienen que mantenerlo con vida hasta que afloje y diga dónde ha escondido la pasta. Para llegar hasta él, tendrías que llevarte por delante a media docena de polis, y dejar la vida en el intento.

—No necesariamente.

—Ahora resulta que eres un experto. Como si hubieras pasado por lo mismo un montón de veces. ¿Desde cuándo te crees tan listo?

—Puedo encontrar quien lo haga por mí.

—¿Por cuánto?

—Por lo que haga falta.

—¿Tienes cincuenta de los grandes?

—Sí.

Cap respiró hondo y echó un vistazo a la clientela del pub. Luego se inclinó hacia delante, apoyó los codos en la mesa y miró fijamente a su amigo.

—A ver si lo entiendes, Lance. Tú nunca has sido un tipo brillante, no hace falta que te lo diga. Tienes éxito con las chicas, es verdad, pero el cerebro nunca ha sido tu punto fuerte.

—Muchas gracias.

—Todos lo quieren vivo. Piénsalo. Todos: los federales, los abogados, la policía, el tío que se quedó sin la pasta..., todos. Todos excepto, claro está, esa muerta de hambre que te deja vivir en su casa. Ella es la única que lo quiere ver muerto. Incluso en el caso de que te salieras con la tuya y llegaras a cargártelo, ¿de quién crees que sospecharía la policía? De ella, naturalmente. Y ahí es donde entras tú, pedazo de testosterona. El chivo expiatorio perfecto. El marido la palma, ella se queda con la pasta, que tú y yo sabemos que es lo único que le interesa, y tú te vas derechito a Parchman porque tienes antecedentes penales. ¿O es que ya no te acuerdas? Dejará que te pudras en la cárcel el resto de tu vida y ni siquiera se molestará en escribirte.

—¿Podemos hacerlo por cincuenta?

—¿Podemos?

—Sí. Tú y yo.

—Puedo darte un nombre, nada más. No quiero tener nada que ver con esto. No me interesa. Además, no saldrá bien.

—¿Quién es?

—Un tipo de Nueva Orleans. Pasa por aquí de vez en cuando.

—¿Puedes ponerme en contacto con él?

—Sí, pero nada más. Y luego no me vengas con que no te avisé.

12

Eva abandonó Miami a bordo de un avión con destino a Nueva York. El Concorde, un lujo superfluo pero al alcance de su multimillonario bolsillo, la llevó desde la ciudad de los rascacielos hasta París. En Niza, la última escala, alquiló el coche con el que atravesaría la campiña meridional en dirección a Aix-en-Provence, réplica del viaje que había hecho en compañía de Patrick hacía casi un año. Solo en aquella ocasión había logrado convencerlo para que saliera de Brasil. Patrick se echaba a temblar ante la simple idea de cruzar una frontera, por más perfecta que fuera su documentación falsa.

A los brasileños les encanta todo lo que tiene que ver con Francia, y casi todos los que han tenido acceso a una buena educación conocen la lengua y la cultura francesas. Eva y Patrick reservaron una suite en Villa Gallici, un bonito hotel en las afueras de Aix-en-Provence, y dedicaron una semana a recorrer las calles de la ciudad, a ir de compras, a degustar la comida local y a hacer alguna que otra visita a los pueblecitos de los alrededores. Y al igual que una pareja de recién casados, también se pasaron horas enteras sin salir de la habitación. Una vez, después de un exceso etílico, Patrick se refirió a aquel viaje como a su luna de miel.

Eva se hospedó en el mismo hotel, pero en una habitación individual. Después de una siesta reconfortante, salió a la terraza en albornoz a tomarse una taza de té. Luego se puso unos pantalones vaqueros y estuvo un buen rato paseando por la ciudad.

Llegó hasta Cours Mirabeau, la avenida principal de Aix, y se sentó a degustar una copa de vino tinto en la terraza de un café abarrotado, contemplando las idas y venidas de los estudiantes. Sintió envidia de los jóvenes amantes que paseaban de la mano, sin rumbo fijo, sin nada de que preocuparse, y recordó que Patrick y ella también habían recorrido las mismas aceras cogidos del brazo, susurrando y riendo como si las sombras que los perseguían se hubieran desvanecido.

Fue en Aix, durante la única semana que pasó ininterrumpidamente a su lado, cuando se dio cuenta de lo poco que dormía Patrick. Se despertara a la hora que se despertase, él ya tenía los ojos abiertos. A menudo lo sorprendía inmóvil, tendido en silencio, mirándola como si la estuviera protegiendo de algún peligro, con la lámpara de la mesilla encendida. Si se daba cuenta de que se había despertado, apagaba la luz y la acariciaba dulcemente hasta adormecerla. Al cabo de media hora la lámpara volvía a estar encendida. Patrick se levantaba siempre antes de la salida del sol, tan temprano que cuando ella salía a la terraza a desayunar, él ya había tenido tiempo de leerse todos los periódicos del día y varios capítulos de alguna novela de intriga.

—Dos horas como máximo —confesó cuando le preguntó cuánto dormía.

Patrick siempre se acostaba tarde, y pocas veces recuperaba algo de sueño durante el día.

A pesar de todo, no daba la impresión de estar nervioso ni asustado. No llevaba armas encima, no desconfiaba de los desconocidos ni mostraba otros síntomas de paranoia. Y rara vez hablaba de su condición de fugitivo. Excepto por su insomnio, Patrick le parecía tan normal que, a veces, hasta olvidaba que era uno de los hombres más buscados del planeta.

Para bien o para mal, sin embargo, el pasado formaba parte de sus vidas. Al fin y al cabo, si Patrick no hubiera tomado un día la decisión de cambiar de identidad y dejar atrás Estados Unidos, ella nunca lo habría conocido. Patrick hablaba con relativa frecuencia de la Nueva Orleans de su infancia, pero pocas veces —por no decir nunca— hacía referencia a su mujer y a la vida que había llevado antes de huir a Brasil. Pese a aquel silencio, Eva sabía que Patrick había llegado a sentir un profundo desprecio por su esposa, y que la decisión de cambiar de vida había tenido mucho que ver con el deterioro de su matrimonio.

El recuerdo de Ashley Nicole era el más doloroso. Cada vez que Patrick intentaba hablar de la niña, se le hacía un nudo en la garganta y los ojos se le llenaban de lágrimas.

Su pasado seguía siendo un capítulo incompleto, y eso dificultaba el paso a la página siguiente. ¿Cómo se iba a poner a hacer planes sabiendo que las sombras estaban al acecho? No, nada de especulaciones sobre el futuro hasta que el resto estuviera resuelto.

Eva sabía que eran esas sombras las que le quitaban el sueño. Sombras invisibles. Presentimientos.

Se habían conocido dos años atrás, en el bufete de Río donde ella trabajaba. Patrick, haciéndose pasar por un empresario canadiense afincado en Brasil, había acudido al despacho en busca de asesoramiento en materia de importación e impuestos. Estaba delgado y bronceado, e iba vestido con un bonito traje de lino y una camisa blanca almidonada, el atuendo más acorde con el papel que estaba interpretando. Hablaba muy bien el portugués, aunque no tanto como ella el inglés, y era un dechado de amabilidad. Insistió en hablar la lengua del país; ella hizo lo mismo con el inglés. Así durante todo el almuerzo: una comida de trabajo que duró tres horas y que los convenció de que aquel no iba a ser su último encuentro. Siguieron una cena interminable y un paseo descalzos por la playa de Ipanema.

Eva había estado casada con un hombre mayor que había fallecido en un accidente de aviación en Chile. No tenía hijos. Patrick —Danilo, por aquel entonces— le dijo que estaba felizmente divorciado y que su ex mujer aún vivía en Toronto, su ciudad natal.

Durante los primeros meses de su romance, Eva y Danilo se estuvieron viendo varias veces por semana. En una de aquellas citas, él le contó la verdad. Toda la verdad.

Habían cenado en el apartamento de Eva. Era de madrugada y habían dado cuenta de una botella de buen vino francés. Danilo decidió que había llegado el momento de enfrentarse con su pasado y desnudar su alma. Estuvo varias horas hablando sin parar. Ante la mirada atónita de Eva, el empresario seguro de sí mismo se fue convirtiendo en un fugitivo asustado. Asustado y nervioso, sí, pero también inmensamente rico.

Patrick sintió un alivio tan grande que tuvo que hacer un esfuerzo para no echarse a llorar. En Brasil, recordó, los hombres no lloran. Sobre todo delante de una mujer bonita.

La confesión no hizo sino aumentar el amor que Eva sentía por él. Hubo besos y abrazos, y lágrimas suficientes para los dos. Eva prometió hacer todo cuanto estuviera en su mano para protegerlo, y juró que jamás revelaría aquel terrible secreto. A lo largo de las semanas siguientes, Patrick le explicó dónde estaba el dinero y le enseñó la mejor manera de moverlo rápidamente por todo el mundo. Juntos estudiaron las ventajas que ofrecían los paraísos fiscales y decidieron cuáles eran las inversiones más seguras.

Patrick llevaba casi dos años en Brasil cuando conoció a Eva. Al llegar se había instalado en São Paulo, pero luego había residido en Recife, en Minas Gerais y en media docena de sitios más. Había estado dos meses en el Amazonas, trabajando en la selva y durmiendo en una barcaza, bajo una mosquitera tan cubierta de insectos que no podía distinguir la luna. También había estado empleado en Pantanal, un coto de caza gigantesco —repartido entre los estados de Mato Grosso y Mato Grosso do Sul, y de una extensión equivalente a la de España— frecuentado por los potentados argentinos. De hecho, conocía Brasil mejor que Eva; había estado en lugares de los que ella ni siquiera había oído hablar. Ponta Porã fue el resultado de una cuidada selección. Era una población pequeña y apartada, y a Danilo le pareció que, en el país de los mil escondrijos, aquel era el más seguro. Además, presentaba la ventaja táctica de estar en la frontera con Paraguay, un buen lugar adonde huir cuando se sintiera amenazado.

Eva no se opuso. Habría preferido que se instalara en Río, cerca de su casa, pero ¿quién era ella para dar consejos a un fugitivo? Lo dejó marchar a regañadientes, apenas confortada por la promesa de que algún día podrían estar juntos. De vez en cuando se reunían en el apartamento de Curitiba: breves encuentros que nunca duraban más de dos días y que siempre dejaban a Eva con la miel en los labios. Por desgracia, era todo cuanto él podía ofrecerle.

Danilo —ella nunca lo llamaba Patrick— estaba cada vez más convencido de que tarde o temprano darían con él. Eva se resistía a creerlo. ¿Cómo iban a encontrarlo con todas las molestias que se había tomado para no dejar rastro?

La preocupación de Danilo fue aumentando en proporción inversa a sus horas de sueño. Se pasaba horas enteras instruyéndola sobre lo que debía hacer en tal o cual circunstancia. Incluso dejó de hablar del dinero. Las premoniciones no lo dejaban ni a sol ni a sombra.

Eva tenía previsto quedarse en Aix unos cuantos días, siguiendo el caso en la CNN y en los periódicos estadounidenses que pudiera encontrar. Sabía que no tardarían mucho en darle el alta. Luego vendrían la repatriación, la cárcel y quién sabe cuántas acusaciones. Patrick sabía que lo encerrarían, pero siempre le decía que no pasaría nada. Que lo resistiría. Que resistiría cualquier cosa si ella prometía esperarlo. Tarde o temprano tendría que volver a Zurich para aclarar las cosas con el bufete. Después ya se vería. Lo más difícil era aceptar la idea de que no podía volver a casa. Había hablado con su padre tres veces, y siempre había tenido que hacerlo desde un teléfono público de un aeropuerto diferente. Llamaba para decirle que estaba bien pero que le era imposible regresar. Al menos, de momento.

Patrick y ella se comunicarían a través de Sandy, pero pasarían semanas antes de que pudieran verse.

Poco antes de las dos de la madrugada lo despertó un dolor agudo en las piernas. Durante un instante, pensó que volvían a aplicarle descargas, y creyó oír las voces crueles de sus raptores: ¿Dónde está el dinero?

La primera píldora llegó en una bandeja transportada por un camillero apático del turno de noche. Patrick pidió el vaso de agua que el auxiliar había olvidado, se tragó la píldora y apuró una lata de refresco para quitarse el mal sabor de boca. Al cabo de diez minutos aún no había notado ninguna mejoría. Tenía el cuerpo empapado en sudor, y las heridas le escocían por culpa del ácido. Habría dado cualquier cosa por unas sábanas limpias. Pasaron otros diez minutos. Patrick encendió el televisor.

No le cabía ninguna duda de que sus torturadores seguían tras la pista del dinero, y el hecho de que los medios de comunicación hubieran divulgado su paradero contribuía a aumentar su sensación de inseguridad. Los fantasmas, ahuyentados por la luz del día, volvían por sus fueros durante las horas de oscuridad. Patrick esperó treinta minutos antes de llamar a la enfermera de guardia. Nadie acudió en su ayuda.

Al cabo de un rato se adormeció.

A las seis, la hora de la visita, ya volvía a estar despierto.

El médico lo examinó a toda prisa y sin el buen humor de costumbre.

—Vamos a trasladarle —anunció—. Lo dejamos en buenas manos.

El doctor anotó un par de cifras en la tabla de seguimiento y salió de la habitación sin añadir palabra.

Treinta minutos más tarde llegó el agente Brent Myers con una sonrisa y la placa por delante, para no perder la costumbre.

—Buenos días —dijo.

Patrick no se volvió.

—¿No le han enseñado a llamar a la puerta?

—Lo siento. Acabo de hablar con el médico, Patrick. ¿Ya sabes las buenas noticias? Nos vamos a casa. Tengo órdenes de llevarte de vuelta mañana mismo. Saldremos a primera hora. Vuelo especial con destino a Biloxi. El gobierno nos presta un avión de las Fuerzas Aéreas. ¿A que es emocionante? Imagínate, los dos juntitos...

—Déjeme en paz.

—Como quieras. Hasta mañana.

—Fuera.

El agente cerró la puerta tras de sí. Luis entró al poco rato con la bandeja del desayuno: café, zumo y mangos troceados. Patrick vio cómo deslizaba un paquete debajo del colchón antes de preguntarle si necesitaba algo más.

—No, gracias —musitó.

Una hora más tarde llegó Sandy, dispuesto a desentrañar el misterio de aquellos últimos cuatro años y a no dejar pregunta sin respuesta. Patrick apagó el televisor mientras él subía las persianas. La luz del sol inundó la habitación.

—Quiero que vuelvas a Biloxi inmediatamente —dijo Patrick—. Toma, llévate esto.

Sandy cogió el paquete y se sentó en la única silla de la habitación para examinar detenidamente las fotografías de su amigo desnudo.

—¿Cuándo te las han hecho? —preguntó.

—Hace dos días.

Sandy sacó su bloc y tomó nota.

—¿Quién?

—Luis, el camillero.

—¿Y las quemaduras? ¿Quién ha sido?

—¿Quién me tiene bajo custodia, Sandy?

—El FBI.

—Entonces creo que ha sido el FBI. Mi propio gobierno me ha perseguido, capturado y torturado. Y ahora me repatría a la fuerza. El gobierno, Sandy. El FBI, el Departamento de Justicia y las autoridades locales: el fiscal del distrito y el resto del comité de bienvenida. Mira cómo me han dejado.

—Habría que demandarlos —dijo Sandy.

—Y sacarles unos cuantos millones. No hay tiempo que perder. Escucha mi plan. Mañana me meterán en no sé qué transporte militar y me trasladarán a Biloxi. Imagínate la recepción que me espera. Hay que aprovechar.

—¿Aprovechar?

—Exacto. Deberíamos presentar la querella esta misma tarde para que salga en los periódicos mañana. Filtra la noticia a la prensa y enséñales las fotos, las dos que he marcado por detrás.

Sandy repasó las fotografías hasta encontrar las que había escogido Patrick. La primera era un primer plano de la cara y las quemaduras del pecho. La otra mostraba la quemadura de tercer grado del muslo izquierdo.

—¿En serio quieres que se las dé a la prensa?

—Solo al periódico de la Costa. Es el único que interesa. Lo lee el ochenta por ciento del condado de Harrison, es decir, la mayoría de los miembros potenciales de nuestro jurado.

Sandy tuvo que reprimir una carcajada.

—Ya veo que no has pegado ojo esta noche.

—Llevo cuatro años sin pegar ojo.

—La idea me parece brillante.

—Bueno, yo no diría tanto. Con un poco de suerte, servirá para parar los pies a esos buitres y atraernos el favor de la opinión pública. ¿Te imaginas los titulares? El FBI tortura a un detenido, a un ciudadano de Estados Unidos.

—Brillante. Simplemente brillante. ¿Nos querellamos solo contra el FBI?

—Sí, no compliquemos más las cosas. Acusar al gobierno de causarme daños físicos y psíquicos irreparables durante el brutal interrogatorio al que fui sometido en algún lugar de la selva brasileña no es moco de pavo.

—A mí me suena a gloria.

—Aún te sonará mejor cuando la prensa haya entrado en acción.

—¿Cuánto pedimos?

—Eso es lo de menos. Diez millones por daños y perjuicios y cien más de multa. Para que cunda el ejemplo.

Sandy llenó una página entera de garabatos. De repente dejó de escribir y miró fijamente a Patrick.

—No ha sido el FBI, ¿verdad?

—No —dijo Patrick—. El FBI me recibió de manos de un puñado de matones anónimos que llevaban mucho tiempo siguiéndome la pista. De hecho, aún me la están siguiendo.

—¿Crees que el FBI sabe quiénes son?

—Sí.

La habitación quedó en silencio. Sandy esperaba una explicación que Patrick no estaba dispuesto a darle. Había enfermeras en el pasillo, al otro lado de la puerta.

Patrick cambió de postura. Después de tres días de reposo, se sentía con fuerzas para afrontar el traslado y todo cuanto este conllevaba.

—Date prisa, Sandy. Ya habrá tiempo para hablar. Sé que tienes muchas preguntas que hacer. Solo necesito un poco de tiempo.

—Tú mandas, amigo.

—Y deja la discreción a un lado. Llegado el momento, ya decidiremos a quién hay que acusar exactamente.

—De acuerdo. No será la primera vez.

—Es cuestión de estrategia. No nos irá mal contar con las simpatías del público.

Sandy guardó el bloc y las fotos en el maletín.

—Ten cuidado —dijo Patrick—. Tan pronto como se sepa que eres mi abogado, tendrás que vértelas con un montón de gente desagradable.

—¿Lo dices por la prensa?

—Solo en parte. Hay un gran tesoro enterrado, Sandy, y gente dispuesta a encontrarlo a toda costa.

—¿Cuántos millones te quedan?

—Los mismos de siempre. Más aún.

—No me sorprendería que tuvieras que utilizar hasta el último centavo para salvar el pellejo.

—Tengo un plan.

—No me lo jures. Nos vemos en Biloxi.

13

Tras el impacto causado por la noticia de que Patrick sería trasladado a Estados Unidos al día siguiente, pocos esperaban que la jornada pudiera dar aún más de sí. Todas las fuentes consultadas, sin embargo, coincidían en afirmar lo contrario.

Sandy dejó a los periodistas esperando en el vestíbulo mientras él cumplía con los trámites de rigor en el despacho del oficial del juzgado. Luego distribuyó copias de la querella que acababa de presentar entre la docena de sabuesos que competían por el privilegio de entrevistarlo. El rumor de la nueva acción judicial había congregado a representantes de todos los medios de comunicación, tal y como indicaba la presencia, entre los enviados de la prensa escrita, de dos cámaras de televisión y un equipo radiofónico.

Lo que podía haber sido la enésima demanda presentada por un abogado con ansias de protagonismo se convirtió en algo mucho más serio en el preciso instante en que Sandy anunció que su representado era nada más y nada menos que Patrick Lanigan. El corro de reporteros de guardia se vio incrementado de inmediato por un puñado de curiosos: empleados del juzgado, abogados e incluso un conserje. Con su habitual sangre fría, Sandy informó a los presentes de que su cliente acababa de interponer una querella contra el FBI por tortura y malos tratos.

Sandy describió con detalle las imputaciones hechas contra los agentes del gobierno antes de someterse al tiroteo de los medios. Cuando hubo dado respuesta a todas las preguntas —siempre con la mirada fija en las cámaras de televisión—, se agachó un momento para extraer de su maletín las fotografías a todo color del maltrecho cuerpo de Patrick, ampliadas a treinta por cuarenta centímetros y montadas en sendos *passe-partout* de cartulina plastificada.

—Juzguen ustedes mismos —dijo con afectación.

Las cámaras se abrieron paso hasta el abogado para captar primeros planos de las instantáneas. El orden brillaba por su ausencia.

—Lo drogaron y le llenaron el cuerpo de cables. Lo torturaron hasta achicharrarlo vivo por negarse a contestar unas preguntas cuya respuesta desconocía. Así actúa su gobierno, damas y caballeros. ¡Torturando a ciudadanos de Estados Unidos! ¡Contratando matones a sueldo que se hacen llamar agentes del FBI!

Sandy consiguió impresionar incluso a los reporteros más avezados. No cabía duda de que estaba dotado para el arte dramático.

La televisión local de Biloxi anunció la noticia a bombo y platillo y le dedicó casi la mitad del noticiario de las seis. El otro reportaje estelar fue el del regreso de Patrick, previsto para el día siguiente.

La CNN se hizo eco de la noticia a última hora de la tarde, y la incluyó en boletines sucesivos cada media hora. De la noche a la mañana, Sandy se había convertido en el abogado más famoso del país. Los hechos imputados a los agentes del FBI eran tan graves que se hacía difícil hablar de otra cosa.

Hamilton Jaynes estaba disfrutando del alcohol y la compañía de sus amigos en un club de campo cercano a Alexandria cuando escuchó la noticia en el televisor del bar. Al menos había tenido tiempo para completar un recorrido de dieciocho hoyos y olvidarse durante un rato de la Agencia y de todos sus quebraderos de cabeza. ¿Qué pretendía ese Lanigan? El subdirector del FBI pidió disculpas a sus amigos y se acercó a la barra vacía para hacer una llamada con su teléfono móvil.

En el corazón del edificio Hoover de Pennsylvania Avenue hay un pasillo jalonado de habitaciones sin ventanas desde donde el personal del FBI sigue con atención los programas de noticias de todas las televisiones del mundo. En otras dependencias se escuchan y graban los boletines informativos emitidos por radio, y un tercer grupo de especialistas se dedica a leer periódicos y revistas. Dentro de la Agencia, dicho departamento es conocido con el nombre de Acumulación.

La llamada de Jaynes iba dirigida precisamente al supervisor de guardia de la sección de Acumulación, el hombre más indicado para ponerle al corriente de lo ocurrido. Al cabo de pocos minutos Jaynes abandonó el club de campo en dirección al segundo piso del edificio Hoover. Nada más llegar a su despacho se puso en contacto con el fiscal general, que llevaba horas intentando localizarlo y que estaba de un humor de perros. Jaynes apenas tuvo oportunidad de defenderse, pero sí logró convencer al fiscal de que el FBI no había tenido absolutamente nada que ver con las supuestas agresiones sufridas por Patrick Lanigan.

—¿Supuestas? —se burló el fiscal general—. ¡Pero si he visto las quemaduras con mis propios ojos! Y lo que es peor, ¡todo el mundo las ha visto!

—No hemos sido nosotros —insistió Jaynes, animado por la certeza de que, al menos por una vez, estaba diciendo la verdad.

—Entonces dígame quién ha sido —replicó el fiscal general—. Suponiendo que lo sepa...

—Lo sé.

—En ese caso, quiero ver un informe sobre mi mesa mañana a primera hora.

—Cuente con él —dijo Jaynes mientras su interlocutor interrumpía bruscamente la comunicación.

Contrariado, el subdirector del FBI dio un puntapié a la mesa y marcó otro número. Momentos después, dos de sus hombres se materializaban frente la casa de los Stephano.

Jack había seguido las últimas noticias por televisión, y ya se imaginaba que habría algún tipo de reacción por parte de los federales; por eso se había pasado un buen rato en la terraza, hablando con su abogado por el teléfono móvil. No se podía negar que la situación tenía gracia: ¡el FBI acusado de las fechorías cometidas por sus hombres! Ese Lanigan y su abogado sabían lo que se hacían.

—Buenas noches —dijo con cortesía—. A ver si lo adivino... Venís a traernos las pizzas.

—FBI, señor —anunció uno de los agentes mientras se llevaba la mano al bolsillo.

—No te molestes, muchacho. Ya te he reconocido. La última vez que te vi estabas en un coche aparcado en esa esquina, escondido detrás de un periódico sensacionalista. Hay que ver, tanto estudiar y luego... Debe de ser frustrante, ¿verdad?

—El señor Jaynes quiere hablar con usted —dijo el otro.

—¿Por qué?

—Eso tendrá que preguntárselo a él. Le está esperando en su despacho.

—Vaya con Hamilton... De modo que está haciendo horas extras, ¿eh?

—Sí, señor. ¿Nos vamos?

—¿Debo entender que me están arrestando otra vez?

—No. No exactamente.

—¿No exactamente? No sé si lo sabéis, muchachos, pero tengo a un montón de abogados trabajando para mí. Una denuncia por detención ilegal podría causaros muchos problemas...

Los agentes intercambiaron una mirada nerviosa.

Stephano no le tenía miedo a Jaynes. De hecho, no le tenía miedo a nadie. Se sentía con fuerzas para enfrentarse a cualquier cosa. Por otra parte, y teniendo en cuenta los cargos pendientes contra él, ¿qué mal podía haber en colaborar un poco con la justicia?

—Enseguida estoy con vosotros.

Cuando Stephano entró en el despacho, Jaynes estaba de pie junto a la mesa, hojeando un informe interminable.

—Siéntese —le dijo mientras señalaba una de las sillas que había al otro lado de la mesa.

Era casi medianoche.

—Muy buenas noches, Hamilton —respondió Stephano con una sonrisa.

Jaynes dejó el informe.

—¿Se puede saber qué demonios le hicieron?

—No lo sé. Supongo que a alguno de los brasileños se le iría un poco la mano. Sobrevivirá, no se preocupe.

—Nombres, Jack. Quiero nombres.

—¿Cree que debería llamar a mi abogado? ¿Me está interrogando?

—No lo sé. Solo sé que el director está hablando con el fiscal general, que el fiscal general está que echa chispas, y que ese teléfono me está haciendo la vida imposible. Esto va en serio, Jack. Y es un asunto muy feo. En este momento tengo a todo el país contemplando esas condenadas fotografías y preguntándose por qué demonios el FBI se dedica a torturar a ciudadanos de Estados Unidos.

—Lo siento muchísimo.

—Ya lo veo. ¿Quién fue?

—Un grupo de brasileños. Los mismos que contratamos hace un año, cuando supimos que Lanigan estaba en Brasil. Ni siquiera sé cómo se llaman.

—¿Quién les dio el soplo?

—Le gustaría saberlo, ¿verdad?

—No sabe cuánto.

Jaynes se aflojó la corbata y se sentó en el borde de la mesa. Stephano lo miraba desde su silla sin asomo de preocupación. Con el respaldo de sus abogados, se sentía capaz de negociar incluso con el mismísimo FBI.

—Voy a ofrecerle un trato —anunció Jaynes—. Es idea del jefe.

—Soy todo oídos.

—Suponga que arrestamos a Benny Aricia mañana mismo. Le damos publicidad al asunto, filtramos unos cuantos datos a la prensa y dejamos que todo el mundo se entere de que el tipo que perdió los noventa millones de dólares contrató sus servicios para que localizara a Lanigan. Por desgracia, usted encontró al ladrón, pero no pudo recuperar el botín. Ni siquiera a la fuerza.

Stephano escuchaba con atención, pero sin dar señales de alarma.

—Luego arrestamos a los de las compañías de seguros. A Atterson, de Monarch-Sierra Insurance, y a Jill, de Northern Case Mutual, que, si no me equivoco, son los otros miembros de su pequeño consorcio. ¿Se imagina a las tropas de asalto irrumpiendo en sus oficinas de lujo y llevándoselos a rastras? Naturalmente, habría cámaras de televisión, esposas, furgones negros, filtraciones a la prensa y todo lo demás. Pronto se sabría que habían ayudado a Aricia a financiar su pequeña misión de rescate en Brasil. Piénselo, Jack. Todos sus clientes entre rejas.

A Stephano le habría gustado preguntar cómo se las había apañado el FBI para identificar a los miembros de su pequeño consorcio, pero se contuvo. Al fin y al cabo, no era tan difícil imaginarlo. Bastaba con pensar en los más perjudicados.

—¿Qué sería de su negocio? —preguntó Jaynes con lástima fingida.

—Hamilton, ¿adónde quiere ir a parar?

—Ah, sí, el trato. Es muy sencillo. Usted nos lo cuenta todo: cómo dieron con él, cuánto han averiguado, etcétera, etcétera. La lista de preguntas es un poco larga. Nosotros, a cambio, retiramos los cargos que pesan contra usted y dejamos en paz a sus clientes.

—En otras palabras, me está haciendo chantaje.

—Sí, la especialidad de la casa. Si no acepta el trato, pondremos en evidencia a sus clientes y le dejaremos sin negocio.

—¿Nada más?

—Bueno, con un poco de suerte también podríamos enviarle una temporada a la sombra.

Había muchas y buenas razones para aceptar el trato, y una de las más importantes era la señora Stephano. Se había extendido el rumor de que el FBI vigilaba su casa las veinticuatro horas del día, y las habladurías la mortificaban. Además, tenía los teléfonos intervenidos. Lo sabía porque su marido se escondía entre los rosales cada vez que tenía que hacer una llamada. No era difícil darse cuenta de que estaba a punto de sufrir un ataque de nervios. «¿Qué va a pensar la gente?», preguntaba sin cesar a su marido.

Dando a entender que sabía más de lo que estaba dispuesto a admitir, Stephano había obligado al FBI a dar el paso que necesitaba. No solo había conseguido salir airoso de la situación y proteger a sus clientes, sino algo más importante incluso: sumar a la operación de rescate los considerables recursos de los federales.

—Tendré que consultarlo con mi abogado.

—Tiene tiempo hasta mañana por la tarde a las cinco.

Patrick reconoció sus heridas en las imágenes de la CNN. Sandy enseñaba las fotos a las cámaras con la misma satisfacción con que un flamante campeón de boxeo habría exhibido su trofeo. El programa resumen de las noticias del día había llegado casi a la mitad, y, según un corresponsal apostado a la entrada del edificio Hoover, los medios seguían esperando una respuesta oficial por parte del FBI.

Luis, que también estaba en la habitación en aquel momento, no daba crédito a sus ojos. Las quemaduras de la pantalla se parecían mucho a las del paciente que le sonreía desde la cama. El puertorriqueño sumó dos y dos.

—¿Mis fotos? —preguntó en su peculiar inglés.

—Sí —respondió Patrick, casi sin poder reprimir una carcajada.

—Mis fotos —repitió Luis con orgullo.

Medio mundo occidental estaba al corriente de la historia del abogado estadounidense que había fingido su muerte, asistido a su propio entierro, desfalcado noventa millones de dólares y caído en manos de sus perseguidores cuatro años más tarde, una vez afincado en Brasil. Eva leyó el penúltimo capítulo de la saga bajo un toldo de Les Deux Garçons, su café preferido de Aix-en-Provence. Caía una llovizna persistente que ya había empapado las demás mesas de la terraza. La crónica estaba escondida entre otras noticias locales de un periódico estadounidenses y hablaba de quemaduras de tercer grado. No había fotografías. Eva sintió que se le hacía un nudo en la garganta, y tuvo que ponerse las gafas de sol para ocultar las lágrimas.

Patrick volvía a casa herido y encadenado como una fiera salvaje. El viaje era inevitable, y había llegado la hora de emprenderlo. A sabiendas de que tendría que conformarse con permanecer en un segundo plano, Eva estaba decidida a acompañarlo, a hacer cuanto estuviera en su mano para ayudarlo sin salir de su escondite, y a pedirle a Dios que no los abandonara. Las noches se las pasaría dando vueltas y más vueltas por la habitación, igual que Patrick, pensando en aquel futuro que había imaginado feliz.

14

Llegado el momento del viaje, Patrick se inclinó por una bata verde de cirujano, la única vestimenta lo bastante amplia para no rozarle las quemaduras. El vuelo no tendría escalas, pero aun así duraría más de dos horas, y en su caso la comodidad era casi cuestión de vida o muerte. Antes de salir, el médico le entregó un frasco de analgésicos —por si acaso— y una carpeta con su historia clínica. Patrick dio las gracias al dermatólogo, estrechó la mano de Luis y se despidió de una de las enfermeras.

El agente Myers lo esperaba al otro lado de la puerta junto a cuatro miembros uniformados de la policía militar.

—¿Te parece que hagamos un trato, Patrick? —dijo Myers—. Pórtate bien y no te pondré las esposas ni los grilletes hasta que aterricemos.

—Gracias.

Patrick avanzó despacio por el pasillo. Le dolían las piernas desde la punta de los pies hasta las caderas, y las rodillas le flaqueaban por falta de ejercicio, pero aun así hizo un esfuerzo por mantener la cabeza erguida y los hombros atrás mientras andaba. Todas las enfermeras que se cruzaron en su camino fueron agasajadas con una reverencia cortés. El ascensor lo llevó hasta el sótano, donde lo esperaban una furgoneta azul y otros dos miembros de la policía militar, armados y algo in-

quietos por la presencia de varios coches vacíos en el aparcamiento. Un brazo robusto lo sujetó por la axila y lo ayudó a
ocupar su asiento en la parte central de la furgoneta. Luego
uno de los policías le pasó una versión barata de las gafas de sol
que utilizan los pilotos.

—Le harán falta —dijo—. Ahí fuera cae un sol de justicia.

La furgoneta recorrió despacio varios tramos de asfalto
abrasador y atravesó varios puestos de control más o menos
vigilados, pero no llegó a salir de la base ni alcanzó los cincuenta kilómetros por hora en ningún momento. Los ocupantes del vehículo guardaban silencio. A través de los grue-
sos cristales de las gafas y de las ventanillas ahumadas, Patrick
divisó las hileras de barracones, las dependencias administra-
tivas y, finalmente, un hangar. Había pasado cuatro días en la
base, pensó. O puede que solo hubieran sido tres. Las drogas
que le habían administrado al llegar le habían hecho perder la
noción del tiempo durante las primeras horas. Un ventilador
instalado sobre el salpicadero mantenía la temperatura dentro de unos límites soportables. Patrick estrechó entre los
brazos la carpeta que contenía su historia clínica. En aquellos
momentos era la única cosa que poseía.

Se acordó de Ponta Porã, su hogar, y se preguntó si alguien le habría echado de menos. ¿Qué habría pasado con su
casa? ¿La seguiría limpiando la asistenta? Seguramente no.
¿Y el coche? ¿Qué se habría hecho de su pequeño escarabajo
rojo? Podía contar a la gente que lo conocía con los dedos de
una mano. ¿Qué debían de estar comentando? Seguramente
nada.

¿Qué importaba ya Ponta Porã? Quienes sí lo habían
echado de menos eran sus paisanos de Biloxi. La parábola del
hijo pródigo. Ni que decir tiene que grilletes y citaciones no le
parecían la bienvenida más adecuada para la única celebridad
del lugar. ¿No habría sido mejor organizar un desfile por la
autopista de la Costa para homenajear al compatriota que supo
hacer fortuna? Al fin y al cabo, si el mundo había oído hablar

de Biloxi era gracias a él. Él había hecho que figuraran en el mapa, como quien dice. ¿Cuántos podían presumir de la astucia necesaria para hacerse con noventa millones de dólares?

Patrick tuvo que contener una carcajada. Qué tonterías se le ocurrían.

¿Dónde lo internarían? Como abogado, podía decirse que había visto todas las cárceles de Biloxi: la municipal, la del condado de Harrison, y hasta el depósito de detenidos que el FBI tenía en la base aérea de Keesler. No, no tendría tanta suerte.

¿Estaría aislado, o tendría que compartir celda con delincuentes comunes y drogadictos? ¡Bingo! Patrick abrió la carpeta y echó un vistazo a su alta médica. Ahí estaba, sí señor, y en letras bien grandes:

SE RECOMIENDA MANTENER AL PACIENTE
HOSPITALIZADO
DURANTE UN MÍNIMO DE SIETE DÍAS.

¡Gracias, doctor! ¿Cómo no se le había ocurrido antes? Debía de ser el efecto de las píldoras. Su pobre organismo había absorbido más calmantes durante aquella última semana que en toda su vida. Sin duda los lapsos de memoria y concentración que venía sufriendo últimamente podían atribuirse a los medicamentos.

Su abogado tenía que recibir una copia del alta cuanto antes. Así podrían empezar a prepararle la cama, a ser posible en una habitación particular y con muchas enfermeras pendientes de su bienestar. Esa era la clase de reclusión que Patrick Lanigan tenía en mente. Que pusieran diez policías en la puerta. A él qué más le daba. Lo que quería era una cama articulada, un mando a distancia y, por encima de todo, estar lo más lejos posible de los delincuentes comunes.

—Necesito hacer una llamada —dijo al conductor de la furgoneta, como si fuera a él y no a la policía militar a quien correspondiera la decisión. No obtuvo respuesta.

El vehículo se detuvo en un gran hangar próximo a un avión de carga. Los miembros de la escolta esperaron fuera, a pleno sol, mientras Patrick y el agente Myers se encerraban en un pequeño despacho y discutían sobre si el derecho a la asistencia letrada reconocido por la constitución incluía o no el envío de documentos por fax.

Patrick amenazó a Brent con interponer toda clase de demandas hasta que este dio su brazo a torcer y autorizó el envío de las instrucciones del dermatólogo al bufete de Sandy McDermott, en Nueva Orleans.

Después de una larga visita a los lavabos de caballeros, Patrick se reunió con su escolta y subió lentamente los escalones del C-120.

El avión aterrizó en la base aérea de Keesler a las doce menos veinte del mediodía. Patrick se sintió sorprendido y contrariado al comprobar que no lo esperaba un recibimiento multitudinario. Nada de cámaras ni de periodistas. Nada de viejos amigos dispuestos a prestarle ayuda en aquel momento de tribulación.

La policía había recibido órdenes de acordonar la pista de aterrizaje, y no se había expedido ningún pase de prensa. Desde la entrada a la base, a más de dos kilómetros de distancia, un nutrido grupo de periodistas había tenido que conformarse con filmar y fotografiar la maniobra de descenso del avión. Su decepción solo era comparable a la del propio interesado.

Patrick no contaba con aquel contratiempo. Ya antes de emprender el viaje había intentado imaginar el efecto que causarían en pantalla su bata de convaleciente, su cojera de animal apaleado, las esposas y los grilletes. Habría sido una imagen difícil de olvidar, sobre todo para aquellos de sus conciudadanos a quienes, llegado el momento, correspondiera la responsabilidad de juzgarlo.

Como era de esperar, el periódico de la Costa se había hecho eco de la querella interpuesta contra el FBI y le había dedicado titulares, artículos de fondo y varias fotografías en color. Al menos en aquel primer momento, había que ser insensible para no compadecerse del pobre repatriado. Patrick había logrado infligir un duro golpe al equipo contrario, formado por el gobierno, la acusación particular y la policía. Había deslucido la que debería haber sido una jornada de gloria para los defensores de la ley y el orden: el día del regreso del abogado díscolo, del príncipe de los ladrones. En la sede local del FBI, se desconectaron todos los teléfonos y se cerraron todas las puertas para evitar el acoso de la prensa. Cutter fue el único que se aventuró a salir, y lo hizo en secreto. Tenía órdenes de hacerse cargo de Patrick tan pronto como pisara suelo estadounidense.

El comité de recepción estuvo formado por Cutter, el sheriff Sweeney, dos oficiales de la base y Sandy.

—Bienvenido a casa, Patrick —dijo el sheriff.

Patrick le tendió las manos, unidas por las muñecas, y trató de corresponder al saludo.

—¿Qué tal, Raymond? —contestó con una sonrisa.

Como suele suceder entre policías y abogados del mismo lugar, se conocían muy bien. Se habían encontrado por primera vez nueve años atrás, cuando Patrick era un abogado recién llegado a la ciudad y Raymond Sweeney ayudante en jefe del sheriff del condado de Harrison.

Cutter dio un paso al frente para identificarse. Patrick hizo una seña a Sandy en cuanto oyó mencionar al FBI. Los esperaba una furgoneta de la Marina, muy parecida, por cierto, a la de la base de Puerto Rico. Patrick y su séquito entraron en el vehículo. Él iba en la parte de atrás, con su abogado.

—¿Adónde vamos? —preguntó en voz baja.

—Al hospital de la base —respondió Sandy de la misma manera—. Órdenes del médico.

—Así me gusta.

La furgoneta llegó a paso de tortuga hasta un puesto de

control. El guardia apenas se dignó levantar la vista de la información deportiva. Al otro lado de la barrera, a lo largo de una calle tranquila, estaban las dependencias de los oficiales.

La vida del fugitivo está llena de sueños: algunos reales, nocturnos; otros propios de la vigilia. La mayoría de ellos son pesadillas aterradoras que hacen crecer las sombras; los menos, fantasías proyectadas en un futuro feliz, sin pasado. Al fin y al cabo, si algo caracteriza la vida de un fugitivo es que está anclada en el pasado. Un pasado sin fin.

Patrick había soñado más de una vez en el día de su regreso. ¿Quién iría a recibirlo? ¿Olería igual el aire del Golfo? ¿En qué época del año volvería? ¿Cuántos amigos se le acercarían y cuántos lo darían de lado? Había varias personas a las que deseaba ver, pero no estaba seguro de que el interés fuera recíproco. ¿Lo tratarían como a un paria? ¿Como a una celebridad? Seguramente ninguna de las dos cosas.

El final de la persecución le provocaba una extraña sensación de alivio. Sabía que le esperaban muchos y grandes problemas, pero al menos podía soltar algo de lastre. La verdad es que Patrick nunca había tenido oportunidad de disfrutar de su nueva vida. El miedo era más poderoso que el dinero. El miedo a un regreso que sabía inevitable. Había sido avaricioso. De haberse conformado con un botín más modesto, tal vez las víctimas no se habrían tomado tantas molestias para encontrarlo.

Camino del hospital, Patrick reparó en el pavimento de asfalto. En Brasil —o en Ponta Porã, al menos— abundaban más las pistas de tierra. También se fijó en las zapatillas de los niños. Los brasileños, a fuerza de ir descalzos, tenían las plantas de los pies tan duras como la goma. Echaba de menos la calma de Rua Tiradentes y el bullicio de los partidos de fútbol improvisados.

—¿Te encuentras bien? —le preguntó Sandy.

Patrick hizo un gesto afirmativo. Aún llevaba puestas las gafas de sol.

Sandy extrajo de su maletín un ejemplar del periódico de la Costa. El titular proclamaba: LANIGAN SE QUERELLA CONTRA EL FBI POR TORTURA Y MALOS TRATOS. Las dos fotos de Luis ocupaban la mitad de la primera página.

Patrick contempló las imágenes un momento.

—Ahora no.

Cutter estaba a la escucha. Patrick se alegró de que la conversación con Sandy tuviera que posponerse una vez más. La furgoneta atravesó el aparcamiento del hospital de la base y se detuvo frente a la entrada de urgencias. Patrick fue conducido a través de una puerta de servicio y de un pasillo lleno de enfermeras curiosas. Luego se cruzó con dos analistas.

—Bienvenido a casa —le dijo uno de ellos. En todas partes tiene que haber un listillo.

No hubo papeleo. Patrick no tuvo que rellenar impresos de admisión ni contestar ninguna pregunta sobre su seguro médico o su solvencia. Cutter y el sheriff lo llevaron directamente al segundo piso, a la habitación del fondo del pasillo, y, después de explicarle las restricciones aplicables al uso del teléfono, la libre circulación y el régimen de comidas, lo dejaron a solas con Sandy. ¿Qué más podían decirle?

Patrick se sentó en el borde de la cama, con los pies colgando.

—Me gustaría ver a mi madre —dijo.

—Está de camino. Llegará a eso de la una.

—Gracias.

—¿Qué hay de tu mujer y tu hija?

—Me gustaría ver a Ashley Nicole, pero no ahora. Estoy seguro de que no se acuerda de mí, y debe de pensar que soy un monstruo. De Trudy no quiero saber nada. No hace falta que te explique por qué.

Alguien llamó a la puerta.

—Siento tener que molestarte, Patrick, pero el deber es sagrado. Cuanto antes acabemos con esto, mejor.

Era el sheriff Sweeney otra vez, con un montón de papeles en la mano.

—Tú mandas, Raymond —dijo Patrick mientras se preparaba para afrontar la ofensiva.

—Tengo que entregarte estos documentos. El condado de Harrison te acusa de homicidio en primer grado.

Patrick aceptó la notificación y la entregó a Sandy sin leerla siquiera.

—Trudy Lanigan ha presentado una demanda de divorcio contra ti en el juzgado de Mobile. Aquí tienes la citación y una copia de la demanda.

—¡Qué sorpresa! —exclamó Patrick—. ¿De qué me acusa?

—No tengo ni idea. Citación y copia de la demanda presentada por un tal Benjamin Aricia.

—¿Quién? —bromeó Patrick.

El sheriff no sonrió.

—Citación y copia de la demanda presentada por tus antiguos socios.

—¿Cuánto piden? —preguntó Patrick mientras recogía los documentos de manos del sheriff.

—No tengo ni idea. Citación y copia de la demanda presentada por la compañía aseguradora Monarch-Sierra.

—Ah, sí, ya me acuerdo.

Patrick entregó los últimos papeles a Sandy.

—Lo siento, Patrick —dijo Sweeney.

—¿Ya está?

—De momento. Dentro de un rato me pasaré por el juzgado a ver si hay alguna novedad.

—Mantennos informados. Sandy trabaja deprisa.

Patrick y el sheriff se despidieron con un apretón de manos, esta vez sin esposas de por medio.

—Raymond siempre me ha caído bien —dijo Patrick. Tenía los brazos en jarras e intentaba flexionar las rodillas, pero solo lo consiguió a medias—. Sandy, esto va para largo. Estoy hecho papilla.

—Mejor —replicó Sandy mientras hojeaba una de las demandas—. Así darás lástima al jurado. Parece que Trudy está muy enfadada contigo. Quiere que desaparezcas de su vida para siempre.

—Pues no será porque no lo haya intentado. ¿Qué alega?

—Abandono de hogar, malos tratos psíquicos...

—Pobrecilla.

—¿Tienes intención de contestar la demanda?

—Depende de lo que pida.

Sandy echó un vistazo a la página siguiente.

—Divorcio, plena custodia de la niña, privación de la patria potestad, supresión del régimen de visitas, y propiedad de todos los bienes muebles e inmuebles inventariados en el momento de tu «desaparición». Cito textualmente. Más... sí, más un porcentaje equitativo de los ingresos obtenidos desde entonces.

—Vaya, vaya...

—Y ya está. De momento.

—Le concederé el divorcio con mucho gusto, pero no se lo pondré tan fácil como cree.

—¿Has pensado en algo?

—Ya hablaremos luego. Estoy cansado.

—¡Espléndido! Dentro de un par de horas y unos cuantos atascos ya estaré de vuelta en mi despacho. Si es que queda una sola plaza de aparcamiento libre en toda Nueva Orleans, claro. ¿Cuándo calculas que querrás volver a verme?

—Lo digo en serio, Sandy. Estoy cansado. ¿Qué te parece mañana por la mañana? Ya habré descansado y podremos trabajar todo el día.

Sandy recobró la compostura y empezó a guardar los documentos en el maletín.

—De acuerdo. Estaré aquí a las diez.

—Gracias.

Patrick disfrutó de la soledad durante unos ocho minutos aproximadamente, el tiempo que tardó su habitación en llenarse de toda clase de auxiliares y enfermeras.

—¿Qué tal? Me llamo Rose. Soy la enfermera jefe. Necesitamos echar un vistazo a esas quemaduras. Quítese la bata, por favor.

Con favor o sin él, Rose puso manos a la obra. Otras dos enfermeras no menos robustas aparecieron a ambos lados de la cama para ayudar a su superior a desvestir al paciente. Daban la impresión de estar pasándoselo bien.

Una cuarta enfermera esperaba su turno con un termómetro en la mano y una bandeja llena de instrumentos espeluznantes. Mientras tanto, un auxiliar contemplaba la escena embobado desde los pies de la cama, y un camillero vestido de color naranja esperaba junto a la puerta.

La invasión fue seguida de quince minutos de pruebas. Patrick cerró los ojos y capeó el temporal lo mejor que pudo. Las enfermeras desaparecieron con la misma rapidez con la que habían llegado.

Patrick y su madre protagonizaron un emotivo reencuentro. El hijo se disculpó una sola vez por todo lo que había hecho, y la madre aceptó sus disculpas con cariño. La alegría de recuperarlo era más fuerte que el rencor y la amargura acumulados durante los últimos cuatro años. Todo quedaba perdonado.

Joyce Lanigan tenía sesenta y ocho años y, aparte de la hipertensión, disfrutaba de buena salud. Su marido, el padre de Patrick, la había abandonado por otra mujer veinte años atrás, y había muerto al cabo de poco tiempo de un ataque al corazón. El funeral se celebró en Texas, y ni ella ni Patrick se tomaron la molestia de asistir. El hermanastro de Patrick —la segunda esposa de su padre estaba embarazada cuando él murió— había matado a dos agentes de paisano de la brigada de estupefacientes a la tierna edad de diecisiete años, y esperaba su turno en el pabellón de los condenados a muerte de Huntsville, en el estado de Texas. Este y otros detalles sórdidos de la crónica familiar eran desconocidos tanto en Nueva Orleans como en Biloxi. Patrick nunca se los había contado a Trudy, la que fuera su mujer durante cuatro años, ni tampoco a Eva. ¿Para qué?

La vida juega malas pasadas. ¿Quién iba a decirle al señor Lanigan que, al cabo de los años, sus dos hijos serían acusados de homicidio en primer grado? El menor ya cumplía condena. El primogénito no iba por mejor camino.

Patrick vivió el abandono y la muerte de su padre estando en la universidad. Su madre, una mujer de mediana edad sin ninguna clase de formación y experiencia profesional, se adaptó mal a su nueva vida. La sentencia de divorcio le otorgó la propiedad del domicilio familiar y una pensión que le permitía subsistir sin necesidad de trabajar. De vez en cuando sustituía a alguna maestra de la escuela local, pero, en general, prefería quedarse en casa, cuidar el jardín, ver seriales de televisión y tomar el té con sus vecinas.

Patrick nunca había tenido muy buen concepto de su madre, y la marcha de su padre —a quien tampoco consideraba ni un buen padre ni un buen marido— no lo hizo cambiar de opinión. Con todo, trató de animarla a salir de casa, a buscar trabajo, a abrazar alguna causa, a vivir la vida. Al fin y al cabo, el destino le estaba ofreciendo la posibilidad de volver a empezar.

Pero ella prefirió seguir lamiéndose las heridas. Con los años, Patrick se encontró cada vez más absorbido por el trabajo y fue distanciándose de la familia. Luego se trasladó a Biloxi y se casó con una mujer a quien su madre no podía ver ni en pintura. Y etcétera, etcétera.

Patrick preguntó a su madre por todos sus tíos, tías y primos, parientes con los que había perdido el contacto mucho antes de morir y en quienes no había vuelto a pensar desde hacía más de cuatro años. Si se interesó por ellos fue solamente porque era lo que se esperaba de él. Según su madre, a la mayoría de ellos les iban bien las cosas.

No, no quería verlos.

Todos tenían muchas ganas de hablar con él.

Vaya. ¿Desde cuándo?

Y estaban muy preocupados por él.

¿Desde cuándo?

Madre e hijo charlaron animadamente durante dos horas, y sus palabras borraron rápidamente el paso del tiempo. La señora Lanigan reprendió a su hijo por su extrema —enfermiza— delgadez. Le preguntó por qué se había operado la nariz y la barbilla, y por qué llevaba el pelo de otro color. Hizo, en resumen, lo mismo que habría hecho cualquier otra madre, y luego volvió a Nueva Orleans. Patrick le prometió que seguirían en contacto.

Siempre le prometía lo mismo, se dijo la señora Lanigan una vez dentro del coche, y pocas veces cumplía su palabra.

15

Stephano se pasó toda la mañana en su centro de operaciones del hotel Hay-Adams, hablando por teléfono con ejecutivos atribulados. Convencer a Benny Aricia de que el FBI estaba dispuesto a detenerlo, fotografiarlo, ficharlo y, en general, hacerle la vida imposible había sido fácil. Hacer lo mismo con personalidades como Paul Atterson, de Monarch-Sierra, y Frank Jill, de Northern Case Mutual era una tarea mucho más complicada. Los dos coincidían con la descripción del ejecutivo de élite: expresión adusta, raza blanca, sueldo astronómico y una larga lista de colaboradores encargados del trabajo sucio. ¿Detenciones? ¿Juicios? Esas cosas quedaban para la plebe.

La intervención del FBI resultó crucial. Hamilton Jaynes despachó sendos agentes a las sedes centrales de ambas compañías —sitas en Palo Alto y St. Paul, respectivamente— con instrucciones de entrevistar a sus dirigentes y averiguar cuanto fuera posible acerca de la búsqueda y captura de Patrick Lanigan.

Los dos ejecutivos se dieron por vencidos antes de la hora de comer. Ordene a sus sabuesos que vuelvan —dijeron a Stephano—. La búsqueda ha terminado. Póngase a disposición del FBI y, por lo que más quiera, ¡quítenoslos de encima! ¡Qué bochorno!»

Así se liquidó el consorcio. Stephano había logrado mantenerlo unido durante cuatro años, tiempo suficiente para embolsarse casi un millón de dólares. Su cliente había invertido otros dos millones y medio en la búsqueda, pero no podía quejarse de los resultados: habían encontrado a Lanigan y, aunque los noventa millones siguieran en paradero desconocido, al menos habían confirmado su existencia; si Patrick no se los había gastado, aún había posibilidades de recuperarlos.

Benny Aricia no se separó de Stephano en toda la mañana. Mientras este hablaba por teléfono, él escuchaba, leía los periódicos o hacía sus propias llamadas. A la una se enteró por su abogado de Biloxi de que Patrick ya había llegado. Prácticamente de incógnito. La televisión local dio la noticia a mediodía, acompañada de un plano general —las cámaras no habían tenido acceso al interior de la base— del C-120 rugiendo sobre la pista de aterrizaje de Keesler. Un representante de las autoridades confirmó la información desde la pequeña pantalla.

Aricia había escuchado la grabación de la tortura al menos tres veces, deteniendo y rebobinando la cinta en sus fragmentos preferidos. Dos días antes, por ejemplo, a bordo del avión que lo llevaba a Florida, la había oído a través de unos auriculares. Arrellanado en su asiento de primera clase y con una copa en la mano, había encontrado risibles las súplicas escalofriantes de su enemigo. Y no puede decirse que Benny fuera pródigo en sonrisas. Al menos últimamente. Estaba seguro de que Patrick había contado todo lo que sabía, y se daba cuenta de que no era suficiente. Patrick siempre había sabido que tarde o temprano darían con él y, en un alarde de astucia, había confiado el dinero a una tercera persona. En aquellos momentos, pues, la chica era la única depositaria de sus noventa millones de dólares. Un plan brillante, Patrick. Simplemente brillante.

—¿Qué costaría encontrarla? —preguntó Benny.

Stephano y él habían pedido que les subieran un poco de

sopa a la habitación para almorzar. No era la primera vez que se hacían esa pregunta.

—¿Qué o cuánto?

—Digamos «cuánto».

—No lo sé. Sabemos de dónde es pero no dónde está, aunque suponemos que no tardará en salir a la superficie ahora que Patrick está aquí. Se han hecho cosas más difíciles.

—¿Cuánto?

—Cien mil, por decir algo. Pero sin garantías. Si llegara a agotarse el presupuesto, tiramos la toalla y en paz.

—¿Podrían enterarse los federales de que seguimos buscando?

—No.

Benny removió la sopa; la suya era de pasta y tomate. Después de haber invertido un millón novecientos mil dólares en la búsqueda, no tenía mucho sentido renunciar a aquella última oportunidad, se dijo. Las probabilidades de éxito eran pocas, pero la recompensa valía la pena. Era el mismo razonamiento que había mantenido vivas sus esperanzas durante los últimos cuatro años.

—¿Y si la encuentran? —preguntó.

—Hablará —respondió Stephano.

Los dos hombres se estremecieron ante la idea de tener que aplicar a una mujer los mismos métodos que habían dado resultado con Patrick.

—¿Qué hay del abogado? —dijo Aricia—. ¿No podríamos... no sé, instalar micrófonos en su despacho, pincharle los teléfonos, espiarlo cuando se reúna con Lanigan? ¡Tienen que estar hablando del dinero!

—Es una idea. ¿Quiere que la pongamos en práctica?

—¿Que si quiero? Hay noventa millones en juego, Jack. Sesenta para mí y treinta para esa pandilla de sanguijuelas. ¡Pues claro que quiero!

—A lo mejor no sirve de nada. Ese abogado no es tonto, y Lanigan va siempre con pies de plomo.

—Vamos, Jack. Creía que había contratado al mejor sabueso del país... O al más caro, al menos.

—Haremos una prueba. Lo seguiremos un par de días y veremos qué pasa. No tenemos prisa. Lanigan no se moverá de donde está durante una buena temporada. Lo que más me preocupa en este momento es quitarme de encima a los federales. No se puede hacer gran cosa con las oficinas clausuradas y los teléfonos intervenidos.

A Aricia no le interesaban los problemas de los demás.

—¿Cuánto me costará? —insistió.

—No lo sé. Ya hablaremos de la cuestión económica más adelante. Acábese la sopa. Me espera mi abogado.

Stephano fue el primero en salir. Mientras se alejaba del hotel por la calle I, pasó junto a un coche mal aparcado y saludó con la mano a los dos agentes del FBI que ocupaban el vehículo. Luego aceleró el paso. El bufete de su abogado estaba a ocho manzanas de distancia. Benny salió del hotel diez minutos después y cogió un taxi.

La tarde transcurrió en una sala de conferencias abarrotada de abogados y colaboradores. Las propuestas se enviaban por fax del bufete que representaba a Stephano al del FBI y viceversa. Al final se alcanzó un acuerdo satisfactorio para ambas partes. Stephano y sus clientes quedaban libres de toda sospecha y, a cambio, se comprometían a compartir con el FBI todo lo que sabían sobre la búsqueda y captura de Patrick Lanigan.

Stephano tenía intención de contarlo casi todo. La operación había llegado a su fin y ya no había motivo para mantenerla en secreto. Respecto al interrogatorio de Patrick, solo había servido para sonsacarle el nombre de la abogada que tenía el dinero. Además, la brasileña en cuestión había desaparecido del mapa, y Stephano dudaba mucho que el FBI tuviera tiempo ni ganas de perseguirla. ¿Para qué? El dinero no era suyo.

Aunque procuraba disimular su inquietud, Stephano estaba impaciente por librarse del acoso federal. Su esposa estaba muy alterada, y su casa se había convertido en un auténtico infierno. Si no se daba prisa, pronto tendría que buscarse otro trabajo.

Sí, decididamente, se lo contaría todo al FBI. O casi todo. Luego cogería el dinero de Benny, poco o mucho, y seguiría buscando a la chica. A lo mejor tenía suerte. También habría que enviar un equipo a Nueva Orleans para vigilar al abogado de Lanigan. El FBI no tenía por qué saberlo.

La sede del FBI en Biloxi estaba desbordada. Tanto, que Cutter tuvo que pedirle al sheriff que acondicionara un local en la penitenciaría del condado. Sweeney accedió de mala gana. No le hacía ninguna gracia compartir sus dependencias con el FBI. Un cuarto que hasta entonces había servido de almacén, una mesa y unas cuantas sillas, y la sala Lanigan quedó oficialmente inaugurada.

Había poco que hacer en ella. Nadie sospechó en su momento que la muerte de Patrick podía llegar a convertirse en un asesinato, y la investigación tardó al menos seis semanas en ponerse en marcha. Cuando quisieron darse cuenta de que el dinero había desaparecido y de que Patrick era el principal sospechoso, las huellas ya se habían borrado.

Cutter y Ted Grimshaw, inspector jefe del condado de Harrison, examinaron y numeraron las pruebas existentes, a saber: diez fotografías a todo color —tomadas por el propio Grimshaw— de un Chevrolet calcinado. Luego las clavaron con chinchetas en la pared.

Con el tiempo se había aclarado la causa de aquel incendio virulento. Patrick había metido en el coche bidones de gasolina, y eso explicaba el estado en que habían quedado el armazón de los asientos, los cristales, el salpicadero y el cadáver. Seis de las fotos correspondían a los restos del cuerpo encontrado en el vehículo, un informe amasijo carbonizado del que sobresalía media pelvis. El cadáver se había encontrado a los pies del asiento del copiloto. Al parecer, el coche había dado varias vueltas de campana mientras se despeñaba por el barranco, se había incendiado y había estallado tumbado sobre el lateral derecho.

El sheriff Sweeney dio orden de conservar los restos del Chevrolet durante un mes, y al cabo de ese tiempo los vendió como chatarra junto con tres vehículos más. Luego se arrepintió.

También había media docena de fotografías del lugar del siniestro. Los árboles y arbustos, completamente calcinados, daban fe de las dificultades que había planteado el incendio: los voluntarios habían tenido que luchar contra las llamas durante una hora entera.

Por expreso deseo de Patrick, sus restos habían sido incinerados; una decisión muy acertada, a la vista de ulteriores acontecimientos. Según una declaración firmada por Trudy un mes después del funeral de su marido, Patrick quería que, a su muerte, su cuerpo fuera incinerado y sus cenizas enterradas en Locust Grove, el mejor cementerio del condado. Se lo había comunicado, por sorpresa, casi once meses antes de su desaparición. El tema le preocupaba lo bastante para cambiar su testamento y especificar en una de las cláusulas que su albacea —Trudy o, en su defecto, Karl Huskey— debía encargarse de la cremación. El mismo documento incluía instrucciones precisas relativas a las honras fúnebres.

Para justificar aquella súbita decisión, Patrick había comentado el caso de un cliente poco previsor. La familia del muerto no se ponía de acuerdo sobre cómo y dónde debía dar el último adiós a su ser querido, y él, como abogado, se había visto obligado a mediar en el conflicto. A instancias de Patrick, Trudy también había escogido el lugar donde deseaba ser enterrada: en una tumba contigua a la de su marido. Una comedia —los dos lo sabían— que no se mantendría si Patrick tenía la desgracia de morir primero.

Grimshaw se enteró por el empleado de pompas fúnebres

de que el noventa por ciento de la incineración había tenido lugar en el coche. Después de ser sometidas a la acción de las llamas del horno —una hora a más de mil grados—, las cenizas pesaban poco más de cien gramos, algo inaudito. En cuanto a la identificación del cadáver, el empleado confesó no poder ayudarlo. Sexo, raza, edad..., todo había sido borrado por el fuego. Ni siquiera podía decirle si aquella persona había muerto durante el incendio o antes. No había manera de averiguarlo. Y, francamente, tampoco lo había intentado.

La investigación se presentaba difícil. No tenían cadáver, ni autopsia, ni —lo que era peor— la menor idea de quién podía ser aquel pobre diablo. No hay mejor manera de destruir una prueba que reduciéndola a cenizas, y Patrick no era de los que dejan pistas.

Patrick había pasado el fin de semana en una vieja cabaña cerca de Leaf, un pueblecito del condado de Greene, a la entrada del parque natural de De Soto. La había comprado junto con uno de sus compañeros de Jackson con la intención de ir arreglándola poco a poco, aunque, dos años después, las reformas aún se hacían esperar. Los dos amigos la utilizaban como base para salir de caza: ciervos en otoño e invierno, pavos en primavera. Debido a los altibajos de su matrimonio, sin embargo, Patrick se fue convirtiendo en usuario asiduo de la cabaña, que estaba a solo una hora y media de camino de su casa. Los fines de semana se refugiaba en ella para trabajar —o eso decía— y disfrutar de un poco de paz y sosiego. Su amigo, en cambio, ya ni se acordaba de que existía.

Trudy fingía enojarse cada vez que Patrick se iba de fin de semana, pero lo cierto era que Lance y ella no veían la hora de verlo partir.

La noche del domingo 9 de febrero de 1992, Patrick llamó a su mujer desde la cabaña y le dijo que llegaría a casa alrededor de las diez. Había estado trabajando en un recurso de apelación muy complicado y estaba agotado. Lance se perdió en la oscuridad una hora más tarde.

Al llegar a la tienda de los Verhall, a pie de autopista, entre los condados de Stone y Harrison, Patrick paró para poner gasolina: cincuenta litros, que le costaron catorce dólares y veintiún centavos. Pagó con tarjeta de crédito y habló un rato con la dueña. La vieja señora Verhall conocía a muchos cazadores, sobre todo a los que, como Patrick, presumían de sus hazañas cinegéticas. En su declaración a la policía, dijo haberlo encontrado de buen humor a pesar del cansancio que alegaba. ¿Se había pasado todo el fin de semana trabajando? El comentario la sorprendió. Una hora más tarde se oyeron las primeras sirenas.

El Chevrolet de Patrick apareció envuelto en llamas a doce kilómetros de la tienda. Se había despeñado por un barranco de más de ochenta metros de profundidad. Un camionero, alertado por el humo, se detuvo para prestar ayuda, pero era imposible acercarse a menos de cien metros del coche sin chamuscarse las cejas. Impotente, comunicó la noticia por radio y contempló el incendio sentado en un tocón cercano. El Blazer había caído sobre el lateral derecho, con tan mala fortuna que el camionero no veía si estaba ocupado o no. Y tal vez fuera mejor así, dada la imposibilidad de intentar un rescate.

Cuando llegó el primer policía, la combustión era tan intensa que resultaba difícil distinguir la silueta del coche. El fuego, además, empezaba a propagarse a los matorrales. Los voluntarios aparecieron al poco rato, pero no llevaban agua suficiente para sofocar un incendio de aquellas características. Los coches que circulaban por la carretera se paraban para curiosear, atraídos por el humo y el ruido procedentes del fondo del barranco, y como el conductor del Blazer no se encontraba entre el corro de espectadores silenciosos, todos dieron por sentado que el pobre, hombre o mujer, había perecido entre las llamas.

Hicieron falta dos coches de bomberos más para apagar el incendio. El sheriff Sweeney esperó varias horas antes de ordenar el registro del vehículo, y era casi medianoche cuando se encontró el amasijo carbonizado que resultó ser parte de un cuerpo humano. El forense, que ya se había trasladado al lugar de los hechos, confirmó que se trataba de un hueso de la pelvis, y Grimshaw tomó las fotografías de rigor. Cuando el cadáver se hubo enfriado del todo, lo recogieron y lo guardaron en una caja de cartón.

A la luz de una linterna, el relieve de la chapa permitió descifrar la matrícula del coche e identificar a su propietario. Una llamada a las tres y media de la madrugada convirtió a Trudy Lanigan en una joven viuda. Al menos durante cuatro años y medio.

El sheriff decidió no mover el coche durante la noche, pero apenas despuntó el sol volvió al barranco con cinco de sus hombres para peinar la zona. Las huellas de neumáticos que encontraron en la carretera indicaban que el vehículo había derrapado unos treinta metros antes de despeñarse, y eso les hizo pensar que la culpa podía haber sido de un frenazo provocado por algún ciervo inoportuno. Huellas aparte, el fuego lo había destruido todo. Bien, casi todo: a cuarenta metros del Blazer se encontró una zapatilla Nike Air Max del número cuarenta y tres. Trudy la identificó entre sollozos. Era de Patrick.

El sheriff supuso que el vehículo había dado varias vueltas de campana mientras se despeñaba, y que el cuerpo del conductor había ido dando tumbos durante el descenso. La zapatilla debía de haber salido despedida por la ventanilla en uno de los giros. ¿Por qué no? Era una explicación verosímil.

Un camión retiró los restos del Blazer aquel mismo día. Los de Patrick fueron incinerados antes del anochecer. El servicio fúnebre se celebró al día siguiente, y concluyó con unas palabras pronunciadas junto a su tumba. Patrick siguió la ceremonia con prismáticos.

Cutter y Grimshaw contemplaron la zapatilla desparejada que yacía en el centro de la mesa, junto a las declaraciones mecanografiadas de varios testigos: Trudy, la señora Verhall, el forense, el empleado de las pompas fúnebres, e incluso Grimshaw y el sheriff en persona. Ninguna contenía datos sorprendentes. De hecho, el único testimonio imprevisto apareció durante los meses que siguieron a la desaparición del dinero. Una joven vecina de los Verhall declaró haber visto un Chevrolet Blazer rojo de 1991 aparcado en el mismo tramo de carretera en el que después tendría lugar el accidente al menos en dos ocasiones: una el sábado por la noche y otra al día siguiente, más o menos a la hora del incendio.

La joven prestó declaración en su casa, en el condado de Harrison, siete semanas después del entierro de Patrick. A esas alturas el dinero ya había desaparecido y los socios de Patrick habían dejado de honrar su recuerdo.

16

El caso de Patrick fue asignado a un médico interno llamado Hayani, un joven de natural bondadoso y caritativo cuyo acento delataba su origen paquistaní. Hayani parecía no tener inconveniente en pasar largos ratos hablando con su paciente, y le preocupaba sinceramente el hecho de que Patrick no se estuviera curando a la misma velocidad que sus heridas.

—Nadie puede imaginar lo que se siente al ser torturado —dijo Patrick cuando ya llevaban casi una hora hablando.

Hayani le dio la razón. De hecho, había sacado el tema a propósito. A raíz de la querella presentada por Sandy, los periódicos hablaban abiertamente de malos tratos, y eso había dado una trascendencia especial a un caso que, desde el punto de vista médico, ya era de por sí excepcional. ¿A qué joven profesional no le habría gustado encontrarse tan cerca del ojo del huracán?

El paciente distinguió un destello de curiosidad en la mirada del doctor. Por suerte para Hayani, aquel día Patrick tenía ganas de hablar.

—No puedo dormir —le explicó—. Al cabo de una hora, como máximo, empiezo a oír voces y me despierto empapado en sudor. Me persigue el olor a carne quemada. Se supone que aquí no puede pasarme nada, pero yo sé que aún están ahí, al acecho. No puedo dormir, doctor. No quiero.

—¿Quiere que le dé algún somnífero?

—No. De momento, no. Ya me han dado demasiadas porquerías.

—Los análisis de sangre han salido bien. Ya casi lo ha eliminado todo.

—No quiero más drogas. Ahora no.

—Patrick, necesita dormir...

—Ya lo sé. Pero no quiero. No quiero que vuelvan a torturarme.

Hayani anotó algo en la carpeta que sostenía en la mano. Siguió un largo silencio que los dos hombres emplearon en encontrar algo más que decir. A Hayani le costaba creer que aquel hombre hubiera sido capaz de cometer el crimen espantoso que se le imputaba. Parecía tan buena persona...

La única fuente de luz de la habitación era un rayo de sol que entraba por un extremo de la ventana.

—Doctor —dijo Patrick con un hilo de voz—, ¿puedo serle sincero?

—Pues claro que sí.

—Necesito quedarme aquí tanto tiempo como sea posible. En esta habitación, quiero decir. Dentro de unos días empezarán a hablar del traslado. Dirán que mi sitio está en la cárcel del condado y me encerrarán en una celda miserable con un par de matones. No podré resistirlo.

—¿Por qué iban a querer trasladarle?

—Cuestión de estrategia. La presión irá aumentando hasta que les diga lo que quieren saber. Me meterán en la galería más dura, con los violadores y los traficantes de drogas, para que entienda que solo hay dos maneras de salir de allí: hablando o con los pies por delante. No hay nada peor que cumplir condena en Parchman, doctor. ¿La conoce?

—No.

—Yo sí. Una vez defendí a uno de los presos. Es un auténtico infierno. Y la otra cárcel del condado no es mucho mejor. Usted es el único que puede ayudarme, doctor. Solo tiene que decir al juez que debo seguir en el hospital. Por favor.

—Déjelo de mi cuenta —dijo mientras hacía otra anotación.

Patrick hizo una larga pausa, cerró los ojos y trató de controlar su respiración. El fantasma de Parchman bastaba para alterar a cualquiera.

—Quiero que le vea un psiquiatra —anunció Hayani.

Patrick tuvo que hacer un esfuerzo para no reír.

—¿Para qué? —preguntó con fingida alarma.

—Para ver qué dice. ¿Le parece mal?

—No, supongo que no. ¿Cuándo?

—Puede que dentro de un par de días.

—Aún no me siento con fuerzas.

—No hay prisa.

—Exacto. No tenemos ninguna prisa.

—Claro. Podemos dejarlo para la semana que viene.

—O la siguiente.

La madre del joven se llamaba Neldene Crouch y vivía en un campamento de caravanas cercano a Hattiesburg. En el momento en que su hijo desapareció, sin embargo, vivía con él en otro campamento acondicionado en las afueras de Lucendale, un pueblo situado a unos cincuenta kilómetros de Leaf. Si la memoria no le fallaba, su hijo se había extraviado el domingo 9 de febrero de 1992, el mismo día que Patrick encontró la muerte en la autopista 15.

Según los informes del sheriff Sweeney, en cambio, Neldene Prewitt (su nombre de casada en aquel entonces) se puso en contacto con las autoridades el 13 de febrero de 1992. Ese día informó de la desaparición de su hijo a todos los sheriffs de la zona, al FBI e incluso a la CIA. Estaba al borde de la histeria.

Su hijo se llamaba Pepper Scarboro. Scarboro era el apellido del primer marido de Neldene y de uno de los varios candidatos a la paternidad del chico. Por lo que al nombre de pila se refiere, ya nadie recordaba de dónde había salido. Desde muy pequeño, Pepper se había negado a utilizar su nombre oficial y había insistido en sustituirlo por su apodo. Cualquier cosa antes que llamarse LaVelle.

Pepper Scarboro contaba diecisiete años el día de su desaparición. Una vez finalizados los estudios primarios —al tercer intento—, había dejado la escuela y se había puesto a trabajar en una gasolinera de Lucedale. Huraño y tartamudo, Pepper se había rendido al encanto de los espacios abiertos cuando aún era un adolescente, y nada le proporcionaba tanto placer como pasar días enteros cazando y durmiendo entre los árboles, a solas con la naturaleza.

Pepper tenía pocos amigos, y su madre no hacía más que recordarle sus defectos. Neldene tenía dos hijos más pequeños y varios amantes, y se veía obligada a vivir con el resto de la familia en una caravana sucia y sin aire acondicionado. No es de extrañar, pues, que Pepper prefiriera dormir al raso, ni que invirtiera todos sus ahorros en una escopeta y un equipo de acampada. En el parque natural de De Soto, a solo veinte minutos del campamento de caravanas, se sentía a mil kilómetros de su madre.

A efectos de identificación, Pepper y Patrick tenían en común sexo, raza y altura, pero diferían en la constitución. Tampoco había pruebas fehacientes de que los dos hubieran llegado a conocerse, aunque daba la casualidad de que la cabaña de Patrick estaba relativamente cerca del bosque que el joven utilizaba como coto de caza. ¿Qué otra explicación podía tener el hecho de que la escopeta, la tienda y el saco de dormir de Pepper fueran hallados en la cabaña de Patrick a finales del mes de febrero de 1992? Además, los dos desaparecieron más o menos al mismo tiempo y en la misma zona.

En los meses que siguieron a esta doble desaparición, Sweeney y Cutter determinaron que, en las mismas fechas, ningún otro habitante del estado de Mississippi había faltado de su domicilio más de diez semanas. Todas las personas desaparecidas durante el mes de febrero de 1992 —adolescentes con problemas en su mayoría— ya habían dado señales de vida al final de la primavera. La única excepción era una ama de casa de Corinth que, llegado el mes de marzo, había decidido anteponer su integridad física al respeto de los votos matrimoniales.

Consultando las bases de datos del FBI en Washington, Cutter averiguó que la única persona desaparecida poco antes del incendio y con posibilidades de haber ocupado el lugar de Patrick en el siniestro era un camionero holgazán de Dothan, en el estado de Alabama, a siete horas de camino de Biloxi. El camionero había desaparecido el sábado 8 de febrero, dejando atrás un matrimonio fracasado y un montón de facturas impagadas. Después de tres meses de investigación, Cutter llegó a la conclusión de que no existía relación alguna entre el caso Dothan y el de la supuesta muerte de Patrick Lanigan.

Con las estadísticas en la mano, la hipótesis de que las desapariciones de Pepper y Patrick estuvieran relacionadas era la más plausible. Si, como algunos sospechaban, Patrick no había muerto al volante de su Chevrolet, Cutter y Sweeney estaban casi seguros de que el cadáver carbonizado tenía que ser el de Pepper. Por desgracia para ellos, sin embargo, eso no bastaba para convencer a un tribunal de justicia. En realidad, Patrick podía haber recogido a un autoestopista australiano, a un vagabundo o a un viajero que acabara de apearse del autobús.

La lista de candidatos incluía otros ocho nombres, entre los cuales destacaban un anciano de Mobile que había sido visto saliendo de la ciudad en dirección a Mississippi y una joven prostituta de Houston que había comunicado a unos amigos su intención de mudarse a Atlanta para empezar una nueva vida. Los ocho habían desaparecido del mapa meses e incluso años antes de febrero de 1992. Cutter y el sheriff habían dejado de tenerlos en cuenta hacía mucho tiempo.

Pepper seguía siendo el candidato con más posibilidades. Era una lástima que no pudieran probarlo. Neldene no tenía tantos escrúpulos y sí muchas ganas de compartir sus puntos de vista con la prensa. Así pues, acudió a su abogado —un picapleitos que le había llevado su último divorcio por trescientos dólares— y le pidió que la ayudara a desenvolverse en el laberinto de la información. El abogado accedió encantado y, renunciando a su minuta, hizo lo que hacen la mayoría de los abogados ineptos cuando cae en sus manos un caso interesante: convocar una rueda de prensa. El encuentro con los medios tuvo lugar en su bufete de Hattiesburg, ciento cuarenta kilómetros al norte de Biloxi.

Neldene se presentó ante los periodistas hecha un mar de lágrimas, y dejó que su abogado criticara la desidia del sheriff de Biloxi y del FBI a la hora de localizar a Pepper. ¿No les daba vergüenza haberse pasado más de cuatro años mano sobre mano mientras su pobre clienta vivía consumida por el dolor y la incertidumbre? El abogado aprovechó sus quince minutos de fama para demostrar al mundo sus dotes de orador, y llegó a apuntar la posibilidad de emprender acciones legales contra Patrick Lanigan, el hombre que —no le cabía ninguna duda al respecto— había matado a Pepper y quemado su cadáver para hacerse con noventa millones de dólares. De todas formas, prefirió no entrar en detalles.

Con reservas o sin ellas, los periodistas se tragaron el anzuelo. No era el momento más indicado para ponerse a reivindicar la profesionalidad del colectivo. El abogado de Neldene hizo circular fotografías del joven Pepper, un muchacho con cara de pocas luces, bozo pelirrojo y cabellera enmarañada. De la noche a la mañana, el cadáver desconocido adquirió rostro y personalidad. Así era la víctima de Patrick Lanigan.

La historia de Pepper dio mucho de sí. Los medios de comunicación no tenían más remedio que referirse a él como «la presunta víctima», pero procuraban decirlo en voz baja. Patrick siguió la noticia por televisión.

Los primeros rumores de que Pepper Scarboro podía haber muerto en el incendio del Chevrolet llegaron a oídos de Patrick poco después de su desaparición. El mes de enero de aquel mismo año 1992, Pepper y él habían cazado pavos juntos y compartido un estofado de buey entorno a una hoguera. A Patrick le había sorprendido que el chico viviera prácticamente a la intemperie, y que prefiriera el bosque a un hogar del que apenas hablaba. Más de una vez le había dado permiso para refugiarse en el porche de la cabaña en caso de que lloviera o hiciera mal tiempo, pero no le constaba que Pepper hubiera aprovechado su oferta. La supervivencia y la acampada no tenían secretos para él.

Habían coincidido varias veces en el bosque. Pepper divisaba la cabaña desde su campamento, instalado en la cima de una colina boscosa a un kilómetro y medio de distancia, y solía bajar hasta ella cuando veía aparecer el coche de Patrick. Se divertía siguiéndole la pista cada vez que salía a cazar o a dar una vuelta, y arrojándole guijarros y bellotas hasta hacerle perder la paciencia. Cuando Patrick se cansaba de soltar maldiciones, se sentaban a charlar un rato. No puede decirse que la conversación fuera el fuerte de Pepper, pero le gustaba abandonar su soledad de vez en cuando. Patrick siempre se acordaba de llevarle caramelos y otras chucherías.

Las acusaciones de asesinato, más o menos veladas, no le cogieron por sorpresa. Ni entonces ni cuatro años atrás.

El doctor Hayani siguió el telediario de la noche con el mismo interés con que había leído los periódicos y comentado a su nueva esposa el estado de su famoso paciente. No contento con eso, vio el último boletín de noticias desde la cama.

El teléfono sonó cuando Hayani ya se disponía a apagar la luz. Era Patrick. Sentía mucho molestarlo a aquellas horas, pero el miedo y el dolor lo mantenían despierto y necesitaba a alguien con quien hablar. Enfermo o no, no dejaba de ser un preso, y eso significaba que solo podía hablar por teléfono con su abogado y su médico, y nunca más de cuatro veces al día. ¿Tenía un minuto?

No faltaba más. Patrick volvió a disculparse alegando insomnio y desesperación. ¿Cómo se atrevían a insinuar que él había matado a aquel pobre muchacho? ¿Hayani había visto las noticias?

Desde luego. Patrick estaba acurrucado bajo las sábanas, solo y a oscuras en su habitación. Daba gracias a Dios por la escolta que montaba guardia en el pasillo. No le gustaba admitirlo, pero estaba asustado. Oía cosas. Voces y ruidos sin sentido. Allí mismo, dentro de su habitación. ¿Podía ser el efecto de las drogas?

—Podrían ser muchas cosas, Patrick. Los medicamentos, la fatiga, el trauma psicológico de la tortura... Recuerde que el golpe ha sido tanto físico como psíquico.

Y así durante una hora.

17

Por tercer día consecutivo, decidió no lavarse el pelo y dejar que se le viera grasiento. Tampoco se afeitó. Antes de salir se cambió el camisón de algodón que le habían dado en el hospital por la bata verde que llevaba al llegar y que ya estaba hecha unos zorros. Hayani había prometido conseguirle otra, pero lo que necesitaba aquel día era precisamente causar mala impresión. En el pie derecho llevaba un calcetín blanco; en el izquierdo, en cambio, para dejar bien a la vista la quemadura del tobillo, solamente una sandalia de goma negra.

Había llegado el momento de mostrarse en público. El mundo lo esperaba con impaciencia.

Siguiendo las instrucciones de su cliente, Sandy llegó a las nueve con dos pares de gafas de sol baratas y una gorra negra de los Saints de Nueva Orleans.

—Gracias —le dijo Patrick frente al espejo del baño, mientras comparaba las gafas y se disponía a probarse la gorra.

El doctor Hayani llegó minutos después. Patrick se encargó de hacer las presentaciones. De repente, sintió que se le aceleraba el pulso y que la cabeza empezaba a darle vueltas. Entonces se sentó al borde de la cama, se apartó el pelo de la cara y trató de respirar con calma.

—Nunca creí que llegaría este momento —murmuró sin levantar la cabeza—. Nunca.

El doctor y el abogado se miraron en silencio. ¿Qué podían decir?

Patrick tuvo que tomarse un par de tranquilizantes. Prescripción facultativa.

—A lo mejor así no me entero de nada —dijo.

—Tú déjame hablar a mí —intervino Sandy—. Y procura no ponerte nervioso.

—Se le pasará enseguida —vaticinó el médico.

Habían llamado a la puerta. Era el sheriff Sweeney, acompañado de suficientes efectivos para sofocar una revuelta. El ambiente se enrareció de pronto. Patrick se puso la gorra de los Saints y las gafas oscuras, y extendió las manos para que le pusieran las esposas.

—¿Qué es eso? —preguntó Sandy señalando los grilletes que sostenía uno de los ayudantes del sheriff.

—Un par de grilletes —respondió Sweeney.

—Ni hablar —se opuso el abogado—. ¿No ha visto la herida que tiene en el tobillo?

—Tiene razón —intervino Hayani—. Fíjese —insistió señalando el tobillo izquierdo de Patrick.

Sweeney pagó caro aquel instante de vacilación.

—Vamos, sheriff —continuó Sandy—, ¿en serio piensa que se le puede escapar? ¿Herido, esposado y rodeado de hombres armados? ¿Qué demonios quiere que haga? ¿Echar a correr? Debería tener más confianza en su gente...

—Si es necesario, hablaré con el juez —amenazó Hayani.

—También llevaba grilletes cuando bajó del avión —se defendió el sheriff.

—No compares, Raymond —dijo Patrick—. Eso era el FBI. Y no eran exactamente grilletes. Aunque hacía el mismo daño, la verdad.

Adiós grilletes. Patrick y su escolta salieron al pasillo, donde les esperaba un grupo de hombres vestidos con uniforme marrón. Se hizo el silencio. Los ayudantes del sheriff rodearon al prisionero y lo condujeron al ascensor. Sandy no se apartó de su lado.

El ascensor era demasiado pequeño para un séquito tan nutrido, de modo que parte del grupo tuvo que bajar por la escalera y reunirse con el resto en el vestíbulo. Una vez reorganizada, la escolta pasó frente al mostrador de recepción, franqueó las puertas de cristal y salió al cálido aire otoñal. En la puerta los esperaba una fila de automóviles recién encerados. Patrick subió en un flamante coche negro decorado con varios escudos del condado de Harrison. Su escolta iba a bordo de un vehículo idéntico de color blanco, seguido a su vez por tres coches patrulla recién lavados. Abrían la marcha otros dos coches patrulla —los últimos incorporados a la flota—, encargados de advertir a los controles militares y de guiar al resto del convoy de vuelta a la sociedad civil.

Patrick veía todo lo que había a su alrededor a través de los cristales baratos de sus gafas de sol: las calles por las que había circulado un millón de veces, las casas que conocía casi de memoria... Las aguas turbias y mansas del Golfo aparecieron tras el desvío de la autopista 90, tal como las recordaba. La playa —una lengua de arena entre el asfalto y el mar— también seguía en el mismo sitio: demasiado lejos de los hoteles y los apartamentos del otro lado de la autopista.

La sorprendente llegada de los casinos había hecho que durante su exilio la Costa prosperase. Lo que él había conocido solo en forma de rumor se había convertido en un despliegue impresionante de casinos, oropeles y tubos de neón en el más puro estilo de Las Vegas. Los aparcamientos ya se estaban llenando, ¡y aún eran las nueve y media de la mañana!

—¿Cuántos casinos han abierto en total? —preguntó Patrick al sheriff, que iba sentado a su derecha.

—Trece, según el último censo. Y hay otros en construcción.

—Increíble.

El efecto de los tranquilizantes empezaba a dejarse sentir.

Patrick notó que respiraba más profundamente y que se le relajaban los músculos. Estaba a punto de dormirse cuando el convoy llegó al centro del Biloxi y volvió a ser presa de los nervios. Solo faltaban un par de manzanas. Un par de minutos para enfrentarse cara a cara con el pasado. El ayuntamiento apareció en la ventanilla izquierda. Apenas tendría tiempo para echar un vistazo al Vieux Marché y a su viejo paseo jalonado de tiendas y almacenes. Allí, entre las demás construcciones, se erguía un edificio blanco cuya propiedad había compartido con los demás socios de Bogan, Rapley, Vitrano, Havarac y Lanigan.

Sí, el edificio seguía en pie, ajeno a la sociedad que se desmoronaba en su interior.

El convoy cubrió rápidamente las tres manzanas que separaban el juzgado del condado de Harrison de su antiguo bufete y que él, en tiempos, solía recorrer andando. El juzgado era un edificio de dos pisos, construido en ladrillo y sin pretensiones. La gente había invadido el pequeño jardín anexo a la fachada de Howard Street. Las calles adyacentes estaban abarrotadas de automóviles, y las aceras, llenas de peatones apresurados que daban la impresión de dirigir sus pasos al juzgado. El tráfico se detuvo para dejar pasar a Patrick y a su séquito.

La multitud reunida frente al juzgado formaba olas que se desplazaban impetuosamente a derecha e izquierda, para ser repelidas por las vallas policiales instaladas en la parte trasera del edificio. Patrick había sido testigo del traslado de varios delincuentes famosos, y sabía que le tenían reservada la puerta de atrás. Finalmente, el convoy se detuvo. Las portezuelas se abrieron para dejar salir a una docena de agentes que rodearon inmediatamente el coche negro. La puerta de Patrick fue la última en abrirse. Su lentitud y su vestimenta contrastaban vivamente con la energía y el uniforme oscuro de los miembros de su escolta.

Un enjambre de reporteros, fotógrafos y cámaras se agolpaba contra las vallas más cercanas. Los más rezagados corrían para unirse al grupo y no perderse el espectáculo. Sabiéndose el centro de atención, Patrick agachó la cabeza y buscó refugio entre los ayudantes del sheriff, quienes lo condujeron rápidamente hasta la puerta auxiliar del juzgado. Los periodistas, mientras tanto, lo bombardeaban con toda clase de preguntas estúpidas:

—¿Qué se siente al volver a casa?

—¿Dónde has escondido el dinero, Patrick?

—¿Quién es el fiambre del coche?

El grupo subió por la escalera de atrás, un atajo que Patrick había tomado más de una vez, cuando le urgía conseguir la firma de algún juez. El olor del edificio le resultó familiar. La escalera seguía necesitando una mano de pintura. Otra puerta dio paso a un breve corredor, tomado momentáneamente por un ejército de empleados boquiabiertos. Patrick fue conducido hasta la sala del jurado, contigua a la de vistas, y ocupó la butaca más cercana a la cafetera.

Sandy se deshacía en atenciones. El sheriff Sweeney despachó a sus ayudantes, y estos salieron al pasillo en espera del siguiente traslado.

—¿Café? —preguntó Sandy.

—Solo, por favor.

—¿Te encuentras bien, Patrick? —preguntó Sweeney.

—Sí, Raymond. Gracias.

Patrick parecía un animalito asustado. No lograba controlar el temblor que se había apoderado de sus manos y sus rodillas, y decidió prescindir del café. Con las manos esposadas, se colocó bien las gafas y se caló la gorra. No tenía fuerzas para mantener la espalda erguida.

Una hermosa joven llamada Belinda asomó la nariz por el resquicio de la puerta. Había llamado antes de abrir.

—El juez Huskey desea entrevistarse con el señor Lanigan.

¡Esa voz! Patrick levantó la vista de inmediato.

—¿Qué hay, Belinda? —susurró.

—Hola, Patrick. Bienvenido a casa.

Patrick desvió la mirada. Belinda trabajaba para el oficial del juzgado, y todos los abogados flirteaban con ella. La misma cara bonita. La misma dulce voz. ¿De verdad habían pasado cuatro años?

—¿Dónde? —preguntó el sheriff.

—Aquí mismo —dijo Belinda—. Dentro de unos minutos.

—¿Estás de acuerdo, Patrick? —preguntó Sandy.

Su cliente no tenía por qué acceder a la petición del juez. De hecho, en circunstancias normales la conducta de Huskey habría sido considerada de lo más heterodoxa.

—Bueno.

¡Qué pregunta! Patrick se moría de ganas de hablar con Karl Huskey.

Belinda se retiró y volvió a cerrar la puerta.

—Salgo un momento —anunció Sweeney—. Necesito un pitillo.

¡Al fin solos! Patrick se transformó en un hombre nuevo ante los ojos de Sandy.

—Dos cosas. ¿Has sabido algo de Leah Pires?

—No —respondió Sandy.

—Estate preparado. No tardará en ponerse en contacto contigo. Cuando la veas, entrégale esta carta.

—De acuerdo.

—Punto número dos. Hay un detector de micrófonos que se llama DX-Ciento treinta. Lo fabrica LoKim, una empresa coreana de electrónica. Cuesta poco más de seiscientos dólares y es del tamaño de un dictáfono portátil. Quiero que compres uno y que lo lleves encima siempre que vengas a verme. Antes de hablar limpiaremos la habitación y los teléfonos. Ponte en contacto con la mejor empresa de vigilancia de Nueva Orleans. Quiero que peinen tu despacho dos veces por semana. Y no te preocupes por el dinero. Corre de mi cuenta. ¿Alguna pregunta?

—No.

Llamaron de nuevo a la puerta y Patrick volvió a su papel lastimero. El juez Karl Huskey entró en la sala sin compañía ni toga. Iba en mangas de camisa, y llevaba unas gafas de vista cansada casi en la punta de la nariz. El pelo gris y las arrugas le hacían parecer mucho más viejo y sabio de lo que cabría esperar de un hombre de cuarenta y ocho años. ¿Qué mejor adorno para un juez?

Patrick aceptó con una sonrisa la mano que le tendía Huskey.

—Me alegro de verte, Patrick —lo saludó afectuosamente.

El apretón de manos hizo tintinear las esposas. Huskey sintió el impulso de agacharse y abrazar a su amigo, pero se contuvo. Habría sido una conducta impropia de un juez.

—¿Qué tal estás, Karl? —preguntó Patrick sin levantarse.

—Muy bien. ¿Y tú?

—He conocido tiempos mejores, pero estoy contento de verte. Incluso en estas circunstancias.

—Gracias. No me...

—He cambiado mucho, ¿verdad?

—Ya lo creo. No sé si te habría reconocido por la calle.

Patrick respondió con una sonrisa.

Al igual que todos los amigos de Patrick que seguían considerándose tales, Huskey se sentía traicionado, pero sobre todo aliviado por la noticia de que su amigo no estaba muerto. Llevaba días dando vueltas a la acusación de homicidio en primer grado. Lo del divorcio y las demás causas civiles podía arreglarse, pero el asesinato...

Huskey tendría que renunciar a presidir el juicio a causa del vínculo de amistad que lo unía al acusado. La prensa ya se había hecho eco de su relación, y lo más prudente era no dar pábulo a los rumores.

—Supongo que te declararás inocente —dijo el juez.

—Supones bien.

—Puro trámite, entonces. Pero ya conoces el procedimiento: con una acusación de homicidio de por medio, no tienes ninguna posibilidad de salir bajo fianza.

—Me hago cargo.

—Será cosa de diez minutos.

—Karl, no es la primera vez que asisto a un juicio. Esta vez me sentaré en otra silla. Esa será la única diferencia.

A lo largo de doce años de ejercicio, el juez Huskey había comprobado con sorpresa su capacidad para compadecerse de individuos que habían cometido toda clase de actos ignominiosos. A sus ojos, el sufrimiento los hacía más humanos, y más de una vez había pensado que los remordimientos eran castigo suficiente. Había mandado encerrar a cientos de personas que de haber tenido una segunda oportunidad no habrían abandonado nunca más el camino recto. Y él habría querido ayudarlas, tenderles una mano amiga, perdonarlas.

En aquella ocasión, además, no se trataba de ningún desconocido. ¡Con qué facilidad habría podido echarse a llorar al ver a su viejo amigo maniatado y disfrazado de aquel modo! ¡Cuánto le dolía ver esos ojos ocultos tras los cristales, ese rostro desfigurado, esa expresión angustiada producto del terror! Si hubiera podido, se lo habría llevado a casa, lo habría sentado a una buena mesa y lo habría ayudado a empezar otra vez.

—Ya sabes que no puedo llevar este caso —le dijo de rodillas—, pero me ocuparé de las primeras diligencias para asegurarme de que no te pasa nada. Recuerda que sigo siendo tu amigo. Y llámame si me necesitas.

El juez se despidió de Patrick con unas palmaditas en la rodilla. La prensa no había dicho que tuviera quemaduras en esa parte del cuerpo.

—Gracias, Karl. —Patrick tuvo que morderse la lengua.

Huskey lo miró a los ojos, pero solo vio su propio reflejo en los cristales. Luego se levantó y se dirigió hacia la puerta.

—Lo de hoy será puro trámite —dijo a Sandy.

—¿Ha venido mucha gente? —preguntó Patrick.

—Sí —respondió el juez antes de salir—. Amigos y enemigos por igual. Los tienes a todos aquí.

A lo largo de su historia, la Costa había donado al mundo un número considerable de malhechores notables, y no puede decirse, por lo tanto, que ver una sala de vistas abarrotada de público se saliera de lo normal. Lo extraordinario del caso Lanigan era que los empujones hubieran empezado con la vista preliminar.

Los chicos de la prensa habían llegado temprano para copar los mejores asientos. El estado de Mississippi era uno de los pocos con el suficiente sentido común para denegar el acceso de las cámaras a los juzgados, de manera que los reporteros no tenían más remedio que asistir a las vistas para luego poder relatarlas al público con sus propias palabras. Dicho de otro modo, los periodistas se veían obligados a ejercer de tales, una tarea que, en general, les venía grande.

Todos los juicios importantes atraen siempre a ciertos elementos asiduos: oficiales y secretarios, procuradores ociosos, policías jubilados y, sobre todo, abogados holgazanes para quienes cualquier excusa —una escritura dudosa, una firma pendiente— es buena con tal de no volver al trabajo y seguir cotilleando y bebiendo café a costa de los contribuyentes. Pues bien, el juicio de Patrick atrajo a todos los asiduos y a algunos más.

Muchos abogados acudieron solo para verlo de cerca. Los periódicos llevaban cuatro días hablando de él, pero no habían publicado ninguna foto reciente, y eso —junto con la noticia de los malos tratos— había hecho circular toda clase de rumores inverosímiles sobre su apariencia.

Charles Bogan y Doug Vitrano se sentaron juntos en el centro de la sala, tan cerca del estrado como se lo permitió la concurrencia. Habrían preferido estar en primera fila, cerca de la mesa que ocupaban los acusados, pero los periodistas les habían tomado la delantera. Habrían querido verlo, que los viera, susurrarle insultos y amenazas, y desahogarse tanto como se lo permitieran las circunstancias. Por desgracia, no habían podido pasar de la quinta fila y no les quedaba otro remedio que seguir esperando.

Otro de los socios, Jimmy Havarac, charlaba tranquilamente con un ayudante del sheriff al fondo de la sala, haciendo caso omiso de las miradas que le dedicaban sus colegas. Le constaba que muchos de ellos se habían alegrado en secreto de que el dinero de Aricia se esfumara y el bufete cayera en desgracia; no en vano habían estado a punto de embolsarse la minuta más jugosa de la historia del estado. ¿Cómo no iban a sentir envidia? Havarac los odiaba a todos, de la misma manera que odiaba a prácticamente todos los presentes. Hatajo de buitres...

Havarac era hijo de un pescador de gambas, y había heredado de él la energía y la falta de sofisticación. Tanto es así que, por más abogado que fuera, no resultaba difícil imaginarlo en una reyerta de borrachos. Cinco minutos a puerta cerrada con aquel granuja —decía para sus adentros—, y ya les enseñaría él cómo se resolvía el misterio del dinero.

El cuarto socio, Ethan Rapley, seguía en la buhardilla de su casa redactando quién sabe qué documento insulso. Tiempo tendría de leer lo sucedido en los periódicos del día siguiente.

Entre los abogados presentes en la sala, había un puñado de viejos amigos de Patrick que habían acudido a brindarle su apoyo.

Muchos picapleitos de pueblo soñaban en secreto con dejar atrás aquella profesión tediosa y llena de falsas expectativas. Patrick había tenido las agallas de llevar adelante su sueño, y eso decía mucho a su favor. Lo del cadáver tenía su explicación, seguro.

Lance llegó tarde y tuvo que quedarse de pie en un rincón. Se había rezagado a propósito entre un grupo de reporteros para echar un vistazo a las medidas de seguridad de la sala. Bastante impresionantes, por cierto. Pero el juicio sería largo, y antes o después la policía bajaría la guardia. Bastaba con esperar el momento oportuno.

Patrick vería muchas caras conocidas, gente con quien apenas había cruzado cuatro palabras pero que, de repente, se decían sus amigos del alma.

Algunos hablaban de él y ni siquiera lo habían visto en persona. A Trudy le había ocurrido algo parecido: su casa estaba permanentemente invadida por una procesión de presuntos amigos que se creían con derecho a vilipendiar al hombre que había traicionado su amor y el de la pequeña Ashley Nicole.

Quien más quien menos, todo el mundo tenía entre las manos un periódico o una novela barata. Había que hacer lo posible por aparentar aburrimiento, causar la impresión de que se estaba allí por obligación.

La sala quedó en silencio cuando empezó a haber movimiento alrededor del estrado. Todos los periódicos se cerraron al unísono.

La puerta anexa a la tribuna del jurado se abrió para dar paso a un puñado de uniformes marrones. A continuación entraron el sheriff Sweeney, que llevaba a Patrick del brazo, dos de sus ayudantes y Sandy.

¡Por fin! Los espectadores estiraban el cuello en todas direcciones para no perderse detalle. Los dibujantes pusieron manos a la obra.

Patrick atravesó la sala despacio y cabizbajo, y ocupó su sitio en la mesa de la defensa. Las gafas le permitían mirar sin ser visto, y enseguida distinguió a Havarac al fondo de la sala. Su cara era de lo más elocuente. Antes de tomar asiento divisó también al padre Philip, su sacerdote, envejecido pero tan risueño como siempre.

No era momento de mostrarse orgulloso. Así pues, se sentó con los hombros relajados y las orejas gachas. Se sentía el blanco de todas las miradas y no se atrevía siquiera a levantar la vista. Sandy se apoyó en su hombro e intentó darle ánimos con palabras ininteligibles.

A los pocos minutos volvió a abrirse la puerta de la tribuna. T. L. Parrish, el fiscal del distrito, hizo entrada en la sala y se dirigió solo hacia su mesa, al lado de la de Patrick. Parrish había sido siempre una rata de biblioteca sin aspiraciones reconocidas. No ambicionaba nada mejor. Su estilo era metódico, sobrio y absolutamente mortífero: ocupaba el segundo puesto en la lista de eficiencia de la fiscalía del estado. Parrish se sentó al lado del sheriff, que ya había dejado a Patrick en el lugar que le correspondía. A su espalda había cuatro agentes del FBI: Joshua Cutter, Brent Myers y otros dos a los que ni siquiera conocía.

Iba a ser un juicio espectacular. Por desgracia para el público, sin embargo, y a pesar de que el decorado ya estaba listo, la espera sería larga: seis meses por lo menos. Un agente del juzgado llamó al orden a la sala y ordenó a los asistentes que se pusieran en pie para recibir al juez, quien se disponía a ocupar su sitio en el estrado.

—Siéntense, por favor —respondió Huskey, y todo el mundo obedeció.

—El Estado contra Patrick S. Lanigan, caso número noventa y seis, mil ciento cuarenta. ¿Se halla presente el acusado?

—Sí, señoría —dijo Sandy mientras volvía a levantarse.

—Póngase en pie, señor Lanigan.

Patrick, aún esposado, empujó la silla hacia atrás y se puso en pie. Tenía auténticas dificultades para mantener la espalda erguida y la cabeza alta —finalmente el tranquilizante se había adueñado de su cuerpo, incluido el cerebro—, pero hizo un esfuerzo.

—Señor Lanigan, este documento me ha sido remitido por el juzgado de acusación del condado de Harrison. Se le acusa de haber cometido homicidio en primer grado en la persona de un individuo aún sin identificar, y se solicita de este tribunal que lo condene a la pena de muerte. ¿Ha leído usted este documento?

—Sí, señor —respondió Patrick con la cabeza erguida y en voz alta.

—¿Ha consultado a un abogado?

—Sí, señor.

—¿Cómo se declara?

—Inocente.

—Se acepta. Puede sentarse. Este tribunal —continuó Huskey después de hojear unos papeles— recuerda al acusado, a los señores letrados, a los representantes de la autoridad, a los testigos y al personal del juzgado su obligación de guardar silencio sobre esta causa desde este preciso instante hasta el término del juicio. Asimismo, les recuerda que cualquier violación del secreto del sumario constituirá delito de desacato y será tratada como tal. Ninguno de ustedes debe facilitar información alguna a los medios de comunicación sin contar previamente con mi expresa aprobación. Acto seguido se les hará entrega de una copia de este escrito. ¿Alguna pregunta?

El tono del juez Huskey dejaba bien claro que no solo estaba hablando en serio sino que se moría de ganas de pillar a alguien en falta. No, los letrados no tenían ninguna pregunta.

—Bien. He preparado un calendario provisional con los plazos de las peticiones y las fechas de las vistas. El oficial del juzgado les proporcionará las copias que necesiten. ¿Algo más?

Parrish fue el único que se levantó.

—Solo una cosa, señoría. La fiscalía desearía hacerse cargo del acusado tan pronto como sea posible. Como su señoría ya sabe, en estos momentos el acusado se encuentra ingresado en el hospital de la base...

—En efecto. El doctor Hayani acaba de informarme de que su paciente debe continuar recibiendo tratamiento médico. Sin embargo, la fiscalía puede tener la seguridad de que, tan pronto como se le dé el alta médica, el acusado será trasladado a la cárcel del condado.

—Gracias, señoría.

—Si no tienen ninguna otra pregunta, se levanta la sesión.

Los ayudantes del sheriff escoltaron a Patrick por la escalera y hasta el mismo coche negro de antes, mientras los fotógrafos y los cámaras de televisión inmortalizaban su salida del juzgado.

Patrick se durmió antes de llegar al hospital.

18

Los únicos delitos que podían imputarse a Jack Stephano eran los de secuestro y agresión en la persona de Patrick Lanigan. Teniendo en cuenta, sin embargo, que los hechos habían tenido lugar en Sudamérica, fuera de la jurisdicción de Estados Unidos, y que los autores materiales habían sido terceras personas, entre ellas varios súbditos brasileños, era difícil que, de formalizarse, dichas acusaciones prosperasen llegado el momento del juicio. A ese respecto, el abogado de Stephano estaba tranquilo.

Lo que sí le preocupaba, en cambio, era que pudiera llegar a ponerse en peligro la reputación de Stephano y de sus clientes. Sabía de sobra que la capacidad de persuasión del FBI no se limitaba al ejercicio de la acción judicial, y por eso aconsejó a su representado que aceptara el trato, es decir, que se aviniera a explicar todo lo que sabía si el gobierno le garantizaba total inmunidad para él y para sus clientes. Al fin y al cabo, no era a él a quien buscaban. Insistió, además, en acompañarlo mientras prestaba declaración, a pesar de que las sesiones se alargarían jornadas enteras.

Jaynes dispuso que las entrevistas tuvieran lugar en el edificio Hoover y dejó a sus hombres al frente de la operación. Stephano, en mangas de camisa, se sentó a un extremo de la mesa, al lado de su abogado. Había dos videocámaras apuntándolos. Sobre la mesa, café y bollos para amenizar la espera.

—¿Nombre completo? —preguntó Underhill.

Él y otros agentes se habían aprendido de memoria el expediente Lanigan.

—Jonathan Edmund Stephano. Jack.

—¿Nombre de su empresa?

—Edmund Associates.

—¿Orientación?

—Múltiple: protección, vigilancia, selección de personal, localización de personas desaparecidas...

—¿Propietario de la empresa?

—Yo.

—¿Empleados?

—Depende. Ahora mismo, tengo a once personas contratadas a jornada completa y a otras treinta trabajando por su cuenta o a tiempo parcial.

—¿Aceptó usted el encargo de encontrar a Patrick Lanigan?

—Sí.

—¿Cuándo?

—El veintiocho de marzo de mil novecientos noventa y dos.

Stephano tenía al alcance de la mano varias carpetas llenas de datos, pero no necesitaba consultarlas.

—¿Nombre del cliente?

—Benny Aricia, el propietario legítimo de los noventa millones.

—¿Tarifa?

—Doscientos mil dólares.

—¿Ingresos hasta la fecha por el mismo concepto?

—Un millón novecientos mil dólares.

—¿Qué hizo después de aceptar el encargo de Benny Aricia?

—Varias cosas. Lo primero, coger un avión para ir a Nassau, a las Bahamas, y ver el banco donde había tenido lugar el robo. Mi cliente, el señor Aricia, y su antiguo bufete habían abierto una cuenta en una sucursal del United Bank of Wales para depositar en ella el dinero de la transferencia. Ahora sabemos que había alguien más a la espera.

—¿Debo entender que el señor Aricia es ciudadano de este país?

—Sí.

—¿Y por qué motivo decidió abrir una cuenta en las Bahamas?

—Porque estamos hablando de noventa millones de dólares, sesenta para él y treinta para el bufete, y a nadie le interesaba que todo ese dinero apareciera de repente en un banco de Biloxi. Digamos que mi cliente prefería que sus conciudadanos no estuvieran al corriente de la operación.

—¿Cree usted que el señor Aricia intentaba evadir impuestos?

—No lo sé. Eso tendrán que preguntárselo a él. No es asunto mío.

—¿Quién fue su interlocutor en el United Bank of Wales?

El abogado refunfuñó.

—Graham Dunlap, un tipo británico. Vicepresidente de no sé qué.

—¿Qué información obtuvo de él?

—La misma que el FBI. Que el dinero había desaparecido.

—¿Desde dónde había sido transferido el dinero?

—Desde aquí, desde Washington. El dinero salió del D.C. National Bank a las nueve y media de la mañana del veintiséis de marzo de mil novecientos noventa y dos. La operación tenía prioridad, de modo que el dinero tardó menos de una hora en llegar a Nassau. A las diez y cuarto ya estaba en el United Bank. Por desgracia, nueve minutos más tarde estaba en un banco de Malta y, poco después, en Panamá.

—¿Cómo se llevó a cabo la segunda transferencia?

Al abogado se le acabó la paciencia.

—¡Esto es una pérdida de tiempo! —exclamó—. ¡Hace cuatro años que el FBI dispone de toda esa información! ¡Han pasado más tiempo que nadie en ese banco!

Underhill no se inmutó.

—Verificación de datos. Estamos en nuestro derecho. Señor Stephano, ¿cómo se llevó a cabo esa segunda transferencia?

—Alguien, suponemos que el señor Lanigan, accedió de manera ilícita a la cuenta y dispuso que el dinero fuera transferido a Malta haciéndose pasar por un representante del bufete. El dinero cambió de manos nueve minutos después de llegar a las Bahamas. Ni mi cliente ni sus abogados estaban al corriente de la operación. Lanigan había muerto, o eso creían, y el robo los dejó desconcertados. Los noventa millones eran el resultado de un asunto llevado en el más estricto secreto, y nadie, a excepción de mi cliente, sus abogados y algunos miembros del Departamento de Justicia, conocía la fecha y el destino de la transferencia.

—Tengo entendido que alguien supervisó personalmente la llegada del dinero a las Bahamas.

—Efectivamente. Estamos casi seguros de que se trataba de Patrick Lanigan. La mañana de la transferencia un individuo se presentó a Graham Dunlap como Doug Vitrano, uno de los socios del bufete. Iba debidamente identificado y bien vestido, y estaba al corriente de la operación. Y tenía un poder notarial que lo autorizaba a hacerse cargo del dinero en nombre del bufete y transferirlo a un banco de Malta.

—¡Nos consta que el FBI tiene una copia de todos esos documentos! —se quejó el abogado.

—No he dicho que no la tengamos —concedió Underhill mientras hojeaba unos papeles.

El FBI sabía que el dinero había llegado a Panamá a través de una entidad bancaria de Malta, pero había perdido la pista de los noventa millones una vez en Centroamérica. La cámara de seguridad del banco de las Bahamas les había proporcionado una instantánea borrosa del falso Doug Vitrano, y tanto ellos como los socios del bufete estaban seguros de que, bajo aquel espléndido disfraz, se ocultaba el difunto Patrick: bigotudo, mucho más delgado, con el pelo corto y teñido, y unas gafas de montura de pasta que le daban un aire distinguido. El impostor explicó a Graham Dunlap que su presencia en las Bahamas obedecía a la inquietud de su bufete y su cliente, que habían decidido enviar a alguien a supervisar personalmente la recepción y la ulterior transferencia del dinero. Dunlap consideró que era una precaución más que razonable y no puso ningún obstáculo. Una semana más tarde se hallaba de regreso en Londres, sin trabajo.

—Después de hablar con Dunlap volvimos a Biloxi y seguimos investigando durante un mes —continuó Stephano.

—¿Encontraron micrófonos en el bufete?

—Sí. Lanigan se convirtió enseguida en el principal sospechoso. Nuestro objetivo era doble: por una parte, queríamos dar con él y con el dinero; por otra, averiguar cómo había dado el golpe. Nuestros técnicos tuvieron acceso al bufete un fin de semana y lo registraron palmo a palmo. Había micrófonos por todas partes: en los teléfonos, en los despachos, bajo las mesas, en los pasillos y hasta en los servicios de la planta baja. El único despacho limpio era el de Charles Bogan. Al parecer, es de los que nunca olvidan cerrar con llave. Veintidós micrófonos de primera calidad. Encontramos el receptor escondido en el altillo, en un archivador que nadie había tocado durante años.

Underhill no prestaba atención a las palabras de Stephano. La entrevista se estaba grabando en vídeo, y sus superiores ya tendrían ocasión de estudiarla con detenimiento más adelante. Además, aquella parte de la historia le resultaba familiar. Precisamente tenía en sus manos un informe pericial que analizaba, a lo largo de cuatro párrafos interminables, el sistema de espionaje instalado por Patrick. Los micrófonos eran el último grito en tecnología: pequeños, potentes y carísimos, manufacturados por una reputada empresa malaya.

Era ilegal comprarlos y utilizarlos en Estados Unidos, pero se podían encontrar con relativa facilidad en cualquier ciudad europea. Cinco semanas antes de su muerte, Patrick y Trudy habían estado en Roma celebrando la llegada del Año Nuevo.

El receptor hallado en el archivador del altillo dejó boquiabierto al mismísimo FBI. Cuando los hombres de Stephano lo encontraron, llevaba apenas tres meses en el mercado, y la agencia federal tuvo que admitir que se adelantaba en más de un año a cualquiera de sus prototipos. Había sido fabricado por una oscura firma alemana, y además de recibir las señales procedentes de los veintidós micrófonos instalados podía distinguirlas y enviarlas, de una en una o todas a la vez, hasta una antena parabólica.

—¿Pudieron determinar el punto desde donde se recibían las señales? —preguntó Underhill con sincera curiosidad.

Era una pregunta para la que el FBI no tenía respuesta.

—Imposible. Tenía un radio de acción de cinco kilómetros a la redonda.

—¿Alguna pista?

—Más bien una corazonada. Dudo que Lanigan fuera tan tonto para instalar la antena en pleno centro de Biloxi. Habría tenido que alquilar un local, ocultar la antena y pasar muchas horas escondido a la escucha. Si algo sabemos de él, es que es un tipo metódico. No, yo siempre he creído que utilizó un barco. La solución más fácil y más segura. Entre el bufete y la playa no hay más de seiscientos metros, y el Golfo está lleno de barcos. Cualquiera puede echar el ancla a tres kilómetros de la costa y desaparecer del mapa.

—¿Le consta que Patrick Lanigan fuera propietario de algún tipo de embarcación?

—No.

—¿Tiene pruebas que demuestren que utilizó una embarcación?

—Puede.

Stephano hizo una pausa. Se adentraba en territorio desconocido para el FBI.

—Señor Stephano —lo urgió molesto el agente Underhill—, le recuerdo que presta declaración por voluntad propia.

—No hace falta. Hablamos con todos los propietarios de barcos de alquiler de la Costa, de Destin a Nueva Orleans, y solo encontramos una pista. En Alabama. El once de febrero de mil novecientos noventa y dos, el día del entierro de Lanigan, un hombre había alquilado un velero de diez metros de eslora al propietario de una pequeña flota de Orange Beach. La tarifa era de mil dólares mensuales, pero el tipo se ofreció a pagar el doble con dos condiciones: dinero en efectivo y nada de papeles. El dueño pensó que era un traficante de drogas y le dijo que ni hablar. Entonces el tipo le ofreció un depósito de cinco mil dólares más dos mensualidades de dos mil. En vista de que el negocio no iba muy bien y de que el barco estaba asegurado contra robo, el propietario decidió arriesgarse.

Underhill lo escuchaba sin parpadear ni tomar apuntes.

—¿Le enseñó una fotografía de Lanigan?

—Por supuesto. Dijo que podía ser él, pero que no estaba seguro. Según su descripción, el hombre que le había alquilado el barco era moreno, iba bien afeitado, llevaba gafas de sol y gorra de béisbol, y estaba gordo. Lanigan aún no había descubierto los productos dietéticos. En resumidas cuentas, no pudo identificarlo con seguridad.

—¿Qué nombre utilizó para alquilar el barco?

—Randy Austin. Le enseñó un carnet de conducir de Georgia, sin foto, y se negó a presentar ningún otro documento. Para eso pagaba en efectivo. ¡Cinco mil dólares! El dueño le habría vendido el barco por veinte mil...

—¿Qué pasó con el velero?

—Nada. Al principio, el propietario no las tenía todas consigo, porque Randy no daba la impresión de ser lo que se dice un lobo de mar. Hacía demasiadas preguntas. Le explicó que era de Atlanta, que acababa de divorciarse y que quería ir al sur; que estaba harto del estrés de la vida moderna, del dinero, etcétera, etcétera. Le dijo que llevaba algún tiempo en dique seco y que quería ir a los Cayos para practicar, sin perder de vista la costa. No era una historia descabellada, pero tampoco muy convincente. Al día siguiente, cuando Randy apareció en el muelle, el dueño del barco se dio cuenta de que no había oído llegar ningún coche. ¿Habría llegado hasta la playa andando? ¿Haciendo autoestop? Después de muchos preparativos, el tal Randy se hizo a la mar y puso rumbo al este. Llevaba a bordo un motor diesel capaz de hacer avanzar el barco a ocho nudos con viento o sin él. El propietario no tenía nada mejor que hacer y decidió seguirlo. Había un par de bares en la Costa que no visitaba desde hacía tiempo. El velero no se alejó nunca más de medio kilómetro de la playa, y Randy parecía defenderse bastante bien. Al cabo de unas horas amarró en un puerto deportivo de Perdido Bay y desapareció tierra adentro, a bordo de un Taurus alquilado con matrícula de Alabama. Al día siguiente lo mismo. El propietario no lo perdió de vista. Randy fue cogiendo confianza y se alejó un poco más de la costa. Al tercer o cuarto día salió del puerto en dirección oeste, hacia Mobile y Biloxi, y tardó tres días en regresar.

»Volvía y se iba de nuevo, siempre hacia el oeste. Nunca puso rumbo al este ni al sur, a los Cayos. Al ver que Randy no iba muy lejos, el dueño dejó de preocuparse por el barco. A veces pasaba una semana sin verlo, pero sabía que al final siempre regresaba.

—¿Y cree que se trataba de Patrick?

—Estoy convencido. Todo encaja. En el barco podía estar solo durante días, sin miedo a ser reconocido, y la Costa, entre Biloxi y Gulfport, le proporcionaba un centenar de escondrijos desde donde procesar toda la información que recibía. Además, no hay nada mejor que un barco para pasar hambre.

—¿Qué se hizo del velero?

—Un buen día lo amarró y desapareció sin decir nada. El

dueño lo recuperó y se embolsó los cinco mil dólares del depósito.

—¿Registraron el barco?

—Con lupa. No encontramos nada. El dueño dijo que nunca lo había visto tan limpio.

—¿Cuándo desapareció?

—El dueño del barco no lo sabía con seguridad porque había dejado de seguirlo. Encontró el velero el treinta de marzo, cuatro días después de que desapareciera el dinero. El práctico de guardia nos dijo que le parecía que no había vuelto a ver a Randy desde el veinticuatro o el veinticinco de marzo. Las fechas coinciden exactamente.

—¿Qué pasó con el coche alquilado?

—También se encontró. Lo había alquilado en el mostrador de Avis, en el aeropuerto de Mobile, la mañana del lunes diez de febrero, unas diez horas después de que su coche dejara de arder. La empleada de Avis describió a un hombre moreno, bien afeitado, con el pelo corto, gafas, traje y corbata. Según le dijo, había llegado de Atlanta. Le enseñamos fotos de Lanigan, pero tampoco pudo identificarlo con seguridad. Utilizó el mismo carnet de conducir de Georgia y una Visa falsificada a nombre de Randy Austin. El número correspondía a una cuenta auténtica de Decatur, de Georgia. El tipo le dijo que era un agente inmobiliario y que andaba buscando terrenos para construir un casino. Iba por libre, y por eso había dejado en blanco el espacio del impreso reservado para el nombre de la empresa. Necesitaba el coche una semana. Avis nunca volvió a saber de él. Ni del coche, hasta catorce meses después.

—¿Por qué no devolvió el coche? —preguntó Underhill pensativo.

—Está claro. Cuando lo alquiló acababa de morir y nadie lo conocía. Al día siguiente, en cambio, su cara ya había salido en la primera página de los periódicos de Biloxi y Mobile. Seguramente pensó que era demasiado arriesgado devolver el coche en persona. Lo encontraron en Montgomery, desvencijado.

—¿Adónde fue Patrick?

—Mi hipótesis es que dejó Orange Beach el veinticuatro o veinticinco de marzo, y que desde ese momento adoptó la identidad de Doug Vitrano, su antiguo socio. Sabemos que el veinticinco fue de Montgomery a Atlanta en avión, y que luego cogió un vuelo a Miami y otro a Nassau. Siempre con billetes de primera clase y a nombre de Doug Vitrano. Al salir de Miami y al llegar a las Bahamas tuvo que utilizar un pasaporte falso. El avión llegó a Nassau a las ocho y media de la mañana del día veintiséis, y a las nueve, cuando abrieron el banco, Patrick ya estaba en la puerta. Entonces presentó el pasaporte y los demás documentos a Graham Dunlap, transfirió el dinero, se despidió y cogió un avión con destino a Nueva York. A las dos y media estaba en La Guardia. Allí debió de cambiar de identidad otra vez y le perdimos la pista.

Cuando la oferta subió a cincuenta mil dólares, Trudy no pudo resistir la tentación. El programa se llamaba *Diario íntimo*, un bodrio sensacionalista con una audiencia fiel y, según parece, un presupuesto generoso. Los miembros del equipo técnico invadieron el salón, cubrieron las ventanas y colocaron cables y focos por doquier mientras Nancy de Angelo, la «periodista» que presentaba el programa, llegaba de Los Ángeles acompañada por su propio séquito de peluqueros y maquilladores.

Para no ser menos, Trudy se pasó dos horas delante del espejo y apareció ante las cámaras con un aspecto radiante. Demasiado, según Nancy. ¿Dónde estaba la mujer dolida, destrozada, asediada por los medios y la justicia, enfadada con su marido en nombre propio y de su hija? Trudy volvió a su habitación hecha un mar de lágrimas. Lance tardó media hora en consolarla, pero al fin consiguió que se armara de valor para enfrentarse de nuevo a las cámaras. Llevaba un jersey de algodón y unos vaqueros, y estaba casi tan guapa como antes.

A Ashley Nicole la sentaron en el sofá, al lado de su madre, para que sirviera de *atrezzo*.

—Pon cara de pena —le dijo Nancy mientras los técnicos ajustaban las luces—. Y usted procure llorar —le recomendó a Trudy—. Necesitamos lágrimas, lágrimas de verdad.

Durante una hora, Trudy Lanigan habló de lo mal que lo estaban pasando su hija y ella por culpa de Patrick. Las lágrimas llegaron con el recuerdo del entierro. Le enseñaron una foto de la zapatilla encontrada en el lugar del accidente. Siguieron meses, años de sufrimiento. No, no se había vuelto a casar. No, no había tenido noticias de su marido desde su regreso. Sí, tal vez fuera mejor así. No, Patrick no había movido un dedo por ver a su hija. Más lágrimas.

La sola idea de divorciarse le daba escalofríos, pero ¿qué otra cosa podía hacer? ¿La demanda de la aseguradora? ¡Qué atrocidad! Como si ella fuera una vulgar ladrona...

Patrick era un monstruo. ¿Esperaba obtener parte de los beneficios si algún día aparecía el dinero? ¡Pues claro que no! ¿Qué clase de pregunta era esa?

Después de pasar por la sala de montaje, la entrevista quedó reducida a veinte minutos. Patrick la vio desde el hospital, con una sonrisa en los labios.

19

El teléfono interrumpió a la secretaria de Sandy en el momento en que estaba recortando la foto y el artículo publicados por el rotativo de Nueva Orleans a propósito de la breve sesión del día anterior. Sandy estaba ocupado con una declaración, pero su ayudante, considerando la importancia de la llamada, requirió su presencia de inmediato. Leah Pires volvía a dar señales de vida.

Sin apenas darse a conocer, la abogada preguntó a Sandy si estaba seguro de que no había micrófonos en el despacho. Él la tranquilizó diciendo que lo habían comprobado el día anterior. Leah se hospedaba en un hotel de Canal Street, a pocas manzanas del bufete, y propuso una reunión en su suite. Sandy aceptó enseguida: para él, una sugerencia de Leah pesaba más que una orden del juez. Se ponía casi a temblar con solo oír su voz.

Como Leah no tenía prisa, Sandy acudió andando a la cita; bajó por Poydras y luego siguió Magazine hasta Canal Street. Si llevaba a alguien pisándole los talones, no se molestó en averiguarlo. La paranoia de Patrick era comprensible —el pobre se había pasado cuatro años huyendo de sus fantasmas—, pero nadie iba a convencerlo de que él podía correr la misma suerte. Actuaba como abogado defensor en un caso importante, y habría que estar loco para seguirlo o pincharle los teléfonos. Un paso en falso, y los enemigos de Patrick se quedarían sin juicio.

Por pura precaución, sin embargo, y a instancias de su cliente, se había puesto en contacto con una empresa de seguridad que, a partir de entonces, se encargaría de peinar periódicamente el bufete.

Leah lo recibió con un apretón de manos y una sonrisa forzada. Sandy se dio cuenta enseguida de que estaba preocupada. Iba vestida de manera informal, con vaqueros y una camiseta blanca, y no llevaba zapatos. A él, que nunca había estado en Brasil, le pareció que aquel debía de ser el atuendo habitual de todos sus compatriotas. A juzgar por la poca ropa que colgaba del armario abierto, Leah Pires viajaba mucho y con poco equipaje. Lógico, teniendo en cuenta que se había convertido en una fugitiva, igual que antes Patrick. Leah preparó café para los dos y lo sirvió en la mesa.

—¿Cómo está Patrick? —le preguntó mientras le ofrecía una silla.

—Mejor. El médico dice que se recuperará.

—¿Lo ha pasado muy mal? —musitó con ese deje carioca que tanto le gustaba a Sandy.

—Bastante. —El abogado extrajo una carpeta de su maletín y se la entregó—. Véalo usted misma.

La primera fotografía hizo que Leah frunciera el entrecejo y murmurara algo en portugués. La visión de la segunda le llenó los ojos de lágrimas. «Pobre Patrick —dijo para sí—. Pobrecito mío.»

Leah observó las fotografías detenidamente, una por una, enjugándose las lágrimas con el dorso de la mano hasta que Sandy reunió el valor necesario para ofrecerle un pañuelo. No le daba vergüenza llorar. Al cabo de un rato, cuando las hubo visto todas, las reunió en un montón y volvió a guardarlas en la carpeta.

—Lo siento —dijo Sandy a falta de un consuelo mejor—. Le traigo una carta de Patrick —anunció.

Leah dejó de llorar y se sirvió otra taza de café.

—¿Le quedarán secuelas? —preguntó.

—Lo más seguro es que no. El médico dice que le quedarán cicatrices, pero que se irán borrando con el tiempo.

—¿Y psicológicamente?

—Está bien, aunque apenas duerme, menos incluso que antes, y tiene pesadillas noche y día. En cuanto la medicación empiece a hacer efecto, se pondrá mejor. —Sandy tomó un sorbo de café antes de continuar—. La verdad es que resulta difícil ponerse en su lugar. Supongo que tiene suerte de seguir con vida.

—Siempre estuvo seguro de que no lo matarían.

¡Cuántas preguntas! Sandy se las oía formular a gritos al abogado que llevaba dentro. ¿Sabía Patrick que andaban buscándolo? ¿Era consciente de que la historia de su fuga estaba llegando a su fin? ¿Dónde estaba ella mientras los sabuesos seguían la pista de Patrick? ¿Vivía con él? ¿Cómo habían logrado esconder el dinero? ¿Dónde lo había guardado? ¿Estaba a buen recaudo? Cuénteme algo, por favor. Soy el abogado de Patrick. Confíe en mí.

—Hablemos del divorcio.

Leah había notado la curiosidad del abogado y quiso cambiar de tema. Por eso se levantó, se acercó a la cómoda y sacó un cartapacio abultado de uno de los cajones.

—¿Vio a Trudy en la tele ayer por la noche? —preguntó mientras dejaba la carpeta sobre la mesa.

—Sí. Menudo espectáculo.

—Es una mujer muy guapa —dijo Leah.

—Sí que lo es —admitió Sandy—. Me temo que Patrick cometió el error de casarse con ella por su cara bonita.

—No sería el primero.

—Desde luego que no.

—Patrick la desprecia. Dice que no tiene corazón y que siempre le fue infiel.

—¿Infiel?

—Sí. Ahí lo tiene todo por escrito. Durante su último año de matrimonio, Patrick contrató a un detective para que la siguiera. Su amante, un tal Lance Maxa, y ella se veían muy a menudo. Hay fotografías de Lance entrando y saliendo de casa de Patrick cuando él no estaba. Y otras de los dos tortolitos tomando el sol junto a la piscina. En cueros, naturalmente.

Sandy abrió la carpeta y hojeó los documentos hasta encontrar las fotografías. Leah tenía razón. Iban como Dios los trajo al mundo.

—Esto nos facilitará mucho las cosas —dijo, incapaz de reprimir una sonrisa malintencionada.

—No se trata de oponerse al divorcio; no se confunda. Patrick no tiene ninguna intención de contestar la demanda. Lo que quiere es cerrarle la boca. Trudy se lo está pasando en grande arrastrando el nombre de Patrick por el fango.

—Se le pasarán las ganas de hablar en cuanto vea estas fotos. ¿Qué hay de la niña?

Leah se sentó y miró a Sandy a los ojos.

—Patrick quiere mucho a Ashley Nicole, pero le consta que no es hija suya.

Sandy encajó la noticia sin estupor, como si para él aquello fuera el pan de cada día.

—¿Quién es el padre?

—Patrick no lo sabe, pero Lance tiene todos los números. Él y Trudy llevan mucho tiempo juntos. Al parecer, se conocieron en el instituto.

—¿Por qué está tan seguro de que no es suya?

—Patrick le sacó una muestra de sangre cuando tenía catorce meses, y la envió junto con la suya a un laboratorio especializado en pruebas de ADN. Sus sospechas resultaron ciertas. Él no es el padre de la niña. Encontrará el informe en la carpeta.

Sandy se levantó para estirar las piernas y ordenar un poco sus ideas. Al llegar junto a la ventana, se quedó parado contemplando el tráfico que circulaba por Canal Street. Acababa de aparecer otra pieza del rompecabezas. La pregunta que tenía en mente no podía ser otra que: ¿Con cuánta antelación había planeado Patrick su huida? Esposa infiel, hija bastarda, accidente fatal, cadáver desfigurado, robo y fuga. Un plan perfecto. O casi. Quedaba por ver el final.

—Entonces ¿por qué poner pegas al divorcio? —preguntó sin apartar los ojos de la calzada—. ¿Por qué sacar a relucir los trapos sucios si no piensa reclamar la custodia de la niña?

Sandy sabía la respuesta, pero quería oírla de labios de Leah. Tal vez así adivinaría sus intenciones.

—Bastará con poner al corriente al abogado —dijo—. Enséñele el informe. Completo. Cuando lo haya leído, tendrá más ganas que nunca de llegar a un acuerdo.

—¿Se refiere a un acuerdo económico?

—Exacto.

—¿En qué términos?

—Digamos que Trudy se lleva el cero por ciento.

—¿El cero por ciento de qué?

—De un pequeño capital o de una gran fortuna. Depende.

Sandy apartó la vista de la ventana.

—¿Cómo voy a negociar si no sé de qué dispone mi cliente? —protestó mientras la fulminaba con la mirada—. Tarde o temprano tendrán que explicarme de qué va todo esto.

—Usted lo ha dicho —replicó Leah sin inmutarse—. Tarde o temprano.

—¿En serio creen que podrán salir de este lío a golpe de talonario?

—Por probar que no quede.

—El dinero no lo puede todo.

—¿Se le ocurre una idea mejor?

—No.

—Ya me lo imaginaba. Es la única salida.

Sandy apoyó la espalda contra la pared.

—Entre tres sería más fácil —dijo más tranquilo.

—Pronto lo sabrá todo. Se lo prometo. Pero lo primero es lo primero. Ocúpese del divorcio. Trudy tiene que renunciar a cualquier pretensión sobre sus ingresos.

—Será fácil convencerla. Y divertido.

—Ponga manos a la obra. Volveremos a vernos la semana que viene.

De pronto estaba de más. Leah ya se había puesto en pie y estaba ordenando unos papeles. Sandy recogió el cartapacio y lo guardó en el maletín.

—¿Cuánto tiempo piensa quedarse aquí? —preguntó.

—No mucho —respondió Leah mientras le entregaba un sobre—. Tenga, es una carta para Patrick. Dígale que estoy bien, que voy de aquí para allá y que, de momento, no he visto a nadie pisándome los talones.

Sandy cogió el sobre y buscó los ojos de Leah. Parecía nerviosa, impaciente por perderlo de vista. Sandy habría querido ayudarla, o al menos ofrecerle su apoyo, pero sabía que todo cuanto dijera en aquel momento caería en saco roto.

Leah lo despidió con otra sonrisa forzada.

—Haga lo que le he dicho. Patrick y yo nos ocuparemos del resto.

Mientras Stephano contaba sus aventuras a los funcionarios de Washington, Guy y Aricia establecían un campamento base en Biloxi: un apartamento de tres habitaciones en Back Bay equipado con varios aparatos telefónicos y de faxes. El futuro de Patrick, al menos a corto plazo, era fácil de predecir, ya que de momento no podía ir muy lejos. Eso significaba que la chica no tendría más remedio que correr el riesgo de salir a la superficie en Biloxi para ir a buscarlo. Esa era la hipótesis de trabajo.

Aricia había presupuestado cien mil dólares para aquella operación, y se había prometido a sí mismo que sería la última. Llevaba ya casi dos millones invertidos, y si seguía malgastando el dinero de aquel modo pronto se quedaría sin nada. Northern Case y Monarch-Sierra, los otros dos miembros de aquel consorcio inestable, habían preferido tirar la toalla. El plan era mantener ocupado al FBI con las historias de Stephano mientras, con un poco de suerte, Guy y el resto de la organización localizaban a la chica. En el fondo, era como buscar una aguja en un pajar.

Osmar y sus muchachos, por su parte, seguían patrullando las calles de Río. Si la chica volvía a poner los pies en la ciudad, lo sabrían enseguida. Osmar tenía a un montón de gente trabajando a sus órdenes, pero por suerte para el consorcio el precio de la mano de obra no podía ser más bajo.

Benny Aricia sabía que volver a la Costa le traería malos recuerdos. Había llegado a Biloxi en 1985 como representante de la mastodóntica Platt & Rockland, un conglomerado de empresas que, durante veinte años, lo obligó a viajar por medio mundo en calidad de gestor profesional. Una de las divisiones más rentables del conglomerado eran los astilleros de Pascagoula, a medio camino entre Biloxi y Mobile. En 1985 los astilleros de Platt & Rockland recibieron de la Marina el encargo de construir cuatro submarinos nucleares por valor de doce mil millones de dólares, y alguien en las altas esferas decidió que a Benny le convenía llevar una vida más sedentaria.

Nacido en New Jersey, educado en Boston y casado por aquel entonces con una eterna aspirante al trono de la frivolidad, Benny no supo adaptarse a la vida de la costa del Golfo. Es más, desde el primer momento sospechó que su designación era producto de una maniobra destinada a apartarlo de la élite empresarial. Su mujer lo abandonó al cabo de dos años.

Platt & Rockland tenía un patrimonio neto de veintiún millones de dólares, un sinfín de accionistas, treinta y seis divisiones y ochenta mil empleados repartidos entre ciento tres países. Además de muchas otras actividades, vendía material de oficina, talaba bosques, fabricaba miles de productos de consumo, vendía seguros, extraía gas natural, transportaba mercancías, explotaba minas de cobre y construía submarinos nucleares. El conglomerado crecía descontroladamente mediante la absorción de empresas descentralizadas, y seguía a rajatabla el precepto que dice: «No dejes que tu mano izquierda sepa lo que hace tu mano derecha». Pese a todo, los beneficios eran astronómicos.

Benny soñaba con racionalizar la gestión de la empresa, deshacerse de las divisiones deficitarias y aumentar las inversiones en las que más beneficios generaban. No hacía ningún esfuerzo por ocultar su carácter ambicioso, y en más de una ocasión había dejado bien claro que aspiraba a lo más alto. El traslado a Biloxi, pues, le había parecido una broma de mal gusto, una hábil maniobra orquestada por sus enemigos para cortarle las alas. Benny detestaba tener que negociar con el gobierno, y los burócratas arrogantes del Pentágono le sacaban de quicio. Y lo mismo podía decirse del paso de tortuga con que se construían los submarinos.

En 1988 se decidió a solicitar el traslado, pero la empresa denegó su solicitud. Un año más tarde empezó a circular el rumor de que el proyecto de los submarinos atravesaba serios problemas presupuestarios. El gobierno ordenó la paralización de las obras y envió auditores y representantes del Pentágono a los astilleros de Pascagoula. Benny estaba en la cuerda floja.

Como empresa proveedora del Departamento de Defensa, Platt & Rockland tenía a sus espaldas una larga trayectoria de sobreprecios, malversaciones y falsedad. Tanto es así que, más que una excepción, los casos de lucro ilícito constituían ya la norma general. Si las autoridades llegaban a detectar el fraude, la empresa se limitaba a sacrificar a algún que otro ejecutivo y a negociar un arreglo con el Pentágono.

Al ver que la cosa tomaba mal cariz, Aricia se puso en manos de Charles Bogan, un abogado de Biloxi y decano de un pequeño bufete entre cuyos socios figuraba un joven llamado Patrick Lanigan. El primo de Bogan representaba al estado de Mississippi en el Senado de Estados Unidos y, en su calidad de presidente del Subcomité de Gastos de Defensa, contaba con el afecto incondicional de las Fuerzas Armadas.

Por si eso fuera poco, el antiguo mentor de Bogan había accedido a la judicatura del estado, lo que convertía a aquel pequeño bufete de Biloxi en uno de los más poderosos de Mississippi en cuestión de conexiones políticas. Benny lo sabía, y por eso había elegido a Bogan.

La Ley de Contratación Pública, también conocida como «Ley del Chivatazo», había sido redactada por el Congreso con el fin de promover la denuncia de aquellos casos de sobreprecio y malversación que afectaran al erario público. Antes de acudir a Bogan, Benny estudió dicha ley en profundidad e incluso contrató los servicios de un abogado para que lo ayudara.

Benny Aricia afirmó estar en condiciones de demostrar que Platt & Rockland —a través de los astilleros de Pascagoula— se proponía estafar al gobierno unos seiscientos millones de dólares. Sabía que tenía muchas probabilidades de convertirse en el chivo expiatorio de la contrata de los submarinos, y no estaba dispuesto a aceptarlo. Por otra parte, era consciente de que su denuncia representaba el fin de su carrera como ejecutivo. Platt & Rockland contraatacaría difundiendo rumores sobre su profesionalidad, y todas las empresas del país lo pondrían en la lista negra. No, Benny Aricia no necesitaba que nadie le explicara cómo funcionaba el mundo de los negocios.

Según la Ley de Contratación Pública, el «chivato» tenía derecho a recibir el quince por ciento de la cantidad devuelta al gobierno por la empresa infractora. Benny tenía la documentación suficiente para probar el fraude de Platt & Rockland, pero necesitaba la experiencia y los contactos de Bogan para asegurarse ese porcentaje.

Los abogados redactaron una demanda incontestable que hacía responsable a Platt & Rockland de una estafa de seiscientos millones de dólares. La demanda llegó al juzgado federal el mes de septiembre de 1990, el mismo día que Benny dimitió de su cargo en la dirección de los astilleros.

Bogan contrató a ingenieros y asesores de toda clase para que estudiaran y ordenaran los miles de documentos que le proporcionaba Aricia. El caso no resultó tan difícil como podía parecer en un principio. Platt & Rockland estaba haciendo lo que había hecho siempre: cobrar el mismo material varias veces y falsear los documentos correspondientes, una práctica tan arraigada en la empresa que solo dos de los directivos de los astilleros estaban al corriente del fraude. Benny sostenía que la había descubierto por casualidad.

Por si acaso la meticulosidad en la investigación y la redacción de la demanda no resultaban suficientes, Bogan y su primo pusieron en marcha la maquinaria de sus influencias. El senador tuvo conocimiento de las irregularidades cometidas por Platt & Rockland mucho antes de que se interpusiera la demanda, y siguió el caso con gran interés una vez en Washington. Benny Aricia pagó caros los servicios de Bogan y los favores del senador. La minuta del bufete sería la normal en esos casos, es decir, un tercio. Un tercio del quince por ciento de seiscientos millones de dólares. La tajada del senador nunca llegó a determinarse con exactitud.

Bogan se encargó de filtrar información comprometedora sobre la gestión de los astilleros a la prensa de Mississippi, y el senador hizo lo mismo en Washington. Platt & Rockland vio que su reputación se ponía en tela de juicio en cuestión de días. De pronto se encontró contra las cuerdas, sin dinero y con el accionariado en pie de guerra. Una docena de miembros de la cúpula directiva de los astilleros recibió cartas de despido. Otros tantos empezaron a buscar trabajo por si acaso.

Por primera vez en su historia, los representantes de Platt & Rockland no tuvieron éxito en sus negociaciones con el Departamento de Justicia. Un año después de la demanda presentada por Aricia, su antigua empresa se comprometió a devolver los seiscientos millones de dólares y a no reincidir. El Pentágono decidió no rescindir el contrato porque los trabajos de construcción de dos de los submarinos estaban muy avanzados. Así pues, Platt & Rockland tuvo la oportunidad de llevar a buen puerto un proyecto de doce mil millones de dólares cuyo presupuesto se había disparado ya hasta veinte mil.

Benny Aricia se dispuso a cobrar su recompensa. Bogan y los demás abogados del bufete pensaron cómo gastar el dinero de la minuta. La desaparición de Patrick Lanigan acabó con los sueños de todos en un solo día.

20

La escopeta de Pepper Scarboro era una Remington del calibre doce. La había comprado en una casa de empeños de Lucedale a la edad de dieciséis años, es decir, siendo demasiado joven para adquirirla de forma legal, y había pagado por ella doscientos dólares. Según Neldene, su madre, aquella escopeta era el tesoro más preciado de Pepper. Raymond Sweeney y su colega del condado de Greene, el sheriff Tatum, hallaron el arma en cuestión, junto con un saco de dormir y una tienda de campaña, mientras inventariaban el contenido de la cabaña de Patrick una semana después de su muerte. Trudy les había dado permiso para hacerlo sin tener, en realidad, ningún derecho de propiedad sobre la cabaña, cosa que ponía en entredicho la legalidad del registro y podía invalidar cualquier intento de utilizar los objetos encontrados llegado el momento del juicio. El sheriff podía alegar, sin embargo, que no se trataba de un registro propiamente dicho, ya que en aquel momento no existía constancia de que se hubiera cometido ningún delito; él y el sheriff Tatum habían entrado en la cabaña con la sola intención de recoger los efectos personales de Patrick y devolvérselos a su familia.

Trudy no quiso quedarse con el saco ni con la tienda. Es más, dejó bien claro que le parecía que no pertenecían a su difunto marido. Aparte de que ella nunca los había visto, saltaba a la vista que eran de mala calidad, la clase de artículos que

Patrick nunca habría comprado. Además, él no dormía en el bosque; para eso tenía la cabaña. Sweeney etiquetó los dos mamotretos y, a falta de un lugar mejor donde guardarlos, los archivó en el depósito de pruebas. Tenía intención de esperar un par de años y luego venderlos en su tradicional mercadillo anual. Seis semanas más tarde, sin embargo, Neldene Crouch rompía a llorar al reconocerlos como parte del equipo de acampada de su hijo Pepper.

El caso de la escopeta fue algo diferente, aunque la encontraron en el mismo sitio que la tienda y el saco de dormir, a saber, debajo de la cama de la habitación donde dormía Patrick. Según el sheriff Sweeney, se notaba que alguien había tenido que esconderla a toda prisa. La presencia del arma le llamó mucho la atención, ya que, como buen aficionado a la caza, sabía que ningún cazador con dos dedos de frente dejaría su escopeta —ni ningún otro objeto de valor— en una cabaña perdida en las montañas. ¿Para qué? ¿Para ponérselo más fácil a los ladrones? El primer examen del arma, realizado *in situ* por el propio sheriff Sweeney, reveló la ausencia de número de serie. Conclusión: desde su salida al mercado, la escopeta había sido robada al menos en una ocasión.

Después de considerar las posibles implicaciones de su hallazgo, el sheriff Tatum y el sheriff Sweeney estuvieron de acuerdo en recomendar un examen más minucioso del arma. Seguramente no serviría para nada, pero ambos llevaban demasiados años de oficio a sus espaldas para fiarse siquiera de su propia intuición.

Semanas más tarde, y convencido por repetidas promesas de inmunidad, el dueño de la casa de empeños de Lucedale admitía haber vendido la escopeta a Pepper.

El sheriff del condado de Harrison y su principal colaborador, Ted Grimshaw, llamaron a la puerta de la habitación de Patrick. Antes de llegar al hospital, Sweeney le había llamado por teléfono para anunciar su visita y el propósito de la misma. Acababan de caer en la cuenta de que aún no lo habían fichado.

Patrick posó para la posteridad sentado en una silla del hospital, vestido con una camiseta y unos pantalones de gimnasia, despeinado y con cara de pocos amigos. El sheriff le había llevado la placa con su número de detenido y le estuvo dando conversación mientras Grimshaw le tomaba las huellas. Patrick insistió en hacerlo de pie.

Sweeney aprovechó la ocasión para hacer un par de preguntas sobre Pepper Scarboro, pero Patrick le recordó enseguida que tenía abogado y que solo podía ser interrogado en su presencia. Además, con o sin abogado, no tenía nada que decir. Gracias, adiós.

Cutter y un técnico del FBI llegado especialmente de Jackson esperaban el regreso del sheriff en la sala Lanigan. Las huellas que Grimshaw había encontrado en su día en la escopeta de Pepper —entre ellas, más de una docena completas y aprovechables— habían vuelto a ver la luz al cabo de los años y se hallaban extendidas sobre la mesa. La escopeta estaba en una repisa, junto con la tienda de campaña, el saco de dormir, la zapatilla de deporte, las fotografías y el resto de las pruebas que se utilizarían en el juicio contra Patrick.

Cutter y el sheriff hablaron de pesca y bebieron café en vasos de plástico mientras el experto del FBI comparaba las huellas viejas y las recientes con la ayuda de una lupa. El veredicto no se hizo esperar.

—Algunas coinciden exactamente —dijo ya antes de terminar—. La culata estaba llena de huellas de Lanigan.

Buenas noticias, se dijeron. ¿Qué más?

Patrick insistió en la necesidad de disponer de otra habitación para las entrevistas con su abogado y el doctor Hayani se ocupó de realizar las gestiones oportunas. Luego pidió que lo llevaran en silla de ruedas, y una de las enfermeras se encargó de empujarlo por el pasillo y hasta el ascensor para el breve viaje de descenso a la planta baja. Los acompañó uno de los dos ayudantes del sheriff que hacían guardia en el pasillo. El otro se quedó haciendo compañía al agente especial Brent Myers.

La habitación que le asignaron era la misma donde los médicos celebraban sus reuniones sindicales. De todas formas, el hospital tenía poco personal, y daba la impresión de que no la utilizaban muy a menudo. Sandy había pedido el detector que quería Patrick, pero aún tardaría una semana en recibirlo.

—Mételes prisa —lo azuzó su cliente.

—Vamos, Patrick, ¿cómo quieres que haya micrófonos en esta habitación? ¡Nadie sabía que íbamos a estar aquí hasta hace una hora!

—Toda precaución es poca.

Patrick se levantó de la silla de ruedas y se puso a dar vueltas alrededor de la mesa de conferencias. Sin cojear, por cierto.

—Oye, ¿no crees que deberías tranquilizarte un poco? Ya sé que has pasado mucho tiempo escondido, que llevas años con el miedo metido en el cuerpo y todo eso. Ya lo sé. Pero ahora es diferente. Ya te han cogido. Tranquilízate de una vez.

—Te equivocas. Me tienen a mí, pero siguen buscando el dinero. ¿No te das cuenta? Y ese dinero les importa mucho más que yo. Tenlo presente, Sandy. No descansarán hasta haberlo recuperado.

—¿Y se puede saber de quién sospechas? ¿De los buenos o de los malos? ¿De los policías o de los ladrones?

—Los dueños del dinero se han gastado una fortuna intentando recuperarlo.

—¿Cómo lo sabes?

Patrick se encogió de hombros. El ratón y el gato volvían a jugar.

—¿Quiénes son? —insistió Sandy.

Luego hubo una larga pausa, parecida a las que hacía Leah cuando quería cambiar de tema.

—Siéntate —dijo Patrick.

Los dos tomaron asiento, uno a cada lado de la mesa. Sandy sacó del maletín el cartapacio que Leah le había entregado cuatro horas antes con los trapos sucios de Trudy.

Patrick lo reconoció enseguida.

—¿Cuándo la has visto? —preguntó impaciente.

—Esta mañana. Está bien, dice que nadie la está siguiendo, y te envía besos y esta carta.

Sandy dejó el sobre encima de la mesa. Patrick rasgó el papel y sacó tres hojas escritas a mano. Leyó la carta muy despacio, como si el abogado no estuviera presente.

Sandy aprovechó la espera para echar otro vistazo al expediente y a las fotografías de Trudy y de su gigoló en la piscina. ¡Qué ganas tenía de enseñárselas al abogado de Mobile! Ya solo faltaban tres horas para la reunión.

Patrick acabó de leer la carta, la dobló con cuidado y volvió a meterla en el sobre.

—Tengo otra para ella —dijo. Entonces vio las fotos sobre la mesa—. Buen trabajo, ¿eh?

—Fantástico. Nunca he visto pruebas más concluyentes en un caso de divorcio.

—La verdad es que había mucho donde escoger. Llevábamos un par de años casados cuando me encontré con su primer marido. Fue por casualidad, en una fiesta, antes de un partido de los Saints en Nueva Orleans. Nos tomamos un par de copas y me contó la historia de Lance. El maromo de la foto.

—Ya, Leah me ha puesto al corriente.

—De todas maneras, Trudy estaba a punto de dar a luz y preferí no decir nada. Nuestro matrimonio se había ido deteriorando poco a poco, y esperábamos que la llegada de la niña lo arreglaría todo. Además, Trudy es una actriz consumada. En fin, decidí seguirle el juego, ejercer de papá feliz y tal y cual, pero al cabo de un año empecé a recopilar pruebas. No sabía cuándo las necesitaría, pero estaba seguro de que lo nuestro se había acabado. Procuraba estar fuera de casa siempre que podía: viajes de negocios, excursiones, fines de semana con los amigos... Cualquier excusa era buena. Y a ella no parecía importarle.

—He quedado con su abogado a las cinco.

—Bien —aprobó—. Disfrútalo. Todos los abogados sueñan con un caso como este. Amenázalo tanto como haga falta, pero no salgas de ese despacho sin llegar a un acuerdo. Quiero que Trudy renuncie a todo. No pienso darle ni un centavo.

—Hablando de dinero...

—Ten un poco más de paciencia, Sandy. Ahora tenemos cosas más urgentes de que hablar.

Sandy sacó su bloc del maletín y se dispuso a tomar notas.

—Te escucho —dijo.

—Lance es un mal bicho. Creció en Point Cadet, yendo de bar en bar. Dejó el instituto antes de acabar los estudios, y luego estuvo tres años en la cárcel por tráfico de drogas. En fin, una manzana podrida. El caso es que tiene amigos en los bajos fondos, gente capaz de hacer cualquier cosa por dinero. Leah tiene otra carpetita con su nombre. Supongo que aún no te la ha dado.

—No. Solo esta.

—Pídesela la próxima vez. El mismo detective que estuvo siguiendo a Trudy se pasó un año reuniendo pruebas contra él. Lance es un matón de poca monta, pero tiene amigos. Y Trudy tiene dinero. No sabemos cuánto, pero dudo que se lo haya gastado todo.

—¿Crees que irán a por ti?

—Seguramente. Piénsalo. En estos momentos Trudy es la única persona que aún querría verme muerto. Si yo desaparezco del mapa, ella podrá conservar el dinero que le queda y dejar de preocuparse por la demanda de la aseguradora. La conozco, Sandy. Para ella, el dinero y el tren de vida lo son todo.

—¿Cómo...?

—Puede hacerse, Sandy. Créeme. Puede hacerse.

Patrick dijo esas palabras con la seguridad de quien se ha metido en un buen lío y ha sabido salir con bien. Sandy sintió que se le helaba la sangre.

—Puede hacerse —repitió por tercera vez—, y más fácilmente de lo que te imaginas.

Con los ojos entornados, las arrugas de su rostro parecían aún más profundas.

—Bueno, ¿y qué quieres que haga? ¿Hacer compañía a los policías del pasillo?

—No. Meter cizaña.

—Te escucho.

—Primero le dices al abogado de Trudy que has recibido una llamada anónima en el despacho y que, según parece, Lance anda buscando un asesino a sueldo. Hazlo al final de la entrevista. A esas alturas estará dispuesto a creerse cualquier cosa que le digas. Cuéntale que piensas hablar del tema con la policía. Él hará lo mismo con su cliente. Trudy lo negará todo, claro, pero no servirá de nada. Te aseguro que se rajará en cuanto scpa que alguien ha adivinado sus planes. Luego vete a ver al sheriff y a los del FBI y cuéntales la misma historia. Diles que temes por mi vida y explícales por qué. Insiste para que hagan una visita a Trudy y a Lance. La conozco bien, Sandy. Sé que a cambio del dinero estaría dispuesta a sacrificar a Lance, pero no su propio pellejo. Si se da cuenta de que la policía sospecha algo, se echará atrás.

—Veo que piensas en todo. ¿Tengo que hacer algo más?

—Sí. Luego filtras la noticia a la prensa. Tienes que encontrar a un periodista...

—Me lo pones fácil.

—Un periodista en quien puedas confiar.

—Eso ya me parece más difícil.

—Tranquilo. He estado leyendo los periódicos y he seleccionado un par de nombres. Mira qué te parecen y escoge el que más te guste. Dile que publique los rumores, sin citar fuentes, y que a cambio tendrá la exclusiva de las noticias de verdad. Así es como trabaja esta gente. Dile que el sheriff está intentando averiguar qué hay de verdad en la historia del asesino a sueldo. Se lo tragará. Ni siquiera se molestará en ratificar la información. ¡Información! Pero si no hacen otra cosa que publicar rumores...

Sandy acabó de tomar notas y se quedó maravillado ante la preparación de su cliente. Luego cerró la carpeta, le dio unos golpecitos con el bolígrafo y preguntó:

—¿Cuántas carpetas hay?

—¿Con trapos sucios?

—Sí.

—Unos veinticinco kilos. Han estado durmiendo en un guardamuebles de Mobile desde que me fui.

—¿Y qué contienen?

—Más trapos sucios.

—¿Sobre quién?

—Sobre mis antiguos socios y otros. Ya hablaremos de eso más adelante.

—¿Cuándo?

—Pronto, Sandy. Muy pronto.

El abogado de Trudy, J. Murray Riddleton, era un hombre de sesenta años, jovial y cuellicorto, especializado en dos tipos de asuntos, a saber, divorcios sonados y fraudes fiscales. Podría decirse que era, además, un compendio de contrastes: rico y mal vestido, inteligente y anodino, sonriente y despiadado, zalamero y cáustico. El gran bufete que había abierto en el centro de Biloxi parecía lleno de expedientes abandonados y de códigos anticuados. Riddleton recibió a Sandy con muy buenos modales, lo invitó a sentarse y le ofreció una copa. Ya eran más de las cinco. Sandy declinó la invitación y su anfitrión prefirió no beber solo.

—¿Qué tal anda nuestro amigo? —preguntó con una sonrisa de oreja a oreja.

—¿A quién se refiere?

—A Patrick. ¿A quién si no? ¿Ya ha encontrado el dinero?

—No sabía que lo estuviera buscando.

Riddleton creyó que era un chiste y se echó a reír. Estaba seguro de que era él quien llevaba las riendas de la negociación, al igual que un jugador que hubiera acaparado todas las cartas.

—Ayer por la noche vi a su cliente por televisión —dijo Sandy—. En ese bodrio sensacionalista... ¿Cómo se llama?

—*Diario íntimo.* ¿Verdad que estuvo maravillosa? ¿Y qué me dice de la niña? Qué encanto. Pobrecitas...

—Mi cliente preferiría que su cliente se abstuviera de hacer cualquier otra referencia a su matrimonio y a su divorcio en público.

—A mi cliente no le interesa lo que su cliente quiere o deja de querer. Ni a mí lo que quiere usted.

—Me parece perfecto.

—Mire, joven, yo soy un defensor acérrimo de la Primera Enmienda. Di lo que quieras. Haz lo que quieras. Publica lo que te dé la gana. Y no lo digo yo. ¡Lo dice la Constitución! —dijo señalando una estantería llena de libros y telarañas—. Así pues, no ha lugar. Mi cliente tiene derecho a decir lo que quiera cuando y donde le venga en gana. Por culpa de su cliente, la señora Lanigan se siente humillada y tiene que enfrentarse a un futuro más bien incierto.

—Me parece bien. Solo quería dejar las cosas claras.

—¿Y bien? ¿Me he expresado con suficiente claridad?

—Desde luego. A mi cliente le parece perfecto que su cliente quiera pedir el divorcio, y no tiene intención de reclamar la custodia de la niña.

—Vaya, muchas gracias. ¿Y ese ataque de generosidad?

—De hecho, mi cliente piensa renunciar al régimen de visitas.

—Hace bien. No se puede abandonar a una criatura y volver con exigencias al cabo de cuatro años.

—Hay otra razón —dijo Sandy mientras abría el cartapacio y buscaba la copia del informe del laboratorio que había preparado para Riddleton.

—¿Qué es esto? —preguntó el abogado con desconfianza. Había dejado de sonreír.

—¿Por qué no le echa un vistazo? —propuso Sandy.

Riddleton se sacó las gafas del bolsillo de la chaqueta y las ajustó a la circunferencia de su cráneo. Luego se colocó el informe a la distancia que necesitaba y se puso a leerlo con calma. Al llegar al pie de la primera página levantó los ojos de la mesa. Al final de la página dos dejó caer los hombros.

—Menuda catástrofe, ¿verdad? —dijo Sandy cuando su colega terminó de leer el informe.

—No se pase de listo. Estoy seguro de que todo esto tiene una explicación.

—Y yo estoy seguro de que no. Según la ley de Alabama, la prueba del ADN es concluyente. Señor Riddleton, yo no soy tan partidario de la Primera Enmienda como usted pero creo que si este informe llegara a hacerse público su cliente lo pasaría muy mal. ¡Imagínese! ¡Tener una hija fuera del matrimonio y seguir viviendo con su marido como si tal cosa! Me temo que ese tipo de conducta no gusta mucho en la Costa...

—Publíquenlo —lo desafió Riddleton sin demasiada convicción—. No me importa.

—Será mejor que lo consulte con su cliente.

—Según la ley del estado, esta historia no significa nada. Si mi cliente cometió adulterio, el suyo siguió viviendo con ella a sabiendas. Por lo tanto, lo aceptó. Ahora no puede utilizarlo como argumento para contestar la demanda de divorcio.

—Olvídese del divorcio. Por lo que a mi cliente se refiere, Trudy puede considerarse soltera. Y olvídese también de la niña.

—Ya veo. Se trata de una extorsión. El silencio a cambio de que mi cliente renuncie al dinero.

—Más o menos.

—Su cliente ha perdido el juicio —dijo Riddleton, sulfurado—. ¡Y usted también!

Sandy volvió a rebuscar en el cartapacio y extrajo más munición.

—¿Qué es esto? —preguntó Riddleton al ver otro informe sobre la mesa.

—Léalo.

—Tengo la vista cansada.

—En ese caso... Esta es una copia del informe que redactó el detective privado que estuvo vigilando a su cliente y al señor Maxa durante el año anterior a la desaparición de mi cliente. Se vieron a solas al menos en dieciséis ocasiones y en diferentes lugares, pero sobre todo en casa de mi cliente y a puerta cerrada. En el dormitorio, supongo.

—¿Y bien?

—Eche un vistazo a estas fotos —dijo Sandy mientras depositaba dos ampliaciones a todo color sobre el informe del detective.

Riddleton distinguió enseguida los dos cuerpos desnudos y cogió las fotografías para examinarlas más de cerca.

—Se las hicieron en la piscina de la casa de mi cliente mientras él estaba en Dallas, en una conferencia —explicó Sandy—. ¿Reconoce a los protagonistas?

Riddleton respondió con un gruñido.

—Tenemos muchas más —prometió Sandy—. Y tres informes de otros tantos detectives —continuó cuando su colega dejó de babear—. Su cliente no es lo que se dice el colmo de la discreción.

Ante la mirada atenta de Sandy y en cuestión de minutos, J. Murray Riddleton pasó de ser un abogado despiadado a un intermediario entrañable, una conversión camaleónica que suelen experimentar todos los abogados cuando, de repente, se quedan sin munición. Riddleton soltó un bufido y se dejó caer, derrotado, en su butaca giratoria.

—¿Por qué nunca nos cuentan toda la verdad? —se quejó.

De repente eran ellos contra nosotros, clientes contra abogados. Al fin y al cabo, Sandy y él estaban del mismo lado. ¿Y bien? ¿Cuál era el paso siguiente?

Sandy no estaba dispuesto a seguir su juego.

—Le repito que no soy tan partidario de la Primera Enmienda como usted, pero que, si esta información llegara a manos de la prensa amarilla, Trudy se vería en un buen aprieto.

Riddleton quitó importancia a la amenaza de Sandy con un gesto antes de consultar el reloj.

—¿Está seguro de que no le apetece una copa?

—Segurísimo.

—¿De qué capital estamos hablando?

—¿La verdad? Aún no lo sé. Pero esa no es la cuestión. Lo que importa es lo que le quedará cuando todo esto haya terminado. Y eso nadie lo sabe.

—Todavía debe de tener buena parte de los noventa millones...

—Puede que tenga que pagar mucho más que eso solo en daños y perjuicios. Por no hablar de la cárcel o de la pena de muerte. Créame, señor Riddleton, el divorcio es lo que menos le preocupa.

—Entonces ¿por qué nos amenaza?

—Para que se calle. Diga a su cliente que coja su divorcio y se largue con viento fresco. Mi cliente quiere que renuncie a su dinero, y que lo haga enseguida.

—¿De lo contrario...? —Riddleton se aflojó la corbata y se hundió todavía más en la butaca. De repente le pareció que se estaba haciendo tarde y era hora de volver a casa—. Lo perderá absolutamente todo —dijo después de reflexionar durante un largo minuto—. ¿Se da cuenta de eso su cliente? La aseguradora la dejará sin un centavo.

—No se trata de perder o ganar, señor Riddleton.

—Déjeme hablar con ella.

Sandy recogió sus cosas y se dirigió hacia la puerta sin prisa. Riddleton lo despidió con una sonrisa forzada y un apretón de manos. Justo entonces, como si hubiera estado a punto de olvidársele, Sandy mencionó la llamada anónima a su bufete de Nueva Orleans y la historia de Lance y el asesino a sueldo. No sabía si el rumor era cierto o no, pero no tenía más remedio que informar al sheriff y al FBI.

Los dos abogados departieron un poco más. Al final Riddleton prometió hablar del asunto con su cliente.

21

El doctor Hayani acabó su ronda en la habitación de Patrick. Ya era casi de noche, y su jornada laboral había terminado hacía rato. El paciente estrella del hospital, vestido con pantalones de gimnasia, estaba sentado frente a un escritorio improvisado en el único rincón libre de la habitación. El escritorio era una mesa pequeña equipada con una lámpara que Patrick había conseguido engatusando a un camillero. En un vaso de plástico había varios lápices y bolígrafos, y otro contenía un suministro incipiente de clips, gomas elásticas, chinchetas y material diverso donado por las enfermeras. Había logrado reunir nada menos que tres cuadernos.

A juzgar por la cantidad ingente de documentación que se amontonaba en una esquina de la mesa, lo de Patrick iba en serio. El doctor Hayani lo interrumpió —por tercera vez en lo que iba de día— mientras estudiaba una de las numerosas demandas interpuestas contra él.

—Bienvenido a mi despacho —bromeó Patrick a la sombra de un televisor que colgaba a pocos centímetros de su cabeza. La silla estaba a menos de dos palmos de los pies de la cama.

El doctor lo felicitó. En los hospitales los rumores circulan aún más deprisa que en los bufetes, y hacía dos días que se oían comentarios jocosos sobre el nuevo bufete que iba a inaugurarse en la habitación 312.

—No será aficionado a las demandas por negligencia médica, ¿verdad?

—En absoluto. En trece años de ejercicio nunca presenté una sola demanda contra ningún médico ni ningún hospital.

Patrick se levantó para no dar la espalda al médico.

—Con razón me cae bien —dijo el doctor Hayani mientras echaba un vistazo a las quemaduras del pecho—. ¿Qué tal se encuentra? —le preguntó por tercera vez en lo que iba de día.

—Muy bien —repitió Patrick por enésima vez.

Las enfermeras, movidas por la curiosidad que despiertan siempre los personajes célebres, buscaban excusas para entrar y salir constantemente de su habitación, y rara era la hora en que no lo conseguían al menos dos veces. Ellas lo saludaban siempre con un alegre qué tal va eso, y Patrick respondía siempre que muy bien.

—¿Ha podido dormir la siesta? —preguntó Hayani mientras se agachaba para examinar el muslo izquierdo.

—No. Sin pastillas me resulta muy difícil, y durante el día prefiero no tomarlas.

De todas maneras, con aquel desfile de camilleros y enfermeras, allí no había quien pegara ojo.

Patrick se sentó en el borde de la cama y miró al doctor con cara de ir a sincerarse.

—¿Puedo contarle algo, doctor? —preguntó.

Hayani dejó de escribir.

—No faltaba más.

Patrick miró a derecha e izquierda como si temiera que hubiese alguien escuchando.

—Cuando era abogado —empezó en voz baja—, tuve un cliente, un banquero, que había hecho un desfalco. Tenía cuarenta y cuatro años, estaba casado y vivía con tres hijos adolescentes. La típica historia del buen hombre que un buen día comete un error. Una noche fueron a buscarlo a su casa y se lo llevaron a la cárcel del condado. No había ninguna celda libre, y le tocó compartirla con un par de gamberros, dos negros de esos que forman las bandas callejeras. Nada más perder de vista al celador, lo amordazaron para que no pudiera gritar, le dieron una paliza y le hicieron cosas que prefiero no repetir. Dos horas antes estaba en su salón viendo una película. Dos horas después estaba muriéndose en una celda a cinco kilómetros de su casa.

Patrick agachó la cabeza y se pellizcó el puente de la nariz con los dedos.

El doctor Hayani le puso una mano en el hombro.

—No deje que hagan lo mismo conmigo, doctor —dijo Patrick con los ojos llenos de lágrimas y forzando la voz.

—Descuide.

—La sola idea me horroriza. Me provoca pesadillas.

—Tiene mi palabra.

—Dios sabe que ya he sufrido bastante.

—Se lo prometo, Patrick.

El segundo interrogador fue un hombrecillo con aspecto de ardilla llamado Warren, que fumaba un cigarrillo tras otro y veía el mundo a través de unas gafas oscuras. Sus ojos resultaban completamente invisibles, su mano izquierda sostenía el cigarrillo mientras la derecha escribía, y daba la sensación de que movía más ciertas partes del cuerpo que los labios. Atrincherado tras sus montoncitos de papel, lanzaba preguntas al otro lado de la mesa, donde Stephano jugueteaba con un clip y su abogado se peleaba con un ordenador portátil.

—¿Cuándo se formó el consorcio? —le preguntó Warren.

—Después de que le perdiéramos la pista a Patrick en Nueva York. Entonces decidimos retirarnos, abrir bien los ojos y agotar las demás pistas. Sin éxito. El rastro se enfrió enseguida, y nosotros tuvimos que prepararnos para hacer frente a una búsqueda a largo plazo. Yo me había entrevistado con Benny Aricia, y me constaba que él estaba dispuesto a financiar la operación. También me encontré con gente de Monarch-Sierra y de Northern Case Mutual, y conseguí llegar a un principio de acuerdo con ellos. Northern Case Mutual acababa de pagar más de dos millones y medio de dólares a la viuda de Lanigan, y no podían demandarla porque no había manera humana de demostrar que Patrick seguía vivo. El caso es que nos dieron medio millón. Convencer a los de Monarch-Sierra fue lo más complicado, porque por aquel entonces aún no habían pagado nada. El seguro que habían suscrito con el bufete de Patrick tenía una prima de cuatro millones de dólares.

—¿Monarch era la subscriptora del seguro de caución?

—No era exactamente un seguro de caución. Además de cubrir los casos de negligencia, tenía una cláusula adicional que protegía al bufete en caso de desfalco. Como el autor del robo resultó ser un socio del bufete, los de Monarch-Sierra se vieron obligados a pagar la indemnización de cuatro millones de dólares.

—Dinero que fue a parar a manos de su cliente, el señor Aricia, ¿no es así?

—Sí. Aricia empezó reclamando al bufete los sesenta millones que había perdido, pero acabó por darse cuenta de que ese no era el modo de recuperarlos. Cuando el bufete se ofreció a entregarle la prima del seguro, nos sentamos todos alrededor de una mesa y llegamos a un acuerdo. Los de Monarch-Sierra estaban dispuestos a pagar los cuatro millones si el señor Aricia se comprometía a invertir una cuarta parte en la búsqueda de Lanigan. Aricia se avino con la condición de que Monarch-Sierra ayudara a financiar la búsqueda con otro millón.

—Resumiendo: Aricia puso un millón, Monarch-Sierra otro y Northern Case Mutual medio más. En total, dos millones y medio de dólares.

—Sí, ese fue el acuerdo inicial.

—¿Qué hay del bufete?

—Bogan y los demás decidieron no formar parte del consorcio. La verdad es que no tenían medios para hacerlo, y además aún no se habían recuperado del golpe. Pero nos ayudaron de otras maneras.

—¿Y todos pagaron su parte?

—Religiosamente. El dinero se transfirió enseguida a la cuenta de mi empresa.

—Ahora que la búsqueda ha terminado, ¿cuánto dinero queda?

—Prácticamente nada.

—¿Cuánto se ha gastado en total?

—Tres millones y medio, más o menos. Hace cosa de un año nos quedamos sin fondos. Las aseguradoras se negaron a seguir colaborando, pero Aricia aflojó otro medio millón y luego trescientos mil más. Hasta ahora lleva gastados un millón novecientos mil dólares.

Dos millones, en realidad, si se contaban los cien mil dólares que Benny acababa de invertir en la localización de la chica. Aunque el FBI, por supuesto, no tenía por qué saberlo.

—¿En qué se gastó el dinero?

Stephano repasó rápidamente sus notas.

—Casi un millón en nóminas, viajes y otros gastos relacionados con la búsqueda. Un millón y medio en recompensas. Y otro millón en concepto de minutas.

—¿Ha cobrado usted un millón de dólares? —preguntó Warren levantando un poco la voz, pero sin accionar un solo músculo.

—Así es. A lo largo de cuatro años.

—Hábleme de las recompensas.

—Bueno, forman parte de la búsqueda.

—Le escucho.

—Una de las primeras cosas que hicimos fue anunciar el pago de una recompensa a cualquier persona que pudiera facilitar información sobre la desaparición de Patrick Lanigan. El FBI estaba al corriente, pero siempre creyó que era cosa del bufete. Lo que hicimos fue ponernos en contacto con los antiguos socios de Lanigan y convencer a Charles Bogan de que hiciera pública la oferta. Bogan anunció una recompensa inicial de cincuenta mil dólares, y quedamos en que nos informaría discretamente si aparecía algún candidato.

—El FBI no estaba al corriente de este acuerdo.

—No, el FBI sabía lo de la recompensa y no puso ningún inconveniente, pero nuestro pacto con Bogan se mantuvo en secreto. Si había algo que saber, queríamos ser los primeros en enterarnos. No es que no nos fiáramos del FBI, pero queríamos dar con Lanigan y con el dinero por nuestros propios medios.

—¿A cuántos hombres tenía trabajando en el caso en aquel momento?

—A una docena, más o menos.

—¿Y dónde estaba usted?

—Aquí, aunque iba a Biloxi una vez por semana.

—¿Sabía el FBI qué estaba usted haciendo?

—En absoluto. Que yo sepa, el FBI no supo que estábamos metidos en esto hasta la semana pasada.

El informe que Warren tenía entre las manos así lo indicaba.

—Siga.

—Al principio no hubo novedades. Pasaron dos meses, tres, cuatro, sin que apareciera ningún candidato serio. Decidimos subir la recompensa a setenta y cinco mil dólares y luego a cien. Bogan, mientras tanto, lidiaba con todos los chalados del condado y los enviaba al FBI. En agosto de mil novecientos noventa y dos, por fin, recibió la llamada de un abogado de Nueva Orleans que dijo tener un cliente que sabía algo de la desaparición. El abogado parecía un tipo formal, de modo que fuimos a entrevistarnos con él en Nueva Orleans.

—¿Cómo se llamaba?

—Raul Lauziere, de Loyola Street.

—¿Habló con él personalmente?

—Sí.

—¿Le acompañaba alguien más?

Stephano miró a su abogado, que se había quedado ensimismado.

—Es un asunto confidencial. Preferiría no tener que mencionar el nombre de mis colaboradores.

—Y no tiene por qué hacerlo —sentenció el abogado. Tema zanjado.

—Como quiera. Siga.

—Lauziere nos causó muy buena impresión. Era un buen profesional en todos los sentidos, y sabía lo que se traía entre manos. Conocía al dedillo los datos de la desaparición de Patrick y del dinero, y tenía archivados y catalogados todos los recortes de prensa relacionados con el caso. El informe que nos entregó era de cuatro páginas mecanografiadas a doble espacio.

—Hágame un resumen de ese informe. Ya lo leeré más tarde.

—Con mucho gusto —dijo Stephano, y se puso a contar la historia de memoria.

»El cliente de Lauziere era una joven estudiante de medicina que vivía en Tulane y respondía al nombre de Erin. Acababa de divorciarse, estaba sin blanca, etcétera, etcétera, y para llegar a fin de mes se veía obligada a trabajar para una gran cadena de librerías, haciendo el último turno en un centro comercial. Un día del mes de enero de mil novecientos noventa y dos se fijó en un hombre que merodeaba por la sección de idiomas y viajes. Corpulento, trajeado, canoso, con una barba bien cuidada. El tipo parecía nervioso. Eran casi las nueve de la noche, y la tienda estaba prácticamente desierta. Después de mucho dudar se inclinó por un curso de idiomas compuesto de doce casetes, varios libros de ejercicios y otros accesorios. El comprador se dirigía a la caja donde estaba Erin cuando un segundo hombre entró en la librería. El primero dio media vuelta y dejó el producto en la estantería. Luego dio un rodeo e intentó salir sin ser visto, pero el otro hombre, un conocido con quien no quería hablar, obviamente, lo reconoció y lo saludó: "¡Patrick, cuánto tiempo sin verte!". Siguió una breve conversación durante la cual los dos hombres hablaron del ejercicio de la abogacía. Erin aguzó el oído porque no tenía nada mejor que hacer y porque la conducta del primer hombre había despertado su curiosidad.

»En fin, el tal Patrick tenía prisa e hizo mutis a la primera oportunidad. Tres noches más tarde, a la misma hora más o menos, volvió. Erin, que estaba reponiendo género y no en la caja, lo vio entrar, lo reconoció, se acordó de su nombre y lo observó. El tipo miró a la cajera como si hubiera querido comprobar que no era la misma y luego echó un vistazo a la tienda. Al pasar por la sección de idiomas y viajes, se detuvo, cogió un ejemplar del mismo curso que había elegido hacía tres días, lo llevó a la caja, lo pagó en efectivo y se marchó a toda prisa. Casi trescientos pavos. Erin lo siguió con la mirada mientras salía de la tienda. Patrick no la vio, o, si lo hizo, no la reconoció.

—¿De qué idioma era el curso?

—Sí, esa era la pregunta clave. Tres semanas más tarde, Erin leyó en el periódico la noticia del accidente de Patrick y reconoció la cara de la fotografía. Seis semanas después se publicaron los primeros rumores del desfalco junto con la misma imagen de archivo, y Erin reconoció a Patrick una vez más.

—¿Había cámaras de seguridad en la librería?

—No, fue lo primero que comprobamos.

—¿Y bien? ¿De qué idioma era el curso?

—El abogado no quiso decírnoslo. Al menos al principio. Habíamos ofrecido cien mil dólares a cambio de información fidedigna sobre el paradero de Patrick Lanigan; Lauziere y su cliente creían que el nombre del idioma merecía la misma recompensa. Negociamos durante tres días, pero no hubo manera de convencerlo. Entonces nos dejó interrogar a Erin. Después de hablar seis horas con ella y de ratificar el resto de la historia, decidimos que valía la pena gastar esos cien mil dólares.

—¿Portugués brasileño?

—Sí. Fue como si el mundo se hubiera encogido de repente.

Como todos los abogados, J. Murray Riddleton había pasado por aquella misma experiencia más de una vez, y, por desgracia, la costumbre no se la hacía más agradable. El compartimiento estanco había vuelto a convertirse en un colador. Las tornas habían vuelto a cambiar de la noche a la mañana.

Por puro afán de diversión, Riddleton dejó que Trudy hiciera un rato el ridículo antes de asestarle el golpe fatal.

—¡Adulterio! —se indignó, con todo el fariseísmo de una virgen puritana.

Hasta el mismo Lance se las arregló para poner cara de escándalo mientras la tranquilizaba con una caricia.

—Lo sé, lo sé —dijo Riddleton para seguirle la corriente—. Todos los divorcios acaban igual. Tarde o temprano empieza la guerra sucia.

—Lo mataré —masculló Lance.

—Sí, bueno, vayamos por partes —dijo el abogado.

—¿Con quién? —preguntó Trudy.

—Con el señor Maxa, aquí presente. Afirman que ustedes dos mantuvieron relaciones antes, durante y después de su matrimonio con Patrick Lanigan. De hecho, dicen que empezaron a salir en el instituto, el primer año, para ser exactos.

—No sabe lo que dice —se defendió Lance sin demasiada convicción.

Trudy estuvo de acuerdo con él. ¿A quién se le podía ocurrir una idea tan absurda?

—¿Qué hay de las pruebas? —preguntó nerviosa.

—¿Debo entender que lo niega? —insistió Riddleton, siguiendo con la comedia.

—¡Por supuesto! —replicó ella.

—Claro que sí —añadió Lance—. Ese hombre es una mentira ambulante.

J. Murray Riddleton sacó del fondo de un cajón uno de los informes que le había dado Sandy.

—Parece que Patrick desconfió de su fidelidad casi desde el principio. Incluso llegó a contratar detectives para que la vigilaran. Este informe lo redactó uno de ellos.

Trudy y Lance intercambiaron una mirada fugaz. Los habían descubierto. De pronto se les hacía difícil negar una relación que había durado más de veinte años. Con todo, los dos adoptaron la misma actitud desafiante. ¿Y bien?

—Trataré de explicárselo en pocas palabras —dijo Riddleton antes de cantar fechas, horas y lugares.

Los dos amantes no se avergonzaban de su relación, pero les inquietaba saber que el enemigo disponía de información tan bien documentada.

—¿Sigue negándolo? —preguntó el abogado al llegar al final de la lista.

—Eso podría haberlo escrito cualquiera —dijo Lance.

Trudy se había quedado muda.

Riddleton sacó otro informe del cajón, el que cubría los siete meses anteriores a la desaparición de Patrick. Más fechas, más horas, más lugares. Patrick salía por una puerta y Lance entraba por otra. Siempre la misma historia.

—Llegado el caso, ¿estos detectives podrían ser llamados a declarar como testigos de la defensa? —preguntó Lance cuando el abogado acabó de resumir el segundo informe.

—No iremos a juicio —lo atajó Riddleton.

—¿Por qué no? —preguntó Trudy.

—Por esto.

Riddleton dejó las fotografías sobre la mesa. Trudy cogió una y se quedó boquiabierta al verse tumbada junto a la piscina, desnuda, al lado de su semental. Lance también se sorprendió, pero no pudo contener una sonrisa. Las fotos no estaban nada mal.

Las fotografías pasaron de mano en mano sin que ninguno de los dos amantes se atreviera a abrir la boca. El abogado saboreó el momento.

—Hay que tener más cuidado —dijo.

—Ahórrese el sermón —lo atajó Lance.

Como era de esperar, Trudy se echó a llorar. Primero se le llenaron los ojos de lágrimas y empezó a temblarle el labio inferior, luego empezó a sorber por la nariz y, finalmente, lloró sin recato. J. Murray Riddleton había sido testigo de un millar de escenas semejantes. Siempre acaban llorando, se dijo. No por sus pecados, sino por el precio que han de pagar por ellos.

—No consentiré que se lleve a mi hija —declaró Trudy.

Los dos hombres tuvieron que aguantar un rato sus berridos de madre desconsolada. Lance, atento como siempre, intentó consolarla con sus caricias.

—Lo siento —se disculpó Trudy mientras se enjugaba las últimas lágrimas.

—Tranquilícese —dijo el abogado sin rastro de compasión—. No piensa reclamar la custodia de la niña.

—¿Por qué no? —preguntó Trudy.

Ya no tenía ganas de llorar.

—Porque él no es su verdadero padre.

¿Qué? ¿Cómo? Los dos amantes no daban crédito a sus oídos. J. Murray Riddleton sacó un tercer informe del cajón.

—Patrick cogió una muestra de sangre de la niña cuando tenía catorce meses y la hizo analizar. Él no puede ser el padre de ninguna de las maneras.

—Entonces... —Lance no llegó a formular la pregunta.

—Eso depende del número de candidatos —intervino el abogado.

—No hay ningún candidato —protestó Trudy en tono burlón.

—Excepto yo —admitió Lance con los ojos cerrados, sintiendo cómo caía sobre sus hombros el peso de la paternidad.

Nunca le habían gustado los niños. Si soportaba a Ashley Nicole era solo porque se trataba de la hija de Trudy.

—Enhorabuena —dijo Riddleton mientras ofrecía a Lance un cigarro barato que acababa de sacar de un cajón—. ¡Es una niña! —anunció entre carcajadas.

Trudy se sulfuró. Lance se puso a juguetear con el cigarro.

—¿Dónde nos deja todo esto? —preguntó Trudy cuando el abogado acabó de carcajearse.

—Se lo explicaré en pocas palabras. Usted renuncia al dinero de su marido, poco o mucho, y él hace lo mismo con la contestación de la demanda, la custodia de la niña y todo lo demás.

—¿De cuánto dinero estamos hablando?

—Su abogado no lo sabe con seguridad. De hecho, puede que nunca lleguemos a saberlo. En estos momentos, la vida de Patrick Lanigan pende del hilo de una sentencia. Ese dinero podría quedar enterrado para siempre.

—¡Me lo quitarán todo! —protestó Trudy—. ¿No se da cuenta de lo que me ha hecho? Cuando murió recibí dos millones y medio de dólares. Ahora la compañía de seguros está dispuesta a arruinarme.

—Trudy se merece una buena tajada —intervino Lance con su proverbial sentido de la oportunidad.

—¿No podríamos demandarlo por malos tratos psicológicos, o fraude, o algo parecido? —suplicó.

—No. Se lo explicaré otra vez. Usted obtiene el divorcio y se queda con la niña. Patrick se queda con el dinero y no abre la boca. Si usted no acepta el trato, todo esto acabará en manos de la prensa. —Riddleton señaló los informes y las fotografías—. ¿Se imagina qué humillación? Usted no ha tenido inconveniente en sacar a la luz sus trapos sucios. A él no le importaría seguir su ejemplo.

—¿Dónde tengo que firmar? —se rindió.

J. Murray Riddleton sirvió una ronda de vodka y luego

una segunda. Al cabo de un rato sacó a colación el tema de aquellos rumores infundados sobre Lance y el asesino a sueldo. Trudy y Lance se apresuraron a negarlo todo con vehemencia, y el abogado les confesó que, de todas formas, no les había dado ningún crédito.

En aquellos momentos toda la Costa era un hervidero de rumores.

22

Sandy McDermott salió de Nueva Orleans a las ocho de la mañana para mezclarse con el tráfico de la interestatal número 10. Los hombres de Stephano lo siguieron hasta las cercanías del lago Pontchartrain, donde la circulación se volvió más fluida, y desde allí llamaron a la base para avisar de que el sujeto se dirigía a Biloxi. Seguirlo era pan comido. Intervenir sus conversaciones, no tanto. Guy ya tenía preparados los micrófonos para la casa y el despacho, y uno extra para el coche, pero faltaba tomar la decisión de instalarlos. La operación comportaba un alto nivel de riesgo, y Aricia era el más consciente de ello; por eso intentó convencer a Stephano y a Guy de que el abogado podía muy bien prever su reacción y utilizar los micrófonos para hacerles llegar información inútil e incluso contraproducente. ¿O es que Patrick Lanigan les parecía un tipo fácil de engañar? La conversación acabó en pelea.

Sandy no iba pendiente del retrovisor. A decir verdad, ni siquiera miraba la calzada. Bastante tenía con no llevarse por delante a los demás automóviles mientras su mente divagaba, como de costumbre.

Estratégicamente hablando, los diversos focos del conflicto Lanigan no presentaban un aspecto demasiado preocupante. Por una parte, las acciones civiles promovidas por Monarch-Sierra, Aricia y el bufete de Bogan esperaban su turno a la cola de un sinfín de expedientes acumulados. Sandy tenía un mes de plazo para redactar las contestaciones correspondientes. Por otra, el período probatorio no empezaría hasta dentro de tres meses y duraría un año entero. Eso significaba que los juicios no se celebrarían hasta al cabo de un par de años por lo menos. Y lo mismo podía decirse de la querella interpuesta por Patrick contra el FBI. Llegado el momento, habría que presentar una ampliación para inculpar también a Stephano y a los miembros de su consorcio. Un buen caso para lucirse, se dijo Sandy, dudando de que llegaran a darle ocasión de hacerlo.

Por el divorcio tampoco tenían que preocuparse.

Lo peor era la acusación de asesinato, tanto por la gravedad de los cargos en sí como por la celeridad del procedimiento. Según la ley, el ministerio fiscal solo disponía de doscientos setenta días —computables a partir de la vista preliminar— para instruir el caso, y la cuenta atrás ya había empezado.

En opinión de Sandy, y atendiendo a los medios de prueba disponibles, las probabilidades de la fiscalía de obtener una sentencia condenatoria contra su cliente eran remotas. Además de no existir pruebas concluyentes, faltaban datos tan significativos como la identidad del muerto y la causa del deceso, sin los cuales no podía establecerse con certeza la participación de Patrick en los hechos. La tesis del fiscal tendría que basarse, por lo tanto, en un cúmulo de argumentos endebles y pruebas circunstanciales.

Con todo, Sandy no subestimaba el poder de la presión popular. En doscientos kilómetros a la redonda de Biloxi no quedaba una alma que no estuviera al corriente del caso, y que no creyera que Patrick había asesinado a alguien para fingir su propia muerte y así poder hacerse con los noventa millones de dólares. En cuanto a los escasos admiradores de Patrick —gente que, como él, soñaba con cambiar de identidad y empezar una nueva vida con los bolsillos repletos—, tenían pocas probabilidades de formar parte del jurado y no se podía contar con ellos. La mayoría de los habitantes del condado de Harrison, cuya opinión se dejaba sentir en las cafeterías y los pasillos del juzgado, se inclinaban por un veredicto de culpabilidad y una pena de reclusión. La de muerte se reservaba para violadores y asesinos de policías.

De entre todos los aspectos del caso, el que más preocupaba a Sandy en aquel momento era la salvaguardia de la integridad de Patrick. El expediente Lance Maxa, que la dulce Leah en persona le había entregado la noche anterior en otra habitación de hotel, hablaba de un hombre tranquilo con un temperamento explosivo y cierta debilidad por el cuerpo a cuerpo. Era muy aficionado a las armas y ya había tenido problemas por su causa al menos en una ocasión, cuando se le procesó —sin consecuencias— por suministrarlas a una casa de empeño que vendía mercancía robada. Había cumplido una condena de tres años por tráfico de drogas y, si las cárceles del país no hubieran estado hasta los topes, habría cumplido otra de sesenta días por tomar parte en una refriega callejera en Gulfport. Un arresto por desorden público y otro por conducción temeraria completaban su ficha policial.

Lance había sido siempre un tipo esbelto y atractivo, y sabía causar buena impresión cuando la ocasión lo requería. A pesar de sus dotes de conversador y de su fama de rompecorazones, sin embargo, lo cierto es que sus incursiones en sociedad eran más bien escasas. Donde él se encontraba de verdad a sus anchas era en la calle —por no decir en el arroyo—, alternando con usureros, corredores de apuestas, contrabandistas, traficantes acreditados y otros miembros de la élite del hampa local. Tenía numerosos amigos de esta calaña desde la infancia, gente de su mismo barrio. Patrick también les había seguido la pista. El expediente de Lance contenía al menos doce minibiografías de sus compinches, todos con antecedentes penales.

El escepticismo inicial de Sandy con respecto a la paranoia de Patrick había ido evolucionando hasta transformarse en comprensión. Sin ser un profundo conocedor de los bajos fondos, su profesión lo había obligado a tratar con muchos delincuentes, y él mismo había oído decir en más de una ocasión que por cinco mil dólares se podía enviar al otro barrio a cualquiera. Tratándose de la Costa, puede que incluso por menos.

Lance disponía de esa cantidad y de mucho más. Y, por si fuera poco, tenía el mejor de los motivos para eliminar a Patrick: la única causa de defunción que excluían las pólizas de seguro gracias a las cuales Trudy se había hecho millonaria era el suicidio; por lo demás, daba lo mismo un tiro en la cabeza que un accidente de circulación o una angina de pecho. Lo importante era que hubiera un muerto.

Sandy no conocía la Costa. Estaba acostumbrado a moverse dentro de los límites de Nueva Orleans, y fuera de esa ciudad nada le resultaba familiar: ni los sheriffs y sus ayudantes, ni los jueces y sus rarezas, ni siquiera sus propios colegas. Pero algo le decía que Patrick lo había escogido precisamente por eso.

La conversación telefónica con Sweeney no había resultado nada satisfactoria. El sheriff decía estar muy ocupado, y alegaba que hablar con los abogados de los detenidos equivalía casi siempre a perder el tiempo. Sin embargo, y por hacerle un favor, se avino a dedicarle diez minutos a las nueve y media de la mañana. Si no surgía ningún imprevisto, claro está. Sandy llegó temprano a la cita. Mientras esperaba, se sirvió una taza de café de la cafetera que había al lado del depósito de agua. Los ayudantes del sheriff iban de un lado a otro ocupados en sus asuntos. Las celdas estaban en un edificio anexo. A la hora convenida, Sweeney salió a buscarlo y lo acompañó hasta su despacho, una habitación espartana decorada con muebles de segunda mano y fotografías descoloridas de políticos sonrientes.

—Siéntese —dijo Sweeney mientras señalaba una silla destartalada y se sentaba detrás de su escritorio.

Sandy obedeció.

—¿Le importa que grabe la conversación? —preguntó el sheriff cuando ya le había dado a la tecla correspondiente de un gran magnetófono que ocupaba el centro de la mesa—. Tengo por costumbre grabarlo todo —se justificó.

—Adelante —concedió Sandy, como si hubiera tenido posibilidad de escoger—. Gracias por hacerme un hueco.

—No hay de qué —dijo Sweeney antes de encender un cigarrillo y beber un trago de café humeante de un vaso de plástico.

Lejos de mostrar algún indicio de cordialidad, el sheriff daba la impresión de haber accedido de mala gana a la entrevista.

—Iré al grano —empezó Sandy, como si hubiera tenido que hacer un esfuerzo para no hablar de frivolidades—. He sabido que la vida de Patrick podría estar en peligro.

Sandy odiaba mentir, pero, dadas las circunstancias, no le quedaba otro remedio. Órdenes de su cliente.

—¿Cómo? —preguntó Sweeney—. Si puede saberse.

—Tengo a varios detectives trabajando en el caso, gente con muchos contactos. El rumor llegó a oídos de uno de ellos casi por casualidad.

Por la expresión del sheriff, era imposible saber si se había tragado el anzuelo o no. Sweeney siguió fumando mientras daba vueltas al asunto. Llevaba una semana oyendo toda clase de rumores sobre las aventuras y desventuras de Patrick Lanigan. La gente no hablaba de otra cosa, y circulaban varias versiones de la historia del asesino a sueldo. Así pues, no necesitaba que ningún picapleitos de Nueva Orleans le explicara lo que estaba pasando ante sus mismísimas narices.

—¿Sospecha de alguien?

—Sí, de un tipo llamado Lance Maxa. Estoy seguro de que ha oído hablar de él.

—Así es.

—Digamos que es el hombre que llenó el hueco que había dejado la muerte de Patrick en la vida de Trudy.

—Muchos piensan más bien lo contrario —dijo Sweeney dedicándole la primera sonrisa.

Era evidente que Sandy no se encontraba en su elemento. El sheriff estaba más al corriente de las habladurías que él.

—Entonces no hace falta que le cuente lo que hay entre Lance y Trudy —prosiguió Sandy algo contrariado.

—No. Aquí todo el mundo tiene ojos en la cara.

—No lo dudo. En fin, Lance es un tipo indeseable, no necesito recordárselo, y mis hombres han oído decir que anda buscando un asesino a sueldo.

—¿Cuánto ofrece? —preguntó Sweeney con escepticismo.

—No lo sé, pero tiene el dinero necesario y sobradas razones.

—Yo también he oído algún que otro comentario.

—¿Y qué piensa hacer al respecto?

—¿Al respecto de qué?

—De la seguridad de mi cliente.

Sweeney respiró hondo e hizo un esfuerzo por morderse la lengua y controlar su genio.

—Su cliente está en una base militar, en una habitación vigilada por ayudantes del sheriff y agentes del FBI. ¿Le parece poca precaución?

—Sheriff, no crea que intento decirle cómo tiene que hacer su trabajo...

—¿Ah, no?

—No, se lo aseguro. Pero tenga en cuenta que acudo a usted en nombre de un individuo asustado, un hombre que se ha pasado cuatro años huyendo y que, al final, ha sido capturado. Él oye voces que nosotros no oímos y ve cosas que a nosotros se nos escapan. Está convencido de que alguien intenta matarlo, y cuenta conmigo para que lo proteja.

—Su cliente no corre ningún peligro.

—De momento. ¿Por qué no habla con Lance, le cuenta lo de los rumores y le mete un poco de miedo? Habría que ser imbécil para dar un paso en falso sabiendo que la policía está sobre la pista.

—«Imbécil» es una buena manera de definir a Lance Maxa.

—Puede, pero no a Trudy Lanigan. Si ella sospecha que hay alguien más al corriente de sus planes, le parará los pies.

—No ha hecho otra cosa en toda su vida.

—Más a mi favor. A Trudy no le gusta el riesgo.

Sweeney encendió otro cigarrillo y consultó el reloj.

—¿Algo más? —preguntó.

Tenía ganas de levantarse y seguir con su trabajo. Aquello era la oficina del sheriff, no el despacho de un encargado.

—Solo una cosa. Y permítame que insista: no crea que quiero meterme donde no me llaman. Patrick siente un gran respeto por usted, pero... En fin, cree que la base es el lugar más seguro para él.

—No me diga.

—En la cárcel podría tener problemas.

—Debería haber pensado en eso antes de cometer un asesinato.

Sandy hizo caso omiso del comentario del sheriff.

—Será más fácil garantizar su seguridad si no se lo traslada.

—¿Conoce usted la cárcel del condado?

—No.

—Entonces no venga a darme lecciones sobre seguridad. Por si no lo sabía, llevo muchos años en este oficio.

—No trato de darle lecciones.

—Pues lo parece. Le quedan cinco minutos. ¿Tiene algo más que decir?

—No.

—Bien.

Sweeney se levantó y salió del despacho como una exhalación.

El honorable juez Huskey llegó a la base aérea de Keesler a última hora de la tarde y tardó un buen rato en franquear los controles que guardaban el camino al hospital. Tenía entre manos un juicio por tráfico de drogas que duraría toda la semana y empezaba a acusar el cansancio. Patrick lo había llamado para pedirle que pasara a verlo si podía.

Karl había compartido con Sandy McDermott el peso de la urna que contenía las cenizas de Patrick. A diferencia de aquel, sin embargo, la amistad que lo unía con el difunto era reciente. Se habían conocido durante un proceso civil, en una de las primeras apariciones de Patrick ante los tribunales de Biloxi. Luego se habían ido viendo cada quince días y habían acabado por trabar amistad. En los almuerzos que organizaba el colegio de abogados una vez al mes, charlaban y se daban ánimos para afrontar el menú, y en una ocasión hasta se habían emborrachado juntos en una fiesta de Navidad. Un par de veces al año se reunían para jugar un partido del golf.

De sus relaciones, al menos durante los tres primeros años, podría decirse que fueron cordiales sin llegar a ser muy estrechas. De hecho, no llegaron a hacerse amigos íntimos hasta pocos meses antes del accidente. A la vista de los últimos acontecimientos, resultaba mucho más fácil que antes entender otros cambios ocurridos en la vida de Patrick.

En los meses que siguieron a la desaparición de Patrick, los miembros de la comunidad jurídica que mejor lo conocían —incluido el juez Huskey— adoptaron la costumbre de reunirse todos los viernes por la tarde en el bar de la planta baja del restaurante de Mary Mahoney para tomar un par de copas y tratar de encajar las piezas de aquel rompecabezas llamado Lanigan.

Trudy solía cargar con buena parte de las culpas, aunque —según Karl— era una presa demasiado fácil. Visto desde fuera, el matrimonio no parecía tener problemas serios; en todo caso, Patrick no hablaba de ellos. Fue la conducta de Trudy después del entierro —el Rolls Royce rojo, el gigoló y la actitud displicente que aparecieron de la mano de la prima del seguro— lo que le granjeó la antipatía general y acabó con cualquier viso de objetividad. A nadie le constaba, sin embargo, que sus devaneos hubieran empezado antes de la marcha de Patrick. Buster Gillespie, sin ir más lejos, secretario de juzgado y asiduo de las tertulias del Mary Mahoney, profesaba auténtica admiración por Trudy. La viuda de Patrick había ayudado a su mujer a organizar un baile de beneficencia, y el bueno de Buster se sentía obligado a defenderla. Pero era el único. Los demás se empleaban a fondo cuando llegaba la hora de hablar mal de Trudy Lanigan.

El estrés laboral era uno de los factores que había empujado a Patrick a romper con su vida anterior. Al llegar al bufete, lo encontró inundado de trabajo y se propuso hacer méritos para llegar a convertirse en socio. Trabajó sin descanso durante años, aceptando los casos que sus mentores consideraban demasiado complicados, y ni siquiera el nacimiento de Ashley Nicole logró distraerlo de sus obligaciones. Tres años después de contratarlo, Bogan y los demás lo elevaron a la categoría de socio, hecho que pocas personas ajenas al bufete conocían. Un día, durante un receso, se lo había contado a Karl en voz baja. Patrick no era amigo de presumir.

Estaba cansado y estresado, pero también lo estaban casi todos los abogados que pasaban por la sala de vistas del juez Huskey. Además, los cambios más sorprendentes que se habían producido en su persona —aunque perfectamente lógicos vistos con la perspectiva que da el tiempo— eran físicos. Patrick medía un metro ochenta y, según sus propias palabras, nunca había estado delgado. Decía que había hecho mucho footing en su época de estudiante, y que en tiempos había llegado a correr más de sesenta kilómetros semanales. Pero ¿de dónde iba a sacar tiempo para hacer ejercicio un abogado ocupado?

El aumento de peso, que había sido una constante a lo largo de sus años de ejercicio en Biloxi, llegó a convertirse en una escalada alarmante durante los últimos meses. Karl lo había reprendido más de una vez, pero él seguía comiendo.

Un mes antes de desaparecer, durante el almuerzo, Patrick confesó a su amigo que pesaba más de cien kilos y que su mujer había puesto el grito en el cielo. Trudy hacía dos horas diarias de aerobic en compañía de Jane Fonda y parecía una auténtica maniquí. Patrick también se declaró hipertenso, y prometió ponerse a régimen. Karl, como es lógico, lo animó a hacerlo. Más tarde se enteró de que su amigo no había tenido nunca problemas de tensión.

Ni el espectacular aumento de peso ni el adelgazamiento repentino sorprendían ya a nadie al cabo de los años. Y lo mismo puede decirse de la barba. Se la había dejado en noviembre de 1990 alegando que era su barba de cazador, y la verdad es que muchos abogados y simpatizantes de los movimientos progresistas de Mississippi se habían sumado a la misma moda: una reacción entre pragmática y hormonal. Trudy transigía con la barba, pero no entendía por qué tenía que llevarla desaliñada. Cuanto más se la dejaba crecer, más gris se le volvía. Los amigos de Patrick se acostumbraron a su nuevo aspecto. Su mujer, jamás.

El cambio de aspecto también afectó al cabello, que Patrick se dejó crecer bastante más de lo habitual entre los hombres de su clase. Karl lo bautizó como «*look* Jimmy Carter 1976», y él se defendió diciendo que se había quedado sin peluquero y que aún no había encontrado un buen sustituto.

Patrick iba siempre bien vestido y llevaba su exceso de peso con dignidad, pero era demasiado joven para abandonarse de aquel modo.

Tres meses antes de dejar Biloxi, Patrick convenció a sus socios de que el bufete necesitaba publicidad, y se entregó en cuerpo y alma al proyecto de elaborar un folleto de promoción. A espaldas de Patrick —en teoría—, el bufete estaba a punto de cerrar el caso Aricia, y había una minuta millonaria a la vuelta de la esquina. Bogan y los demás no cabían en sí de orgullo. ¡Por fin la reputación del bufete se iba a traducir en pingües beneficios! Lo de la publicidad no era mala idea. Además, era una manera de seguir la corriente a Patrick. Los cinco socios posaron para un fotógrafo profesional, primero por separado y luego en grupo (una instantánea que llevó casi una hora de preparación). Patrick mandó imprimir cinco mil unidades del folleto acabado, y el resultado le valió las felicitaciones de sus compañeros. Su foto, en la segunda página, correspondía a un hombre obeso y peludo que no tenía nada que ver con el Patrick de Ponta Porã.

Esa fue la fotografía que utilizó la prensa para ilustrar la noticia de su muerte. Además de ser la más reciente, era la única que tenían al alcance de la mano: casualmente, Patrick había enviado el folleto de promoción al periódico local por si el bufete decidía anunciarse en sus páginas. Los tertulianos del Mary Mahoney habían celebrado la maniobra de Patrick con alcohol y carcajadas. Se lo imaginaban posando con el resto de los socios en la sala de conferencias del bufete, preparando su fuga mientras Bogan, Vitrano, Rapley y Havarac sonreían al objetivo vestidos con sus trajes de color azul marino.

El juez Huskey y los demás asiduos a la tertulia brindaron muchas veces en honor de su amigo. Mientras jugaban a adivinar dónde se habría escondido, le deseaban suerte y pensaban en sus noventa millones de dólares. Así pasaron los meses y, con ellos, la sorpresa de los primeros tiempos.

Los tertulianos empezaron a quedarse sin temas de conversación y fueron espaciando sus encuentros. Los meses se convirtieron en años. Patrick había desaparecido para siempre.

Karl cogió el ascensor en el vestíbulo y subió solo hasta la segunda planta. Aún no se había hecho a la idea. ¿Había llegado a borrar a Patrick de su memoria? ¡Qué gran atracción ejerce el misterio! Un mal día en el estrado le disparaba la imaginación: veía a Patrick en la playa, perfectamente bronceado, con un libro en el regazo, un refresco en la mano y la mirada fija en la silueta de las bañistas.

Otro año de congelación salarial le hacía pensar en el rendimiento de noventa millones de dólares. Los rumores sobre la crisis del bufete Bogan le provocaban remordimientos de conciencia. No, la verdad es que, por una u otra causa, Karl no había dejado de pensar en Patrick ni un solo día.

En el vestíbulo no había enfermeras ni pacientes. Los dos ayudantes del sheriff se pusieron en pie al reconocerlo.

—Buenas noches, juez.

Huskey devolvió el saludo y entró en la habitación, sumida en la penumbra.

23

Patrick estaba incorporado en la cama viendo un concurso de televisión. Se había quitado la bata y había echado las persianas. La lámpara de la mesilla proyectaba una luz tenue.

—Siéntate aquí —dijo a Karl señalando los pies de la cama.

Cuando calculó que el juez ya le había visto las quemaduras del pecho, se las tapó con una camiseta. De cintura para abajo lo cubrían las sábanas.

—Gracias por venir.

Patrick apagó el televisor.

Con la pantalla negra, la habitación parecía aún más oscura.

—Vaya quemaduras —comentó Karl, que se había sentado lo más lejos posible del convaleciente, con el pie derecho colgando fuera de la cama.

Patrick dobló las piernas para hacerle sitio. Las sábanas dejaban adivinar su extrema delgadez.

—Sí, fue bastante desagradable —dijo mientras se abrazaba las rodillas—. El médico dice que cicatrizan bien, pero que tengo que seguir en tratamiento.

—Por eso no te preocupes, Patrick. Nadie está pidiendo a gritos que te ingresen en prisión.

—Todavía no, pero estoy seguro de que la prensa no tardará en pedir mi cabeza.

—Tú relájate. Soy yo quien tiene que decidirlo, no los periódicos.

Patrick respiró aliviado.

—Gracias. Karl, tú has visto la cárcel por dentro. Sabes que eso acabaría conmigo.

—¿Y qué me dices de Parchman? Es cien veces peor.

Hubo una larga pausa. Karl deseó no haber abierto la boca. Había sido un comentario irreflexivo y cruel.

—Lo siento —se disculpó—. No debería haber sacado el tema.

—Me mataría antes que dejarme llevar a Parchman.

—Nadie te lo reprocharía. ¿Y si hablamos de cosas más agradables?

—No puedes hacerte cargo del caso, ¿verdad?

—No, imposible. Tendré que inhibirme.

—¿Cuándo?

—Pronto.

—¿Sabes a quién se lo asignarán?

—A Trussel o a Lanks. A Trussel, seguramente.

Huskey buscaba los ojos de Patrick, pero este evitaba corresponder a sus miradas. El juez esperaba un guiño, una sonrisa, una carcajada que diera paso a la narración hiperbólica de sus andanzas. Vamos, Patrick —habría querido decir—, ¿a qué viene tanto secreto? Cuéntamelo todo. Pero había algo distante en la mirada de Patrick. No parecía el mismo de antes.

—¿Y ese mentón? —preguntó Huskey sin muchas esperanzas de averiguar nada que no supiera ya.

—Lo compré en Río.

—¿Con la nariz?

—Sí, estaban de oferta. ¿Te gustan?

—No están mal.

—En Río te operan la cara como quien te vende un refresco.

—Dicen que allí hay muchas playas.

—Increíbles.

—¿Y qué me dices de las chicas? ¿Conociste a alguna?

—A un par.

Patrick nunca había presumido de conquistador. A veces se le iban los ojos detrás de alguna mujer atractiva, pero, que Karl supiera, siempre había respetado el voto de fidelidad matrimonial. Una vez, yendo de caza, habían estado hablando de sus respectivas esposas. En aquella ocasión, Patrick admitió que complacer a Trudy era todo un desafío.

Otra pausa. Karl se dio cuenta de que Patrick no tenía prisa. Tras dos minutos de silencio, el juez llegó a la conclusión de que, por más contento que estuviera de ver a su amigo, todo tenía un límite; sobre todo el tiempo que uno es capaz de contemplar las paredes de una habitación a oscuras.

—Patrick, ya te he dicho que tengo que inhibirme del caso, así que no he venido a verte como juez. Y tampoco soy tu abogado. Soy tu amigo. Conmigo puedes desahogarte.

Patrick cogió de la mesa una lata de zumo de naranja con una pajita dentro.

—¿Te apetece tomar algo?

—No.

Patrick bebió un poco de zumo y devolvió la lata a la mesa.

—Debe de sonar romántico, ¿no? Desaparecer, fundirse con la noche y ser alguien diferente al amanecer, dejar atrás todos los problemas: un trabajo monótono, un matrimonio desgraciado, la sociedad de consumo... Tú también sueñas con eso, ¿verdad, Karl?

—Supongo que todos soñamos con eso en algún momento. ¿Cuánto tiempo estuviste planeándolo?

—Mucho. Empecé a sospechar cuando Trudy se quedó embarazada. Entonces decidí...

—¿Sospechar?

—De su fidelidad. La niña no es hija mía, Karl. Trudy me engañó desde el principio. Hice lo posible para que la niña no se diera cuenta, pero no podía seguir disimulando. Decidí buscar pruebas y pedir a Trudy una explicación, pero lo fui dejando. Al final, aunque te parezca mentira, llegué a acostumbrarme a la idea de que mi mujer tenía un amante. Quería irme, pero no sabía cómo hacerlo. Entonces conseguí un par de libros sobre cambios de identidad. No es tan complicado como parece. Basta con planear las cosas con cuidado.

—Por eso te dejaste barba y engordaste veinte kilos.

—Sí. Con barba parecía otro, ¿verdad? Luego me hicieron socio del bufete, pero yo ya estaba muy quemado. Me había casado con una mujer que me engañaba, jugaba con una niña que era hija de otro y trabajaba con un puñado de abogados a los que no podía ver ni en pintura. De pronto, un día lo vi todo claro. Iba por la autopista Noventa, camino de una cita importante, y me quedé atrapado en un atasco. Al volver la cabeza vi las aguas del Golfo. Había un velero casi inmóvil en el horizonte. De repente sentí la necesidad imperiosa de subir a bordo de ese barco, de ir a algún lugar donde nadie me conociera. Me quedé quieto, con los ojos abiertos, conteniendo el impulso de tirarme al agua y nadar hasta aquel velero. Y me puse a llorar. ¿Te imaginas la escena?

—Todos tenemos días así.

—Después de eso no volví a ser el mismo. Había tomado la decisión de desaparecer.

—¿Cuánto tiempo tardaste en prepararlo todo?

—Lo más importante era no precipitarse. Muchos lo hacen y pagan caros sus errores. Yo tenía todo el tiempo del mundo. No huía de la bancarrota ni de los acreedores. Lo de la póliza de dos millones de dólares me llevó tres meses, por ejemplo. Pero sabía que no podía dejar a Trudy y a la niña desamparadas. Luego empecé a engordar, a comer como una lima. Y cambié el testamento. Conseguí convencer a Trudy de que debíamos hacer los arreglos del entierro sin que sospechara nada.

—Lo de la incineración fue buena idea.

—Gracias. Insistí mucho en ese detalle.

—Ahora es imposible identificar el cadáver y determinar la causa de la muerte.

—De eso prefiero no hablar.

—Perdona.

—Entonces me enteré de quién era el señor Aricia y de sus escaramuzas con el Pentágono y Platt & Rockland. Bogan había mantenido el caso en secreto, pero escarbando un poco descubrí que Vitrano, Rapley y Havarac también estaban metidos en el ajo. Todos menos yo. Me habían dado la espalda, del primero al último. ¡Mis propios compañeros conspiraban a mis espaldas! Ya sé que había sido el último en llegar, pero ellos me habían admitido como un socio más. ¡Y por unanimidad! De repente me encontré yendo de viaje sin parar. Así mis socios podían verse con Aricia sin necesidad de esconderse y Trudy podía divertirse a sus anchas. Todos contentos. Y yo el primero, porque así iba poniendo manos a la obra. Una vez me enviaron a Fort Lauderdale para asistir a una declaración que duró tres días. Aproveché el viaje para localizar a un falsificador de Miami. Por dos mil dólares me hizo un carnet de conducir, un pasaporte, una tarjeta de la seguridad social y un certificado censal del condado de Harrison. Todo a nombre de Carl Hildebrand, un pequeño homenaje a un amigo.

—Vas a hacerme llorar.

—En Boston me puse en contacto con un tipo que se encarga de hacer desaparecer a la gente. Eso me costó mil dólares. En Dayton contraté a un experto en vigilancia que me lo enseñó todo sobre micrófonos y artilugios por el estilo. Debía tener paciencia y la tuve, Karl. Mucha. Me quedaba en el despacho hasta altas horas de la madrugada y así reunía información sobre el caso Aricia. Aguzaba los oídos, interrogaba a las secretarias, registraba las papeleras... Luego instalé micrófonos en los despachos. Al principio solo en el de Vitrano y alguno más, para practicar. Cuando lo escuché, no daba crédito a mis oídos. ¡Iban a deshacerse de mí! ¿Te imaginas? Sabían que la minuta del caso Aricia rondaría los treinta millones, y tenían previsto dividirla en cinco partes. No iguales, claro. A Bogan le correspondían diez millones porque tenía deudas que saldar en Washington; los otros tres se quedaban con cinco millones cada uno, y el resto se invertía en el bufete. Y a mí me ponían de patitas en la calle.

—¿Cuándo fue eso?

—Entre el verano y el otoño de mil novecientos noventa y uno. Los del Departamento de Justicia dieron el visto bueno provisional a la reclamación de Aricia el catorce de diciembre, pero aún pasarían tres meses antes de que el dinero llegara a manos de los interesados. Ni siquiera el senador podía acelerar los trámites.

—Cuéntame lo del accidente.

Patrick sacó las piernas de debajo de las sábanas y puso los pies en el suelo.

—Me ha dado un calambre —masculló mientras estiraba las piernas y las vértebras—. Fue un domingo —dijo frente a la puerta del baño, moviendo los pies y mirando a Karl.

—Domingo nueve de febrero.

—Sí, el nueve de febrero. Había pasado el fin de semana en la cabaña. Por la noche, mientras volvía a casa, tuve un accidente, me maté y subí al cielo.

Huskey no se inmutó.

—Cuéntamelo otra vez —dijo.

—¿Por qué?

—Fascinación morbosa.

—¿Seguro que es solo eso?

—Te doy mi palabra. Ese plan fue una obra maestra, Patrick. Me muero de ganas de saber cómo lo hiciste.

—Tendré que saltarme algunos detalles.

—Cuento con ello.

—Vayamos a dar un paseo. Estoy harto de estas cuatro paredes.

Huskey y su amigo salieron al pasillo, donde Patrick explicó a los guardias que el juez y él necesitaban estirar las piernas. Los ayudantes del sheriff se dispusieron a seguirlos a una distancia prudencial. Una enfermera les sonrió y les preguntó si querían tomar algo. Patrick pidió dos Coca-Cola *light* y no volvió a abrir la boca hasta que llegaron al final del pasillo. Los dos amigos se sentaron en un banco de vinilo, de espaldas a las ventanas con vistas al aparcamiento. Los ayudantes montaban guardia a unos quince metros.

Patrick llevaba pantalones de cirujano y sandalias de cuero sin calcetines.

—¿Has visto fotos del accidente? —preguntó en voz muy baja.

—Sí.

—Encontré el barranco el día anterior. Me pareció un lugar perfecto para tener un accidente. El sábado por la noche, a las diez, salí de la cabaña. Por el camino me paré en una tienda.

—La de los Verhall.

—Sí, la de los Verhall. Y llené el depósito.

—Cincuenta litros por catorce dólares y veintiún centavos, pagados con una tarjeta de crédito Amoco.

—Si tú lo dices... Estuve hablando un rato con la señora Verhall y luego me fui. No había mucho tráfico. Tres kilómetros más adelante cogí un desvío y seguí otro kilómetro y medio por una pista de gravilla. Luego bajé del coche, abrí el maletero y me puse encima de la ropa el equipo de motorista que llevaba dentro: hombreras, rodilleras... todo menos el casco. Entonces volví a la autopista y puse rumbo al sur. La primera vez que pasé por delante del barranco iba detrás de otro coche. La segunda vi acercarse otro vehículo de frente, pero derrapé de todas maneras para dejar las marcas de los neumáticos. La tercera vez no había nadie. Me puse el casco, respiré hondo y me lancé por la pendiente. No había pasado tanto miedo en toda mi vida.

Karl supuso que en aquel momento ya había otra persona a bordo del vehículo, viva o muerta, pero no se atrevió a preguntar. No era el momento oportuno.

—Cuando me salí de la carretera solo iba a cincuenta, pero cincuenta kilómetros por hora parecen doscientos cuando se ven pasar los árboles casi desde el aire. Me llevé unos cuantos por delante, por cierto. El parabrisas se rompió a medio camino. Intenté conservar el control del volante y esquivar los obstáculos, pero al final me empotré contra el tronco de un pino. El airbag se disparó y perdí el conocimiento un momento. Luego tuve la sensación de estar dando vueltas. De repente, el coche dejó de rodar. Abrí los ojos. Me había hecho daño en el hombro izquierdo. No me salía sangre, pero me dolía una barbaridad. Estaba casi cabeza abajo. Entonces me di cuenta de que el coche había caído sobre el costado derecho y salí a cuatro gatas. Una vez fuera me di cuenta de que había tenido suerte. El hombro estaba bien; contusionado nada más. Di una vuelta alrededor del coche y me sorprendí de lo bien que me había salido todo. El techo se había hundido sobre el asiento del conductor. Un palmo más y tal vez no habría podido salir.

—No entiendo por qué te arriesgaste tanto. Podrías haberte matado, o quedar gravemente herido. ¿Por qué no despeñaste el coche y ya está?

—No habría dado resultado. Tenía que parecer un accidente de verdad. La pendiente no era lo bastante pronunciada. Es una zona muy llana, ya lo sabes.

—¿Por qué no pusiste un ladrillo sobre el acelerador?

—Los ladrillos no arden, Karl. Si la policía hubiera encontrado un ladrillo en el coche, habría sospechado. No, lo mejor era empotrarlo contra un árbol y salir por mi propio pie. Además, llevaba el cinturón de seguridad, el airbag, el casco...

—Estás hecho un especialista.

La enfermera llegó con las Coca-Cola y se quedó a charlar un rato.

—¿Por dónde iba? —preguntó Patrick cuando la enfermera se hubo ido.

—Creo que estabas a punto de prender fuego al coche.

—Sí. Antes presté atención un momento. Solo se oía la rueda trasera dando vueltas sobre el eje. Desde donde estaba no se veía la carretera, pero miré hacia arriba y no oí nada. Nada en absoluto. Todo había salido según lo previsto. La casa más cercana estaba a casi dos kilómetros de distancia. Estaba seguro de que nadie había oído la caída, pero aun así tenía prisa. Lo primero que hice fue quitarme el casco y las protecciones y meterlo todo en el coche. Luego bajé por el barranco hasta el lugar donde había escondido la gasolina.

—¿Cuándo?

—El mismo sábado por la mañana, al amanecer. Cogí los cuatro bidones de gasolina y los llevé hasta el coche a toda prisa. Estaba muy oscuro y no podía utilizar la linterna, pero había despejado un poco el camino. Metí tres de los bidones en el coche y presté atención otra vez. En la autopista no se oía ningún ruido. Ni una mosca. Tenía la adrenalina disparada y me notaba el corazón en la garganta. Rocié el coche con gasolina, por dentro y por fuera, y metí el último bidón. Entonces me alejé unos diez metros, encendí el cigarrillo que llevaba en el bolsillo y lo tiré. Tuve el tiempo justo para alejarme un poco más y esconderme detrás de un árbol. El cigarrillo aterrizó en el coche y prendió fuego al combustible. Hubo una gran explosión, como una bomba. Al cabo de un segundo salían llamaradas por todas las ventanillas del coche. Trepando un poco por el barranco, encontré un buen sitio donde resguardarme a unos treinta metros. Quería ver el incendio. El fuego rugía. No se me había ocurrido que pudiera hacer tanto ruido. Entonces empezaron a arder algunos arbustos y pensé que había provocado un incendio forestal. Por suerte, el viernes había llovido mucho, y los árboles y la tierra estaban empapados. —Patrick bebió un sorbo de refresco—. Por cierto, he olvidado preguntarte por tu mujer. ¿Qué tal está Iris?

—Iris está perfectamente. Ya hablaremos de la familia más tarde, ahora quiero que acabes de contarme la historia.

—Como quieras. ¿Dónde estaba? Últimamente no sé dónde tengo la cabeza. Es la medicación, ¿sabes?

—Estabas mirando cómo ardía el coche.

—Ah, sí. El fuego desprendía mucho calor e hizo explotar el depósito de la gasolina. Por un segundo pensé que me iba a chamuscar. La chatarra volaba por los aires y caía entre los árboles con estrépito. Al final oí voces en la autopista, gente que gritaba. No veía nada, pero me imaginaba la escena. Cuando las llamas empezaron a avanzar hacia mí, me fui. A unos cien metros encontré un riachuelo que se perdía entre los árboles y lo seguí. La moto no podía estar muy lejos. Entonces oí llegar la primera sirena.

Karl no se había perdido ni una sola palabra de la historia. Es más, estaba tan metido en ella que se veía huyendo al lado de su amigo. El camino que había seguido Patrick había dado mucho que hablar durante los meses siguientes a su desaparición, pero nadie había sido capaz de resolver el misterio.

—¿Qué moto?

—Sí, una moto de trial de segunda mano. Se la compré por quinientos dólares a un vendedor de vehículos de Hattiesburg, unos meses atrás. En efectivo. Estuve practicando en el bosque. Nadie sabía que la tenía.

—Sin matrícula, supongo.

—Supones bien. ¿Quieres saber una cosa? Mientras corría por el bosque buscando la moto, asustado pero entero, alejándome del fuego y de las voces, con la sirena cada vez más cerca, me di cuenta de que al final del camino me esperaba la libertad. Patrick había muerto, y se había llevado con él una vida que no me satisfacía. Él tendría su entierro, su tumba y su despedida, y no perduraría durante mucho tiempo en la memoria de nadie. A mí, en cambio, me esperaba una nueva vida. Me sentí más vivo que nunca.

«¿Y qué hay del pobre diablo que encontraron en el coche? —pensó el juez—. Mientras tú correteabas alegremente por el bosque, había alguien achicharrándose en tu lugar.» ¿Cómo se le podía pasar por alto semejante detalle? Huskey tuvo que morderse la lengua otra vez.

—De repente me di cuenta de que me había perdido. La vegetación era muy espesa, y me había equivocado de camino. Entonces saqué la linterna y la encendí, pensando que ya no había peligro. Estuve dando vueltas hasta que dejé de oír la sirena. En un momento dado, me senté en un tronco para tranquilizarme. Estaba muerto de miedo. ¡Menuda ironía! Sobrevivir al accidente y luego morir de frío e inanición. Por suerte, encontré el camino y la moto al poco de echar de nuevo a andar. Remonté la ladera de una colina con la moto prácticamente a cuestas, aprovechando un sendero abierto por los madereros. Ya te puedes imaginar que mis cien kilos de trasero me estaban matando. Calculé que no debía de haber una sola casa en tres kilómetros a la redonda, de manera que, en cuanto el camino me lo permitió, monté en la moto y arranqué el motor. Había recorrido la zona varias veces y la conocía bien. Al cabo de un rato encontré un camino de grava y vi la primera casa. Había hecho alguna que otra chapucilla para amortiguar el ruido del motor, y no tenía que preocuparme por eso. El primer asfalto que pisé fue el de la carretera del condado de Stone. Lo mejor era evitar las autopistas y quedarme en las carreteras secundarias, y así lo hice. Al cabo de un par de horas estaba de vuelta en la cabaña.

—¿Por qué volviste a la cabaña?

—Para preparar el siguiente paso.

—¿No te daba miedo que Pepper pudiera verte?

Patrick escuchó la pregunta sin inmutarse. Karl había escogido el momento oportuno para sacar el tema y estudió la reacción de su amigo. Nada. Patrick bajó la vista un momento y luego respondió.

—Pepper no estaba.

24

Una cara conocida. Después de ocho horas de visionado y estudio, Underhill volvía al ataque. Apenas franqueó la puerta de la sala donde se llevaba a cabo el interrogatorio, el agente saludó a todos en general y a nadie en particular, e hizo ademán de continuar con la tarea inacabada. Su mirada se dirigió a los asientos que ocupaban Stephano y su abogado.

—¿Le parece que sigamos donde nos quedamos ayer, señor Stephano?

—No recuerdo dónde estaba.

—¿Invadiendo Brasil?

—Ah, sí. Bueno, veamos... Brasil es un país muy grande. Ciento sesenta millones de habitantes, muchísimos kilómetros cuadrados y una gran reputación como albergue para proscritos. A los nazis, sin ir más lejos, les encantaba. En fin, lo primero que hicimos fue redactar un informe completo sobre Lanigan para que lo tradujeran al portugués. También pedimos a un experto de la policía y a varios informáticos que mejoraran en lo posible las fotografías que teníamos de Lanigan. Nos pasamos horas enteras hablando con el propietario del barco de Orange Beach y con los empleados del banco de Nassau, y entre todos conseguimos un buen retrato robot del fugitivo. Convocamos una reunión con Bogan y los suyos para que dieran el visto bueno a las fotos, y ellos se las enseñaron a las secretarias. Bogan visitó personalmente a la viuda para recabar su opinión.

—Ahora que ha visto el modelo, ¿diría que los retratos se le parecían?

—Bastante, aunque con la barbilla y la nariz íbamos un poco despistados.

—Siga, por favor.

—Luego trasladamos la base de operaciones a Brasil. Una vez allí contactamos con tres de las mejores agencias de detectives del país: una en Río, una en São Paulo y otra en Recife, en el nordeste. No reparábamos en gastos y queríamos lo mejor de lo mejor. Conseguimos que aceptaran trabajar en equipo y los reunimos a todos en São Paulo durante una semana para que nos instruyeran. Se inventaron la historia de que Patrick era un estadounidense buscado por el secuestro y asesinato de una rica y jovencísima heredera, cuya familia ofrecía un rescate a cambio de cualquier información sobre el paradero del asesino. Lo del asesinato de la niña, naturalmente, formaba parte de un plan estratégico: les pareció que inspiraría más lástima que unos cuantos picapleitos expoliados.

»Recorrimos las academias de idiomas enseñando las fotografías de Lanigan y ofreciendo dinero a cambio de información. Las escuelas reputadas nos cerraban la puerta en las narices; las otras no sabían nada. Dos años de búsqueda nos habían enseñado a no subestimar la inteligencia de Lanigan. No iba a ser tan tonto para matricularse en una escuela que exigiera identificación y lo archivara todo. Entonces centramos la investigación en los profesores particulares, o sea, en un millón escaso de personas. Era como buscar una aguja en un pajar.

—¿Mencionaban la recompensa a todo el mundo?

—Hacíamos lo que nos recomendaban nuestros agentes brasileños: explicar la historia de la niña asesinada y ver cómo reaccionaba el sujeto en cuestión. Si demostraba interés, dejábamos caer lo de la recompensa.

—¿Y?

—No sacamos nada en claro, al menos de los profesores particulares, pero tampoco tuvimos que pagar ni un centavo.

—¿Y de otros sí?

Stephano hizo un gesto afirmativo mientras echaba un vistazo a una hoja de papel.

—En abril de mil novecientos noventa y cuatro dimos con un cirujano plástico de Río que demostró cierto interés por las fotografías. Estuvo dándonos largas durante un mes entero, pero al final nos convenció de que había tenido tratos con el mismísimo Lanigan. El doctor tenía fotos de nuestro amigo, tomadas antes y después de la operación. Era buen negociador, y acabamos por ofrecerle un cuarto de millón de dólares, en efectivo y libre de impuestos, por el expediente completo.

—¿Qué había en ese expediente?

—Información básica: fotos de Lanigan antes y después de la operación, nítidas y de frente. Al doctor le había extrañado que su paciente se negara a hacerse fotos. Al parecer, no quería dejar rastro; solo operarse y deshacerse de unos cuantos billetes. Lanigan no quiso decirle su nombre, pero le contó que era un empresario canadiense y que quería quitarse unos cuantos años de encima. La historia de siempre. El cirujano lo clichó enseguida. Y, por suerte para nosotros, tenía una cámara oculta en la consulta. De ahí las fotos.

—¿Podemos verlas?

—Desde luego.

El abogado se levantó y tendió a Underhill un sobre de papel manila. El agente lo abrió inmediatamente para echar un vistazo a las fotos.

—¿Cómo dieron con el médico?

—Aparte de las academias de idiomas y los profesores particulares, también prestamos atención a otras ocupaciones. Hablamos con falsificadores, cirujanos plásticos, importadores...

—¿Importadores?

—Sí, en portugués lo llaman de otra manera. «Importador» es una traducción aproximada. Se dedican básicamente a introducir gente en el país y a proporcionarles una nueva identidad: un nombre diferente, documentación falsa, etcétera. También asesoran a los recién llegados sobre dónde les conviene fijar su residencia. Con los importadores nos pasó lo mismo que con los falsificadores: no soltaron prenda. Teniendo en cuenta las características de su negocio, es lógico: no se pueden permitir el lujo de irse de la lengua.

—¿Tuvieron más suerte con los médicos?

—En general, no. Lo que pasó es que contratamos los servicios de un cirujano plástico para que nos asesorara, y él nos dio los nombres de algunos colegas con fama de no preguntar a quién clavaban el bisturí. A través de él, dimos con el doctor de Río.

—Eso fue más de dos años después de la desaparición de Lanigan, ¿me equivoco?

—En absoluto.

—¿Fue el primer indicio serio que tuvieron de que Patrick estaba efectivamente en el país?

—Sí, el primero.

—¿Qué hicieron durante los dos años anteriores?

—Malgastar el dinero, llamar a todas las puertas, seguir un montón de pistas falsas. Ya le he dicho que Brasil es un país muy grande.

—¿A cuántos hombres tenía trabajando para usted allí?

—Llegamos a tener en nómina a sesenta agentes. Gracias a Dios, no cobran tanto como los de aquí.

¿Que el juez quería pizza? Pues marchando una de pizza. La encargaron en Hugo's, un viejo restaurante familiar de Division Street, cerca de Point y lejos de los locales de comida rápida de la playa. Uno de los ayudantes del sheriff se la llevó a la habitación 312. Patrick la olfateó en cuanto se abrieron las puertas del ascensor, y no le quitó la vista de encima mientras

Karl abría la caja a los pies de la cama. Luego cerró los ojos para concentrarse en el aroma celestial de las aceitunas negras, los champiñones, el embutido, el pimiento y las seis variedades de queso. Había comido cientos de pizzas de Hugo's, sobre todo durante los dos últimos años de su antigua existencia, y llevaba una semana soñando con hincar el diente a una. Ventajas de estar en casa.

—Anda, come, que pareces un espectro —dijo Karl.

Patrick devoró su primera porción de pizza sin decir palabra y cogió una segunda.

—¿Cómo te las apañaste para adelgazar de esta manera? —preguntó Karl con la boca llena.

—¿No podríamos pedir un poco de cerveza? —dijo Patrick.

—No, lo siento. Estás detenido, ¿recuerdas?

—Lo de adelgazar es cuestión de mentalizarse, nada más. Y no sabes la fuerza de voluntad que dan noventa millones.

—¿A cuánto llegaste?

—El viernes antes de irme pesaba ciento siete kilos, y durante las primeras seis semanas perdí veintiún kilos. Esta mañana pesaba setenta y dos.

—Pareces un refugiado. Come.

—Gracias.

—Estábamos en la cabaña.

Patrick se limpió la barbilla con una servilleta de papel y dejó la porción de pizza en la caja para beber un trago de Coca-Cola *light*.

—Sí, la cabaña. Eran alrededor de las once y media. Entré por la puerta principal pero no encendí la luz, porque había otra cabaña a menos de un kilómetro, en lo alto de una colina, y temía ser visto. Mis vecinos eran una familia de Hattiesburg y, que yo supiera, no habían estado en la cabaña en todo el fin de semana, pero tenía que ir con cuidado. Por eso, antes de encender la luz y afeitarme la barba, cubrí la ventana del baño con una toalla oscura. Luego me corté el pelo y me lo teñí. Castaño oscuro, casi negro.

—Eso me habría gustado verlo.

—Modestia aparte, no me quedaba mal, pero me producía una sensación extraña. Al mirarme en el espejo, me parecía que no era yo. Cuando acabé, lo limpié todo hasta no dejar ni un pelo, porque sabía que examinarían la cabaña con microscopio, y guardé el tinte y todo lo demás. Me puse ropa de abrigo, preparé café y me bebí la mitad; la otra mitad la puse en un termo para el viaje. Salí de la cabaña a la una. No creía que la policía hiciera acto de presencia aquella misma noche, pero siempre cabía la posibilidad. Sabía que llevaría un rato identificar el coche y llamar a Trudy, pero que después se les podía ocurrir echar un vistazo a la cabaña. No esperaba que pasara, pero a la una de la madrugada ya estaba intranquilo.

—¿Estabas preocupado por Trudy?

—La verdad es que no. Sabía que se tomaría la noticia con filosofía y que no tendría ningún problema para organizar lo del entierro. Ejercería de viuda desconsolada durante un mesecillo y luego cobraría el dinero del seguro. Sería el momento culminante de la carrera de Trudy Lanigan. Nunca volvería a recibir tanta atención ni tanto dinero. No, no me preocupaba en absoluto. Ya no la quería.

—¿Volviste a la cabaña?

—No.

Karl no pudo o no quiso reprimir la pregunta siguiente.

—La escopeta y las cosas de Pepper aparecieron debajo de una de las camas. ¿Cómo llegaron hasta allí?

Patrick levantó la vista un momento, como si lo hubiera sorprendido la pregunta, y luego desvió la mirada. Karl tomó buena nota de la reacción y le dio muchas vueltas durante los días siguientes. Un sobresalto, una mirada, y ese algo que le impedía contar toda la verdad.

¿En qué película se dice la frase: «Cada vez que se comete un asesinato se cometen veinticinco errores; quien prevé quince puede considerarse un genio»? Puede que a Patrick, con toda su meticulosidad, le hubieran pasado por alto las cosas de Pepper. O que, con las prisas, se le hubiera olvidado llevárselas.

—No lo sé —gruñó, con los ojos clavados en la pared.

Karl estaba satisfecho del resultado de la presión.

—¿Adónde fuiste al salir de la cabaña?

—Volví a coger la moto —dijo Patrick, levantando la vista e impaciente por seguir adelante—. La temperatura era de cuatro grados, pero de noche y por la autopista me pareció que estábamos bajo cero. Viajé por carreteras secundarias, huyendo del tráfico, sin correr demasiado porque el viento cortaba como un cuchillo. Crucé la frontera de Alabama siguiendo la misma estrategia. Una moto de trial en plena autopista a las tres de la mañana podía llamar la atención de algún policía sin nada mejor que hacer, de manera que procuré no acercarme a los centros habitados. Llegué a las afueras de Mobile a eso de las cuatro de la madrugada. Un mes antes había localizado un motel discreto donde aceptaban dinero en efectivo y no hacían preguntas. Me colé en el aparcamiento, escondí la moto en la parte de atrás y entré como si acabara de bajar de un taxi. Treinta pavos por una habitación, en efectivo, sin papeles. Tardé un buen rato en entrar en calor. Luego dormí un par de horas, hasta que me despertó la salida del sol. ¿Cuándo te enteraste tú?

—Supongo que mientras tú recorrías la campiña en motocicleta. Doug Vitrano me llamó poco después de las tres. Me las pagará. ¡Hacerme perder sueño y darme semejante disgusto mientras tú jugabas a *Easy Rider* y te disponías a pegarte la gran vida!

—No compares.

—Reconoce que te importaban un comino tus amigos.

—Me duele que digas eso.

—¿No es verdad?

—Tienes razón —admitió Patrick con una sonrisa y sin los escrúpulos de costumbre.

—Te despertó un rayo de sol. Un hombre nuevo en un mundo nuevo. Todos tus problemas habían quedado atrás.

—Dejémoslo en la mayoría. Sentía una mezcla de miedo y entusiasmo que no me dejaba conciliar el sueño. Estuve viendo la tele hasta las ocho y media, pero aún no se sabía nada de mi muerte. Luego me duché, me cambié de ropa y...

—Un momento. ¿Qué hiciste con los accesorios de peluquería?

—Los tiré en un contenedor en algún punto del condado de Washington, después de pasar la frontera de Alabama. Llamé un taxi, cosa que en Mobile tiene su mérito, me recogió en la puerta del bungalow y me fui sin pasar por recepción. La moto seguía en la parte de atrás del hotel. Conocía un pequeño centro comercial que abría a las nueve. Entré en los grandes almacenes y me compré una americana azul marino, unos pantalones y un par de mocasines.

—¿Cómo pagaste?

—En efectivo.

—¿No tenías tarjeta de crédito?

—Sí, tenía una Visa falsa que había conseguido en Miami, pero solo podía utilizarla unas cuantas veces y preferí guardarla para el alquiler del coche.

—¿Cuánto dinero llevabas?

—Veinte mil dólares, más o menos.

—¿De dónde los habías sacado?

—Llevaba un año ahorrando. Trudy hacía lo imposible por arruinarnos, pero aun así yo ganaba lo suficiente. Un día le dije a la contable del bufete que necesitaba desviar un porcentaje de mi sueldo para que mi mujer no tuviera acceso a él. Resultó que casi todos los abogados hacían lo mismo. A partir de entonces, una parte del dinero fue a parar a otra cuenta. De vez en cuando retiraba una cantidad y la guardaba en un cajón. ¿Satisfecho?

—Sí. Acababas de comprar un par de mocasines...

—Luego fui a otra tienda y me compré una corbata y una

camisa. Me cambié en el lavabo de caballeros. Por arte de magia, me había convertido en un comerciante cualquiera, igual a muchos otros. Después compré más ropa y otras cosas y lo metí todo en una bolsa de lona. Otro taxi me llevó hasta el aeropuerto de Mobile. Allí desayuné y esperé la llegada de un vuelo de la Northwest Airlink procedente de Atlanta. Cuando llegó, me mezclé con los ejecutivos impacientes por invadir Mobile con sus mercancías, y me puse a la cola del mostrador de Avis. Los dos tipos que había delante de mí habían reservado un coche por teléfono. Mi caso fue un poco más complicado. Presenté un carnet de conducir de Georgia, perfectamente en regla, y me dispuse a echar mano del pasaporte si hacía falta. La operación con la tarjeta de crédito fue lo peor. Casi me muero de miedo. El número era válido; pertenecía a algún pobre diablo de Georgia, de Decatur para ser exactos, pero yo temía que el ordenador detectara el fraude y empezaran a sonar alarmas por todas partes. Por suerte, no pasó nada. Rellené el impreso y salí del aeropuerto a toda prisa.

—¿Qué nombre utilizaste?

—Randy Austin.

—Atención a la gran pregunta, Randy —dijo Karl mientras masticaba despacio un mordisco de pizza—. Ya que estabas en un aeropuerto, ¿por qué no aprovechaste la ocasión para coger un avión y largarte?

—No creas que no se me ocurrió. Mientras desayunaba vi despegar dos aviones, y tuve que reprimir las ganas de montarme en el primero que saliera. Fue una decisión difícil, pero tenía cosas que hacer aquí.

—¿Qué cosas?

—Creo que ya lo sabes. Fui a Gulf Shores y luego a Orange Beach, hacia el este. Allí alquilé un apartamento.

—Que ya conocías de antes.

—Por supuesto. Sabía que aceptaban efectivo. Estábamos en febrero, hacía frío y no había mucho trabajo. Me tomé un tranquilizante suave y conseguí dormir seis horas seguidas.

Luego vi las noticias de la noche y me enteré de que había muerto en un accidente. Mis amigos estaban destrozados.

—Serás sinvergüenza...

—Bajé a comprar manzanas y píldoras adelgazantes. Cuando oscureció, volví a salir y estuve tres horas caminando por la playa, lo mismo que hice todas las noches a partir de entonces. A la mañana siguiente me fui a Pascagoula y compré el periódico. Vi mi cara regordeta y sonriente en la primera página, leí la información de mi trágica muerte, incluida tu nota, y me enteré de que el funeral iba a ser aquella misma tarde a las tres. Tenía que ir a Orange Beach para alquilar un barco, pero volví a Biloxi a la hora del entierro.

—Los periódicos han dicho que estuviste presente.

—Cierto. Estaba encaramado en un árbol, en el bosque que hay detrás del cementerio. Lo vi todo a través de unos prismáticos.

—Parece mentira que te arriesgaras tan tontamente.

—Es verdad. Fue una estupidez por mi parte, pero no pude evitarlo. Tenía que estar seguro, ver con mis propios ojos que el plan había dado resultado. Supongo que lo del entierro me convenció de que podía hacer cualquier cosa.

—Me imagino que también habrías reservado el mejor árbol...

—No. La verdad es que no me decidí a hacerlo hasta el último momento. Mientras salía de Mobile y cogía la interestatal hacia el oeste, me decía: «No lo hagas, Patrick, no vayas a Biloxi».

—¿Cómo te las apañaste para trepar a un árbol con tantos kilos de más?

—La fe mueve montañas. Además, era un roble con las ramas muy gruesas.

—Menuda suerte la tuya. Ojalá hubieras partido una rama y te hubieras roto la crisma.

—No digas eso.

—Sí lo digo. Todos tus amigos reunidos alrededor de la

fosa, consolando a la viuda y haciendo esfuerzos por no llorar, y tú, mientras tanto, encaramado en un árbol y carcajeándote.

—No disimules, Karl. Sé que no estás enfadado de verdad.

Patrick tenía razón. Cuatro años y medio habían borrado cualquier rastro de rencor. La verdad es que Karl estaba encantado de encontrarse sentado a los pies de aquella cama, compartiendo una pizza con su amigo y escuchando el relato de sus aventuras.

De momento, la historia acabaría en el entierro. Patrick había hablado mucho, y ya habían vuelto a la habitación, un lugar que no le parecía seguro al cien por cien.

—¿Qué sabes de Bogan, Vitrano y compañía? —preguntó mientras se abandonaba sobre las almohadas y saboreaba la información que estaba a punto de oír.

25

Paulo Miranda había recibido la última llamada de su hija hacía dos días. Lo telefoneaba desde un hotel de Nueva Orleans para decirle que aún seguía de viaje de negocios con el mismo cliente misterioso, y para recordarle, una vez más, que tal vez hubiera gente buscándola y vigilándolo a él. Su cliente tenía enemigos en Brasil. Como había ocurrido con las llamadas precedentes, el señor Miranda tuvo la impresión de que su hija hablaba poco y hacía lo imposible por disimular que estaba asustada y que no podía explicar el motivo. Harto de tantas medias palabras, el viejo profesor se había enfadado y había hecho más preguntas que de costumbre. Eva había respondido con más advertencias sobre su seguridad. ¿Por qué no se dejaba de patrañas y volvía a casa de una buena vez? Había hablado con el bufete y sabía que la habían despedido. Eva había tenido la sangre fría suficiente para inventarse otra excusa. Su cliente era un potentado del comercio internacional y la había convencido para establecerse por su cuenta. A partir de entonces habría muchos viajes como aquel.

A Paulo Miranda no le gustaba nada pelearse con su hija por teléfono, y menos cuando, en realidad, estaba preocupado por ella. También estaba harto de los hombrecillos que merodeaban por su calle y lo seguían hasta el mercado o hasta su despacho de la Pontificia Universidade Catolica. Había adquirido la costumbre de buscarlos apenas pisaba la acera, y ya les había puesto motes. Nunca andaban lejos. Paulo había hablado varias veces con el portero del edificio donde vivía Eva, y había sabido por él que también vigilaban su apartamento.

Su última clase, dedicada a la filosofía alemana, acabó a la una. Después estuvo media hora en su despacho ayudando a un alumno rezagado y decidió que ya había tenido bastante por un día. Llovía y no llevaba paraguas. Había dejado el coche en el pequeño aparcamiento reservado a los miembros del claustro.

Osmar lo estaba esperando. Lo vio salir del edificio con la mirada baja y un periódico sobre la cabeza, mojarse con las gotas que caían de los árboles y pisar un charco cerca de su coche. Al lado había una furgoneta Fiat de color rojo. Paulo, como siempre, iba soñando despierto y no vio la furgoneta ni al hombre que acababa de salir de ella. Luego se puso a buscar las llaves y tampoco vio ni oyó nada cuando Osmar abrió de par en par la portezuela trasera de la furgoneta. Solo se dio cuenta de su presencia cuando se abalanzó sobre él y lo llevó a rastras hasta el vehículo. El profesor perdió el maletín durante el forcejeo.

La portezuela se cerró de golpe. En la oscuridad, Paulo notó el contacto del cañón de una pistola entre los ojos y oyó una voz que le recomendaba silencio.

El coche de Paulo había quedado abierto, y los papeles que llevaba en el maletín se estaban esparciendo por todas partes: desde el asiento del conductor hacia las ruedas traseras.

La furgoneta se alejó a toda prisa del campus universitario. Más tarde, una llamada informó a la policía del secuestro.

Paulo calculó que habían tardado una hora y media en sacarlo de la ciudad, pero no tenía ni idea de qué dirección habían seguido. Dentro de la furgoneta, a oscuras y sin ventanas, hacía mucho calor. Paulo distinguía las siluetas de dos hombres armados sentados junto a él. La furgoneta se detuvo a la entrada de una granja, y Paulo fue conducido hasta su interior. Sus dependencias estaban al fondo: dormitorio, baño y salón con televisor. Había comida en abundancia. Sus secuestradores le dijeron que no le harían ningún daño si no cometía el error de intentar escapar. Lo retendrían durante una semana y, luego, si se portaba bien, lo dejarían marchar.

Paulo cerró la puerta con llave y se asomó a la ventana. Había dos hombres sentados bajo un árbol, riendo y bebiendo té. Tenían sendas metralletas al alcance de la mano.

En Río, el hijo de Paulo recibió una llamada anónima, lo mismo que el portero del edificio donde vivía Eva, su antiguo bufete y una amiga que trabajaba en una agencia de viajes. El mensaje fue el mismo en todos los casos: Paulo Miranda había sido secuestrado. La policía empezó a investigar.

Eva había ido a pasar unos días a Nueva York. Se alojaba en una suite del hotel Pierre y repartía su tiempo entre las tiendas de la Quinta Avenida y los museos. Tenía instrucciones de viajar sin parar y de no alargar innecesariamente sus visitas a Nueva Orleans. Había recibido tres cartas de Patrick y le había enviado otras dos escritas por ella, siempre a través de Sandy. Estaba claro que los malos tratos sufridos por Patrick no habían mermado en absoluto su capacidad de previsión. Sus cartas eran listas de instrucciones minuciosas sobre cómo ejecutar sus planes y cómo proceder en caso de emergencia.

Al ver que su padre no se ponía al teléfono, Eva llamó a su hermano. La noticia del secuestro la dejó sin habla. Súbete en el primer avión que salga, le insistía su hermano. El hijo varón de Paulo Miranda era un hombre apocado, poco acostumbrado a lidiar con presiones y adversidades, de los que se ahogan en un vaso de agua. Si había que tomar alguna decisión difícil que afectara a la familia, la responsabilidad recaía siempre en Eva.

Los dos hermanos estuvieron media hora al teléfono tratando de tranquilizarse mutuamente. No, no habían pedido ningún rescate. Ni una palabra de los secuestradores.

Contraviniendo expresamente sus instrucciones, lo llamó. Estaba en el aeropuerto de La Guardia, en un teléfono público, mirando a derecha e izquierda a través de unas gafas oscuras y jugueteando nerviosamente con un mechón de pelo. Mientras marcaba el número de teléfono de su habitación, decidió que le hablaría en portugués. Así, si había alguien a la escucha tendría que tomarse la molestia de buscar un traductor.

—Patrick, soy Leah —dijo tratando de ocultar su estado de ánimo.

—¿Qué pasa? —preguntó él alarmado, en portugués.

Llevaba tres semanas sin oír aquella dulce voz y las circunstancias no le permitían siquiera alegrarse de volver a escucharla.

—¿Podemos hablar?

—Sí, ¿qué pasa?

Patrick examinaba el teléfono de su habitación cada tres o cuatro horas, y también registraba todos los rincones con el detector que le había llevado Sandy. La presencia de los agentes que montaban guardia en el pasillo las veinticuatro horas del día lo ayudaba a relajarse un poco, pero las líneas exteriores seguían preocupándole. Estaba harto de aquella situación.

—Es mi padre —empezó Leah antes de relatarle la historia completa de la desaparición de Paulo—. Tengo que volver a casa.

—No lo hagas —le dijo sin alterarse—. Es una trampa. Tu padre no es un hombre rico. Lo que buscan no es dinero. Te quieren a ti.

—No puedo abandonarlo.

—Tampoco puedes encontrarlo.

—Pero le ha sucedido eso por mi culpa.

—La culpa, en todo caso, es mía. No empeores las cosas metiéndote en la boca del lobo.

Leah retorció un mechón de sus cabellos y contempló el desfile de pasajeros apresurados.

—¿Qué hago entonces?

—Ve a Nueva Orleans y llama a Sandy en cuanto llegues. Ya se me ocurrirá algo.

Leah compró el pasaje, se dirigió a la puerta de embarque y se sentó en una esquina de la sala de espera donde podía esconder el rostro entre la pared y una revista. Pensó en su padre, en las cosas horribles que podían estar haciéndole. Durante aquellos últimos once días, los dos hombres que más quería en el mundo habían sido secuestrados por los mismos individuos. Patrick estaba en el hospital por culpa de las heridas que le habían causado. Su padre era un hombre viejo y mucho más débil que Patrick. Sabía que le estaban haciendo daño por culpa suya y no podía hacer nada por evitarlo.

A las diez y veinte de la noche, después de un día entero de búsqueda, un agente de la policía de Biloxi localizó el coche de Lance a la salida del aparcamiento del Grand Casino. Lance fue retenido hasta la llegada del sheriff Sweeney. Luego los dos estuvieron hablando en el asiento de atrás de un coche patrulla aparcado frente a un Burger King.

El sheriff se interesó por la marcha del negocio del narcotráfico y Lance le dijo que no podía quejarse.

—¿Qué tal está Trudy? —preguntó el sheriff con un mondadientes en la boca.

Se trataba de ver cuál de los dos tenía más sangre fría. Lance se puso sus Ray-Ban.

—Bien. ¿Y su mujer?

—No tengo. Oye, Lance, dicen por ahí que andas buscando un pistolero.

—Parece mentira lo que llega a inventarse la gente.

—Sí, bueno, a mí no me parece que sea un invento. Mira, Lance, todos tus amigos son como tú. Los que no están en libertad condicional están haciendo méritos para volver a chirona. En fin, ¿qué te voy a contar? Son escoria, pura escoria. Siempre dispuestos a ganar dinero fácil, siempre metidos en líos. Cuando oyen un rumor interesante, les falta tiempo para ir con el cuento a los federales y renegociar su situación.

—Un argumento interesante. Me gusta.

—Sabemos que tienes dinero y una amiguita al borde de la ruina, y que todos vuestros problemas se solucionarían si el señor Lanigan no resucitara.

—¿Quién?

—Ya. Bueno, a partir de ahora haremos lo siguiente. Me refiero a nosotros y los federales. Os someteremos a vigilancia día y noche, a ti y a tu mujercita, y no podréis hacer ni decir nada sin que nosotros nos enteremos. Un paso en falso, y vendremos a buscaros. Trudy y tú podríais acabar más liados que el mismo Lanigan.

—¿Lo dice para asustarme?

—Si tuvieras dos dedos de frente, te habrías asustado tú solo.

—¿Puedo irme ya?

—Por favor.

Las dos portezuelas se abrieron desde el exterior. Lance fue acompañado de vuelta a su coche.

Mientras el sheriff hablaba con Lance, el agente Cutter llamaba a la puerta de Trudy con la secreta esperanza de interrumpir sus dulces sueños. Cutter había estado haciendo tiempo en una cafetería de Fairhope, esperando la noticia de que Lance había sido localizado.

Trudy aún no se había acostado.

—¿Qué quiere? —preguntó desde el otro lado de la puerta, trabada con una cadena, mientras Cutter le enseñaba su placa y pronunciaba en voz alta las siglas FBI.

Trudy lo reconoció.

—¿Puedo pasar?

—No.

—Lance ha sido detenido. Creo que deberíamos hablar.

—¿Qué?

—Lo ha cogido la policía de Biloxi.

Trudy retiró la cadena de seguridad y abrió la puerta. Cutter y ella se quedaron en el recibidor, cara a cara. El agente se estaba divirtiendo de lo lindo.

—¿Qué ha hecho? —preguntó Trudy.

—Creo que lo soltarán enseguida.

—Voy a llamar a mi abogado.

—Hágalo, pero antes escuche lo que tengo que decirle. Sabemos de buena tinta que Lance está buscando un asesino a sueldo que elimine a su marido, Patrick Lanigan.

—¡Dios mío! —Trudy se llevó una mano a la boca.

Parecía realmente sorprendida.

—Es cierto, créame, y usted podría verse implicada. El dinero que Lance trata de proteger es el suyo, y estoy seguro de que cualquier jurado la consideraría su cómplice. Si Lanigan sufre algún percance, usted será la principal sospechosa.

—Yo no he hecho nada.

—Todavía no. En todo caso, recuerde que no vamos a quitarles la vista de encima, señora Lanigan.

—No me llame así.

—Usted perdone.

Cutter dio media vuelta y se fue. Trudy se quedó en el recibidor.

Sandy dejó el vehículo en un aparcamiento de Canal Street y se internó en el Barrio Francés siguiendo Decatur Street. Era casi medianoche. Su cliente le había pedido encarecidamente que fuera extremadamente cauto en cuestiones de seguridad, sobre todo cuando tuviera que reunirse con Leah. Sandy era el único que podía llevarlos hasta ella, de manera que no debía permitirse ni el más mínimo desliz.

—Leah corre un grave peligro —le había dicho Patrick hacía tan solo una hora—. Toda precaución es poca.

Sandy dio tres vueltas a la manzana, y cuando estuvo seguro de que nadie lo seguía, se metió en un bar. Pidió un refresco y comprobó que no hubiera nadie merodeando por la calle. Luego cruzó a la acera de enfrente y entró en el Royal Sonesta. Antes de coger el ascensor y subir al segundo piso, se paseó un rato por el vestíbulo, entre los turistas. Leah abrió la puerta y volvió a cerrarla con llave apenas hubo entrado.

Como era de esperar, parecía cansada y nerviosa.

—Siento lo de su padre —dijo Sandy—. ¿Ha tenido noticias suyas?

—No. He estado de viaje.

Había una bandeja con café recién hecho sobre el televisor. Sandy se sirvió una taza y le puso azúcar.

—Lo he sabido por Patrick. ¿Quién es esa gente?

—Encontrará todas las respuestas en esta carpeta —dijo, señalando una mesa auxiliar—. Siéntese, por favor.

Sandy se sentó en el borde de la cama obedeciendo las indicaciones de Leah y esperó con la taza de café entre las manos. Por fin había llegado el momento de poner las cosas en claro.

—Nos conocimos en Río, hace dos años, en mil novecientos noventa y cuatro, después de la operación de Patrick. Me dijo que era un empresario canadiense y que necesitaba un abogado con experiencia en cuestiones mercantiles, pero lo que necesitaba en realidad era un amigo. Yo fui ese amigo durante dos días. Luego nos enamoramos. Patrick me lo contó todo sobre su pasado, absolutamente todo. Había logrado escapar de sus perseguidores y tenía mucho dinero, pero no podía desprenderse de su pasado. Estaba decidido a averiguar quién lo seguía y si había conseguido acercarse mucho a él. En agosto de mil novecientos noventa y cuatro vine a Estados Unidos y me puse en contacto con una empresa de seguridad de Atlanta fundada por un puñado de ex agentes del FBI. Tienen un nombre muy curioso: Pluto Group. Patrick había oído hablar de ellos antes de desaparecer. Les di un nombre falso, les dije que era española y que necesitaba información sobre el caso Lanigan. A cambio de mis cincuenta mil dólares, ellos enviaron a sus hombres a Biloxi y se pusieron en contacto con el antiguo bufete de Patrick. Les hicieron creer que tenían cierta información sobre su paradero, y los abogados mencionaron confidencialmente el nombre de un tal Jack Stephano, de Washington. Stephano es un sabueso muy cotizado, especializado en espionaje industrial y localización de personas desaparecidas. Los hombres de Pluto se encontraron con él en Washington. Stephano iba con pies de plomo y no pudieron sacar muchas conclusiones de la entrevista, excepto que era él quien dirigía la operación. Al cabo de varias reuniones se empezó a hablar de una posible recompensa. Los de Pluto se ofrecieron a vender la información, y Stephano se mostró de acuerdo en pagarles cincuenta mil dólares a cambio de las coordenadas del paradero de Patrick. En una de aquellas reuniones se enteraron de que Stephano tenía buenos motivos para creer que Patrick estaba en Brasil. La noticia, por supuesto, nos puso los pelos de punta.

—¿No había tenido nunca Patrick motivos para sospechar que alguien estaba al corriente de su presencia en Brasil?

—Nunca, y en aquel entonces llevaba ya más de dos años en el país. Cuando se sinceró conmigo, por ejemplo, ni siquiera sabía si sus perseguidores estaban buscando en el continente adecuado. Enterarse de que estaban en Brasil fue un golpe muy duro.

—¿Por qué no desapareció como la otra vez?

—Por muchas razones. Consideró la posibilidad de hacerlo, y los dos hablamos del tema largo y tendido. Yo estaba dispuesta a marcharme con él, pero él se convenció de que, llegado el caso, le sería más fácil ocultarse sin salir de Brasil. Patrick conoce a fondo el país: la lengua, la gente, los rincones más inaccesibles... Además, no quería que yo dejara a mi familia. Supongo que deberíamos habernos ido a China o a algún sitio parecido.

—Tal vez no podía ser.

—Tal vez. Cuando Patrick decidió que no nos íbamos, contraté a los de Pluto para que hicieran un seguimiento exhaustivo de la investigación de Stephano. Entonces se pusieron en contacto con el señor Benny Aricia, el cliente del bufete, con la misma historia del soplo. También hablaron con las compañías aseguradoras. Todos los caminos llevaban a Jack Stephano. Yo me reunía con ellos cada tres o cuatro meses, siempre procedente de algún lugar de Europa, y ellos me ponían al día de sus progresos.

—¿Cómo se las arregló ese tal Stephano para encontrar el rastro de Patrick?

—Ahora no puedo contárselo. Patrick lo hará en su momento.

Otro agujero negro, y nada insignificante, por cierto. Sandy dejó la taza en el suelo e intentó hacer encajar las piezas del rompecabezas. ¡Cuánto le facilitarían Patrick y Leah las cosas si se dignaran contárselo todo! Punto por punto, desde el principio hasta el final, de manera que él, el abogado, pudiera ayudarlos a afrontar el futuro inmediato. Aunque, pensándolo bien, tal vez no necesitaran su ayuda.

Conque Patrick sabía cómo habían dado con él, ¿eh?

Leah le entregó la carpeta que había dejado sobre la mesa.

—Estos son los responsables del secuestro de mi padre —declaró.

—¿La gente de Stephano?

—Sí. Yo soy la única persona que sabe dónde está el dinero. El secuestro es una trampa.

—¿Cómo sabe Stephano de su existencia?

—Por Patrick.

—¿Patrick?

—Sí. Ya ha visto las quemaduras.

Sandy se levantó e intentó digerir aquella información.

—¿Y por qué no les contó también dónde estaba el dinero?

—Porque no lo sabía.

—¿Quiere decir que se lo dio todo a usted?

—Más o menos. Yo soy quien maneja el dinero. Ahora, en vez de perseguir a Patrick, me persiguen a mí, y mi pobre padre ha pagado los platos rotos.

—¿Y bien? ¿Cómo se supone que puedo ayudarles?

Leah abrió un cajón y sacó una carpeta parecida a la otra pero menos abultada.

—Esta carpeta contiene información sobre la investigación del FBI. No disponemos de todos los datos, claro está, pero sabemos que el agente que lleva el caso es un tal Cutter, de Biloxi. Tan pronto como me di cuenta de que habían cogido a Patrick, me puse en contacto con él. No me extrañaría nada que esa llamada le hubiera salvado la vida.

—No tan deprisa. Creo que me he perdido.

—Llamé a Cutter para decirle que los hombres de Stephano habían encontrado a Patrick Lanigan y lo habían secuestrado. Suponemos que los del FBI se pusieron en contacto con Stephano y le apretaron las clavijas. Su gente torturó a Patrick unas cuantas horas y luego lo entregó medio muerto al FBI.

Sandy cerró los ojos para memorizar todos los datos.

—Siga —dijo.

—Dos días después, Stephano fue arrestado y su oficina de Washington clausurada.

—¿Cómo lo sabe?

—Aún sigo en contacto con los hombres de Pluto. Nos cuestan muy caros, pero son muy eficientes. Sospechamos que Stephano ha estado negociando con el FBI mientras sus hombres trataban de dar conmigo. Y con mi padre.

—¿Qué quiere que le diga a Cutter?

—Primero háblele de mí. Dígale que soy abogada y que Patrick confía en mí plenamente. Que lo sé todo y que tomo decisiones por él. Luego cuéntele lo de mi padre.

—¿Cree que el FBI presionará a Stephano?

—Puede que sí y puede que no. En todo caso, no tenemos nada que perder.

Era casi la una y Leah estaba muy cansada. Sandy recogió las carpetas y se dirigió hacia la puerta.

—Aún tenemos mucho de que hablar —dijo Leah.

—Algún día me gustaría saberlo todo.

—Dénos un poco más de tiempo.

—No nos queda mucho.

26

El doctor Hayani empezó su ronda a las siete en punto de la mañana. Como todos los días, lo primero que hizo fue ir a ver cómo había pasado la noche Patrick, que seguía teniendo muchas dificultades para dormir. Se había acostumbrado a encontrarlo dormido, y a no enterarse de que había pasado toda la noche en vela hasta algunas horas más tarde. Por eso le sorprendió verlo despierto, sentado frente a la ventana en calzoncillos y mirando fijamente las persianas cerradas, como si hubiera algo que ver en ellas. La luz de la mesilla estaba encendida.

—Patrick, ¿se encuentra bien? —preguntó Hayani mientras se le acercaba.

Patrick no contestó. Hayani echó un vistazo a la mesa del rincón, que Patrick utilizaba de escritorio. No había ningún libro abierto ni ninguna carpeta fuera de sitio.

—No me pasa nada, doctor —respondió al fin.

—¿Ha podido dormir?

—No. No he pegado ojo en toda la noche.

—Ahora ya no tiene nada que temer. Ya ha salido el sol.

Patrick no se inmutó, y Hayani lo dejó en la misma postura en que lo había encontrado: agarrado a los brazos de la silla y escrutando las sombras.

El pasillo se llenó de voces familiares: la de Hayani, que comunicaba el parte médico a la escolta aburrida, y las de las enfermeras, que aprovechaban las idas y venidas para flirtear un poco con los agentes. «Ya es casi la hora de desayunar», pensó Patrick, y no precisamente porque esperara con impaciencia el momento de comer. Después de cuatro años y medio de pasar hambre, había aprendido a controlar su apetito. Normalmente le bastaba con dar un bocado de vez en cuando, pero procuraba tener siempre a mano manzanas y zanahorias para no sucumbir a otras tentaciones. Al principio, las enfermeras habían sentido el impulso de engordarlo, pero el doctor Hayani había intervenido a tiempo y le había impuesto una dieta a base de pan y verduras cocidas, baja en lípidos y sin sal.

Patrick se levantó y abrió la puerta. Como todas las mañanas, dio los buenos días a los agentes de guardia. Aquel día les tocaba el turno a Pete y Eddie, dos de los asiduos.

—¿Ha dormido bien? —le preguntó Eddie.

—Sin novedad, gracias —respondió Patrick.

Era una especie de ritual. Al fondo del pasillo, sentado en un banco al lado del ascensor, estaba el agente Brent Myers, el inútil que lo había escoltado desde Puerto Rico. Patrick lo saludó con una pequeña reverencia, pero Myers estaba abstraído en la lectura del periódico de la mañana.

Patrick regresó a su habitación y ejecutó unas cuantas flexiones suaves de rodilla. El tejido muscular ya se había regenerado, pero seguían doliéndole las quemaduras, de manera que aún no podía pensar en abdominales ni flexiones más serias.

Una enfermera llamó a la puerta y entró.

—¡Buenos días, Patrick! —dijo como si se alegrara de verlo—. Es hora de desayunar. ¿Qué tal has pasado la noche? —preguntó mientras dejaba la bandeja sobre la mesa.

—De fábula. ¿Y tú?

—Muy bien. ¿Necesitas algo más?

—No, gracias.

—Si quieres que te traiga algo, llámame.

Las frases eran casi siempre las mismas. Con todo, Patrick se daba cuenta de que había cosas mucho peores que la monotonía. En la cárcel del condado de Harrison le habrían pasado la bandeja del desayuno a través de una ranura, y habría tenido que comérselo en presencia de la última remesa de compañeros de celda.

Patrick se llevó la taza de café a la mesa del rincón, a la sombra del televisor. Luego encendió la luz y contempló su colección de carpetas.

Llevaba una semana en Biloxi. Su otra vida había terminado hacía exactamente trece días en una carretera sin asfaltar cuyo recuerdo le parecía cada vez más lejano. Habría dado cualquier cosa por volver a ser Danilo Silva y regresar a su existencia apacible de la casita de Rua Tiradentes, donde la asistenta le hablaba en un portugués musical que dejaba entrever sus orígenes indígenas. Echaba de menos los paseos por las calles soleadas de Ponta Porã, los largos recorridos por las afueras, el ajetreo del mercado y la cháchara de los jubilados sentados a la sombra con su infusión de té.

Echaba de menos Brasil, la patria de Danilo, vasta y hermosa, llena de contrastes, de buena gente, de ciudades populosas y pueblecitos apartados. Y echaba de menos a su querida Eva. No podía soportar la idea de vivir separado de su piel suave, de su dulce sonrisa, de su carne esplendorosa y de su alma cálida. No podía vivir sin ella.

¿Por qué no puede un hombre tener más de una vida? ¿Dónde está escrito que no se pueda volver a empezar? Más de una vez. Patrick había muerto. Danilo había perdido la libertad.

Había sobrevivido a la muerte de Patrick y a la captura de su segundo yo. ¿Por qué no escapar de nuevo? Sentía la llamada de una tercera vida, sin la infelicidad de la primera ni las sombras de la segunda. Una vida perfecta al lado de Eva. Juntos encontrarían algún lugar donde vivir, cualquiera donde no tuvieran que volver a separarse ni a enfrentarse con su pasado. Juntos formarían un hogar feliz y traerían al mundo a un montón de chiquillos.

La fortaleza de Eva, con ser grande, también tenía sus límites. Quería mucho a su padre, y sus orígenes ejercían sobre ella el poder de un imán. Todos los cariocas aman su ciudad por encima de todo, la consideran un don del Altísimo. Ahora su vida corría peligro por culpa suya, y era su deber protegerla. ¿Lo conseguiría? ¿O lo habría abandonado su buena estrella?

Cutter cedió ante la insistencia de Sandy y quedó en verse con él a las ocho de la mañana. La sede del FBI se desperezaba con la llegada de los burócratas más madrugadores, que preferían adelantarse a los atascos de las nueve.

Sin ser hostil, la actitud del agente federal dejaba mucho que desear desde el punto de vista de la hospitalidad. Y es que escuchar las pretensiones de los abogados no era una de sus ocupaciones favoritas. Después de llenar sendos vasos de plástico con café hirviendo, se puso a recoger un poco su pequeño escritorio.

Sandy le dio las gracias por la cita y consiguió congraciarse un tanto con él.

—¿Recuerda la llamada que recibió hace trece días? —preguntó el abogado—. La de la mujer brasileña.

—Sí.

—He hablado con ella un par de veces. Es abogada. Trabaja para Patrick.

—¿Está aquí?

—Más o menos.

Sandy enfrió su café con un soplido antes de tomar el primer sorbo. Sin mencionar en ningún momento el nombre de Leah, explicó al agente Cutter casi todo lo que sabía de ella. Luego le preguntó cómo iba la investigación del caso Stephano.

Cutter se puso a la defensiva. Mientras consideraba las implicaciones de la pregunta de Sandy, tomó algunas notas con un bolígrafo barato.

—¿Cómo sabe lo de Stephano?

—Mi colega, la abogada brasileña, lo sabe todo de él. Fue ella quien le dio su nombre, ¿se acuerda?

—¿Y se puede saber cómo llegó el nombre de Stephano a oídos de su colaboradora?

—Es una historia muy larga. Y muy complicada. La verdad es que ni yo mismo estoy al corriente de todos los datos.

—¿A qué viene hablar del tema entonces?

—Stephano sigue hostigando a mi cliente. Me gustaría pararle los pies.

Cutter volvió a sus notas y tomó otro trago de café. Intentaba dibujar un organigrama que explicara quién había dicho qué y a quién. No disponía de toda la información relacionada con el interrogatorio de Washington, pero le constaba que Stephano se había comprometido a cancelar su operación de búsqueda y captura.

—¿Qué le hace pensar que Stephano sigue teniendo interés en el caso?

—El hecho de que sus hombres hayan secuestrado al padre de mi colega. ¿Le parece poco?

Cutter no podía morderse la lengua ni pensar con claridad. Levantó la vista hacia el techo para reflexionar sobre lo que acababa de oír. Las piezas del rompecabezas empezaban a encajar.

—¿Cree posible que su colega brasileña conozca el paradero de los noventa millones?

—No me parece imposible.

Definitivamente, las piezas iban encajando.

—El secuestro es un intento de forzar el regreso de mi colega a Brasil, para así poder capturarla y someterla al mismo tipo de tratamiento que recibió mi cliente. El dinero está detrás de toda la operación.

—¿Cuándo tuvo lugar el secuestro? —preguntó Cutter con una lentitud no deliberada.

—Ayer.

Un par de horas antes, uno de los ayudantes de Sandy había obtenido algunos datos sobre el secuestro vía internet. Según un breve artículo aparecido en la página seis del diario *O Globo*, uno de los más leídos de Río, el nombre de la víctima era Paulo Miranda. Sandy seguía sin saber el verdadero nombre de Leah, pero daba por sentado que el FBI lo averiguaría en cuanto tuviera noticia del secuestro. De no ser porque no lo sabía, él mismo se lo habría facilitado. Al fin y al cabo, ¿qué más daba?

—Me temo que ese delito queda fuera de nuestra jurisdicción —dijo Cutter.

—No me venga con esas. Stephano es el responsable del secuestro. Presiónenlo. Díganle que mi colega no tiene intención de caer en su trampa y que está dispuesta a denunciarlo ante las autoridades brasileñas.

—Veré qué puedo hacer.

Cutter tenía presente que Sandy McDermott había acusado injustamente al FBI de haber torturado a Patrick Lanigan, y que reclamaba varios millones de dólares de indemnización en nombre de su cliente, pero decidió que no era el mejor momento para hablar del asunto. Ya tendrían tiempo de hacerlo más adelante.

—A Stephano solo le interesa el dinero —dijo Sandy—. Díganle que si sus hombres se atreven a hacer daño al viejo, no verá un solo dólar.

—¿Quiere eso decir que su cliente está dispuesto a negociar?

—¿A usted qué le parece? Cualquier cosa es mejor que una condena a muerte o a cadena perpetua.

—¿Qué mensaje debemos transmitir a Stephano?

—Díganle que libere a Paulo Miranda. Después hablaremos del dinero.

La jornada de Stephano empezó temprano. Le esperaba su cuarto y último día de declaración, el que pondría fin a su relato de la operación Lanigan. Su abogado no estaría presente en la sesión debido a cierto compromiso ineludible en los tribunales. Stephano no necesitaba a ningún leguleyo para manejar al FBI y, francamente, estaba harto de pagarle cuatrocientos cincuenta dólares por cada hora de simple compañía. El agente encargado de dirigir el interrogatorio se llamaba Oliver no sé qué y no era el mismo del día anterior. A Stephano le era indiferente. Todos estaban cortados por el mismo patrón.

—Hablábamos de un cirujano plástico —dijo Oliver, como si él y Stephano llevaran horas hablando y los hubiera interrumpido una llamada telefónica.

Lo cierto es que no se habían visto antes de entonces, y que habían pasado trece horas desde el final de la sesión anterior.

—Sí.

—Y, si no me equivoco, estábamos en abril de mil novecientos noventa y cuatro.

—Exacto.

—Cuando quiera.

Stephano se puso cómodo.

—Le perdimos la pista durante un tiempo. Durante mucho tiempo, a decir verdad. Trabajábamos sin descanso, pero los meses pasaban sin que descubriéramos nada nuevo. Nada en absoluto. Por fin, a finales de mil novecientos noventa y cuatro, recibimos la llamada de una agencia de detectives de Atlanta: Pluto Group.

—¿Pluto?

—Sí, Pluto Group. Buenos chicos. Ex colegas suyos, la mayoría. Nos hicieron muchas preguntas sobre la búsqueda de Patrick Lanigan y nos dijeron que tal vez podrían ayudarnos a encontrarlo. Hablé con ellos un par de veces aquí, en Washington. Los había contratado un cliente misterioso que decía saber algo sobre el paradero de Lanigan. El tema nos interesaba, evidentemente, pero las cosas avanzaban muy despacio. Al parecer, su cliente no tenía prisa. Como era de esperar, nos pidieron mucho dinero. Y eso nos dio esperanzas.

—¿Por qué?

—Porque si era verdad que su cliente sabía algo de Lanigan, el hecho de que aspirara a una buena recompensa significaba que también le constaba que Lanigan seguía teniendo mucho dinero. En julio de mil novecientos noventa y cinco los chicos de Pluto Group nos propusieron un trato. Su cliente estaba en condiciones de llevarnos hasta un lugar de Brasil donde Lanigan había vivido durante un tiempo. Les dije que estaba dispuesto a comprar esa información. ¿Por cuánto?, me preguntaron. Al final nos pusimos de acuerdo en la suma de cincuenta mil dólares. Valía la pena arriesgarse. Siguiendo sus instrucciones, enviamos el dinero a un banco de Panamá. Luego fuimos a Itajaí, una pequeña ciudad del estado de Santa Catarina, al sur de Brasil. La dirección que nos habían proporcionado correspondía a un pequeño bloque de apartamentos de un barrio residencial. El portero se mostró dispuesto a colaborar, sobre todo a cambio de una pequeña limosna. Le enseñamos las fotos del nuevo Patrick Lanigan y dijo que tal vez. La identificación definitiva nos costó unos cuantos billetes más. El hombre que buscábamos se llamaba Jan Horst y era alemán. O eso le parecía. Hablaba muy bien portugués. Había alquilado un apartamento de tres habitaciones durante dos meses. En efectivo. No dio muchas explicaciones ni se dejó ver mucho por allí, pero era un tipo simpático y le gustaba bajar a tomar café a la portería. La mujer del portero confirmó la identificación. Según ellos, Horst era escritor y estaba trabajando en un libro sobre el flujo de inmigrantes alemanes e italianos a Brasil. Cuando se fue, les dijo que tenía intención de pasar algún tiempo en Blumenau estudiando la arquitectura bávara de la ciudad.

—¿Fueron a Blumenau?

—Enseguida. Pero tuvimos que darnos por vencidos al cabo de dos meses. Pasados los primeros días de entusiasmo, volvimos a la rutina de recorrer hoteles y mercados enseñando las fotos de Lanigan y ofreciendo pequeños sobornos.

—¿Qué sé hizo de sus amigos de Pluto Group?

—Las relaciones se enfriaron considerablemente. Yo seguía teniendo mucho interés en hablar con ellos, pero el interés no era mutuo. Supuse que su cliente se había echado atrás, o que había desaparecido después de embolsarse los cincuenta mil dólares. Quién sabe. El caso es que estuvimos seis meses sin saber nada de ellos. Entonces, a finales de enero, volvieron a dar señales de vida. Su cliente necesitaba dinero y estaba dispuesto a contarlo todo. Después de regatear durante unos cuantos días, nos presentaron su última oferta: un millón de dólares a cambio del paradero exacto de Lanigan. Naturalmente, rechacé la oferta. Y no por el precio, sino por la falta de garantías. Su cliente no estaba dispuesto a hablar antes de cobrar la recompensa, y yo no estaba dispuesto a pagar hasta que él hubiera hablado. ¿Cómo podíamos estar seguros de que disponía de esa información? Es más, ¿cómo podíamos estar seguros de que la Agencia no actuaba por su cuenta? El ambiente se fue caldeando y acabamos por abandonar las negociaciones.

—¿Definitivamente?

—No. Era un lujo que no nos podíamos permitir. Su cliente quería el dinero y nosotros queríamos a Lanigan. Al final nos propusieron una oferta alternativa: a cambio de cincuenta mil dólares más, su cliente nos diría adónde había ido Lanigan después de dejar Itajai. Aceptamos porque el precio nos pareció más que razonable y porque siempre cabía la posibilidad de dar con alguna pista importante una vez allí. A ellos les convenía el arreglo porque reforzaba la credibilidad de su cliente y era un paso más hacia el millón de dólares. Siempre es un placer tratar con gente inteligente. Si los de Pluto hubieran ofrecido más garantías, les habría entregado la recompensa con mucho gusto.

—¿Adónde los enviaron?

—A São Mateus, en el estado de Espirito Santo. Es una pequeña ciudad costera de sesenta mil habitantes al norte de Río. Gente simpática y un buen lugar para vivir. Estuvimos un mes enseñando las fotos. El propietario del apartamento nos explicó una historia parecida a la de Itajai: Derrick Boone, súbdito británico, dos meses de alquiler, pago en efectivo. Y reconoció enseguida al hombre de las fotografías. Ni siquiera tuvimos que sobornarlo. Al parecer, el tal Boone se había quedado una semana más de lo previsto y el casero se sentía estafado. A diferencia de Horst, Derrick Boone era un tipo muy reservado y nunca decía adónde iba ni para qué. Eso es todo lo que pudimos averiguar. A principios de marzo dejamos São Mateus y nos establecimos en Río y en São Paulo con la intención de poner en práctica una nueva estrategia.

—¿Cuál?

—Olvidarnos del norte y concentrarnos en los pueblos de la zona de Río y São Paulo. Al mismo tiempo, intenté presionar a los chicos de Pluto desde Washington. Su cliente se negaba a aceptar cualquier oferta por debajo del millón de dólares, y el mío se negaba a desembolsar esa suma sin las garantías suficientes. Habíamos llegado a un auténtico atolladero. Las dos partes estaban interesadas en la negociación, pero nadie daba su brazo a torcer.

—¿De dónde procedía la información del cliente de Pluto Group? ¿Llegaron a saberlo?

—No, y nos pasamos horas especulando sobre el asunto. Una de nuestras teorías era que el cliente de la otra parte también estuviera tras la pista de Lanigan, pero la razón se nos escapaba. Podría tratarse de alguien relacionado con la investigación, algún agente del FBI con problemas de liquidez, por ejemplo. No era muy probable, pero había que contemplar todas las posibilidades. Nuestra hipótesis preferida era que el cliente de Pluto Group era una persona que conocía personalmente a Lanigan, alguien dispuesto a traicionar su confianza. En cualquier caso, tanto mi cliente como yo pensábamos que no podíamos dejar escapar ninguna oportunidad. Llevábamos casi cuatro años investigando y apenas habíamos avanzado. Brasil está lleno de lugares donde esconderse, y Lanigan había demostrado ser un auténtico experto en la materia.

—¿Pagaron la recompensa?

—No. Pagamos otros cincuenta mil dólares a cambio de fotos recientes de Lanigan. Eso fue en agosto. Nos lo propusieron y aceptamos. Hicimos la transferencia de rigor y ellos me entregaron las fotos aquí, en Washington, en mi despacho. Tres fotografías ampliadas en blanco y negro.

—¿Puedo verlas?

—Desde luego.

Stephano las sacó de su maletín, perfectamente ordenado, y se las pasó al agente. La primera era una foto de Lanigan en un mercado abarrotado, tomada con teleobjetivo; llevaba gafas de sol y sostenía algo parecido a un tomate. La segunda había sido tomada momentos antes o después de la primera: Patrick andando por la acera con una bolsa en la mano; llevaba vaqueros y no parecía extranjero. La tercera instantánea era la más jugosa: Patrick lavando su Volkswagen rojo en camiseta y pantalón corto. No se distinguía la matrícula ni el fondo, pero era la única en la que Patrick no llevaba gafas y se apreciaba perfectamente su cara.

—Ni matrículas ni nombres de ninguna calle —observó Oliver.

—Nada. Las estudiamos durante horas y no sacamos nada en claro. Ya le he dicho que tratábamos con gente inteligente.

—¿Qué hicieron entonces?

—Pagar el millón de dólares.

—¿Cuándo?

—En septiembre. Dejamos el dinero en depósito en Ginebra. La compañía fiduciaria tenía instrucciones de retenerlo hasta que las dos partes autorizaran su traslado. Según el trato, el cliente de Pluto Group disponía de quince días para facilitarnos el paradero de Lanigan. Fueron dos semanas interminables. Al decimosexto día pusimos el grito en el cielo y conseguimos la información. Lanigan vivía en el pueblo de Ponta Porã, en una calle llamada Rua Tiradentes. Nos trasladamos allí inmediatamente, pero tardamos algo más en dar el primer paso. Sabíamos por experiencia que Lanigan no era tonto, y temíamos que le hubieran salido ojos en el cogote. Por eso preferimos esperar y vigilarlo durante una semana. Utilizaba el nombre de Danilo Silva.

—¿Esperaron una semana?

—Sí. Había que actuar con cautela. Lanigan había escogido Ponta Porã por una buena razón. Los alemanes descubrieron el pueblo después de la guerra: es el paraíso de los fugitivos. Las autoridades aceptan sobornos como si fuera la cosa más natural del mundo. Si se tienen problemas, basta con sobornar a la policía para conseguir protección. En fin, esperamos, elaboramos un plan de acción y, finalmente, lo capturamos a las afueras del pueblo, en una carretera perdida. Nadie nos vio. No hubo ningún contratiempo. Luego nos lo llevamos a Paraguay y lo escondimos en un lugar seguro.

—¿Fue en Paraguay donde lo torturaron?

Stephano hizo una pausa para beber café. Luego miró a Oliver a los ojos.

—Más o menos.

27

Patrick andaba y se desperezaba en un extremo de la sala de juntas del personal médico, mientras Sandy escuchaba sentado sus instrucciones y tomaba nota de ellas en un bloc. La bandeja de galletas que les había llevado una de las enfermeras seguía intacta. En un momento dado, Sandy se quedó mirando las galletas y se preguntó cuántos presuntos asesinos disfrutaban de privilegios como aquel, cuántos disponían de su propia escolta, cuántos comían pizza en compañía de un juez.

—Sandy —le dijo Patrick sin mirarlo—, la situación está cambiando. Tenemos que darnos prisa.

—¿En hacer qué?

—No querrá quedarse aquí mientras dure el secuestro.

—Como de costumbre, no sé de qué me hablas. Cada vez hay más cosas que no entiendo. Patrick, me temo que tú y tu amiga no habláis el mismo idioma que yo. Y ya sé que no tengo derecho a quejarme. Al fin y al cabo, ¿qué necesidad tiene un abogado de estar al corriente del caso de su cliente?

—Leah conoce la historia y tiene a su disposición toda la documentación correspondiente. Ve a verla.

—Ya lo he hecho. Ayer por la noche.

—Te está esperando.

—¿En serio? ¿Y puede saberse dónde?

—En Perdido Bay. En una casa junto a la playa.

—No me lo digas. Quieres que vaya a hablar con ella ahora mismo.

—Es importante, Sandy.

—¡También lo son mis demás clientes! —protestó—. ¿Por qué no cuentas qué es lo que te traes entre manos?

—Lo siento.

—Esta tarde tengo una comparecencia. Luego tengo el partido de fútbol de mi hija. ¿Sería mucho pedir que me avisaras con un poco de antelación?

—¿Cómo iba yo a saber que habría un secuestro? Sandy, tienes que admitir que este caso se sale un poco de lo normal. Ten paciencia.

Sandy respiró hondo y escribió algo en su bloc de notas. Patrick se sentó a la mesa, a su lado.

—Lo siento —insistió.

—¿Y cuál va a ser el tema de conversación en la casa de la playa?

—Aricia.

—Aricia —repitió el abogado antes de fijar la mirada en el infinito.

Conocía la historia por encima gracias a los periódicos.

—Os llevará varias horas. Llévate el pijama.

—¿Tengo que quedarme a pasar la noche en esa casa?

—Sí.

—¿Con Leah?

—Sí. No te preocupes, es una casa muy grande.

—¿Y qué se supone que tengo que decirle a mi mujer? ¿Que voy a pasar la noche en una casa junto al mar en compañía de una carioca despampanante?

—Yo que tú le ahorraría los detalles. Dile solo que tienes una reunión con el resto del equipo de la defensa.

—Valiente excusa.

—Sandy... Gracias.

Oliver recibió refuerzos después de un receso del interrogatorio. Underhill y él ocuparon sillas contiguas frente a la cámara de vídeo, y dirigieron su mirada al otro extremo de la mesa, donde estaba Jack Stephano.

—¿Quién interrogó a Patrick? —preguntó Underhill.

—No estoy obligado a facilitar los nombres de mis colaboradores.

—¿Tenía esa persona algún tipo de experiencia en contextos semejantes?

—Limitada.

—Describa los medios de coacción utilizados.

—No creo que...

—Señor Stephano, le recuerdo que hemos visto las fotos de las quemaduras y que una querella presentada por el abogado del señor Lanigan atribuye al FBI los excesos cometidos por sus hombres. ¿Y bien?

—Yo no estuve presente durante el interrogatorio. Ni tampoco decidí en qué términos se iba a llevar a cabo. Digamos que el tema escapa a mis conocimientos. Solo sabía que el cuerpo de Lanigan sería sometido a una serie de descargas eléctricas localizadas en puntos estratégicos. Y eso es lo que pasó. Personalmente, desconocía los efectos secundarios del tratamiento.

Underhill y Oliver intercambiaron una mirada incrédula en silencio. Stephano la contempló con desdén.

—¿Cuánto tiempo duró el interrogatorio?

—Entre cinco y seis horas.

Los dos agentes consultaron un informe y comentaron algo en voz baja. Underhill hizo algunas preguntas sobre el proceso de identificación, y Stephano le explicó lo de las huellas dactilares. Oliver, por su parte, se centró en la secuencia temporal de la narración, y se pasó casi una hora tratando de establecer a qué hora había tenido lugar la captura de Lanigan, qué distancia habían recorrido después del secuestro y durante cuánto tiempo lo habían interrogado. La presión sobre el interrogado aumentó durante el relato del viaje desde la selva hasta la pista de aterrizaje de Concepción. Al cabo de un rato, cuando creyeron que ya habían recabado toda la información posible, los dos agentes discutieron la estrategia que convenía seguir y reanudaron el interrogatorio con la pregunta crucial:

—¿Qué les contó Lanigan sobre el dinero?

—No mucho. Nos dijo dónde había estado, pero no adónde había ido a parar.

—Supongo que esa confesión le fue arrancada a la fuerza. ¿Me equivoco?

—En absoluto.

—¿Está seguro de que Lanigan desconocía realmente el paradero del dinero en aquellos momentos?

—Ya le he dicho que yo no presencié el interrogatorio, pero el hombre que lo dirigió dice que no le cabe ninguna duda.

—¿Existe alguna grabación, visual o sonora, de dicho interrogatorio?

—¿Por quién me toma? —dijo Jack, como si la idea ni siquiera le hubiera pasado por la cabeza—. Pues claro que no.

—¿Mencionó Lanigan el nombre de algún cómplice?

—No, que yo sepa.

—¿Qué quiere decir?

—Que no lo sé.

—¿Qué hay del hombre que dirigió el interrogatorio? ¿Sabe él si Lanigan mencionó el nombre de algún cómplice?

—No, que yo sepa.

—Dicho de otro modo: a usted no le consta que Lanigan mencionara el nombre de ningún cómplice.

—Exacto.

Hubo más consultas y más comentarios en voz baja, seguidos de una pausa que alarmó profundamente a Stephano. Había dicho dos mentiras seguidas, la de la grabación y la del cómplice, pero le parecía imposible que pudieran pillarlo en falta. ¿Cómo iba a saber alguien lo que se dijo o se dejó de decir en aquella selva de Paraguay? Por otro lado, del FBI se podía esperar cualquier cosa. Stephano empezó a dar muestras de nerviosismo.

La puerta se abrió de repente para dejar paso a Hamilton Jaynes y Warren, el tercer interrogador.

—Hola, Jack —dijo Jaynes en voz alta mientras tomaba asiento en un lateral de la mesa. Warren fue a sentarse al lado de sus compañeros.

—¿Qué tal, Hamilton? —respondió Stephano aún más nervioso.

—Le estaba escuchando desde la sala de al lado —dijo Jaynes con una sonrisa—, y de pronto he tenido la sensación de que no decía toda la verdad.

—Se equivoca.

—Ya decía yo. Dígame, ¿le suena por casualidad el nombre de Eva Miranda?

Stephano repitió el nombre como si no supiera a qué venía aquella pregunta.

—No.

—Es una abogada de Río, una amiga de Patrick.

—Pues no. No me suena.

—Eso es lo que más me preocupa, Jack. Algo me dice que sabe exactamente quién es.

—Nunca había oído hablar de ella.

—¿Por qué intenta encontrarla entonces?

—No sé de qué me está hablando —dijo Stephano sin mucha convicción.

Underhill tomó la palabra.

—Miente —sentenció con los ojos clavados en Stephano.

—Desde luego —ratificó Oliver.

—Sin duda —añadió Warren.

Los ojos de Stephano intentaron localizar el origen de las tres voces. Él quiso decir algo en su defensa, pero Jaynes lo atajó con un gesto. Acababa de hacer su entrada en la sala otro agente de la misma escuela que Underhill, Oliver y Warren.

—El detector de mentiras dice que miente —anunció antes de irse por donde había venido.

Jaynes cogió una hoja y resumió su contenido:

—Este artículo ha aparecido esta mañana en un periódico de Río. Informa del secuestro de un tal Paulo Miranda. Su hija es esa amiga de Patrick de quien acabo de hablarle. Según las autoridades de Río, los secuestradores no se han puesto en contacto con la familia ni han pedido ningún rescate.

Jaynes lanzó el papel en dirección a Stephano, pero calculó mal la distancia.

—¿Y bien? ¿Dónde está el señor Miranda? —preguntó.

—No lo sé. No sé de qué me está hablando.

Jaynes se volvió hacia los interrogadores.

—Sigue mintiendo —dijo Underhill.

Los demás asintieron con la cabeza.

—Usted y yo habíamos hecho un trato, Jack. La verdad a cambio de retirar los cargos y, corríjame si me equivoco, de no arrestar a sus clientes. Francamente, no sé cómo interpretar su actitud.

Stephano no perdía de vista a Underhill y a Oliver, que parecían dispuestos a arremeter contra él a la mínima oportunidad. Ellos le devolvían la mirada sin inmutarse.

—Ella es quien sabe dónde está el dinero —confesó Stephano con resignación.

—¿Han podido localizarla?

—No. Se fue de Río cuando encontramos a Patrick.

—¿Tienen alguna idea de adónde puede haber ido?

—No.

Jaynes consultó su detector de mentiras particular. Sí, según los tres interrogadores, Stephano había dejado de mentir.

—Acordamos que contaría todo lo que sabía —dijo Jack—. Nada más. ¿Por qué iba a abandonar la búsqueda?

—Entonces nosotros no sabíamos de la existencia de Eva Miranda.

—Lástima. Si lo cree necesario, podemos revisar los términos del acuerdo. En cuanto hable con mi abogado...

—¿Qué hay de sus mentiras?

—Pido perdón. No volverá a suceder.

—Deje en paz a la chica, Jack. Y suelte a su padre.

—Lo pensaré.

—No. Lo hará ahora mismo.

La casa de la playa era un moderno edificio de tres plantas construido, lo mismo que varias casas cercanas e idénticas, en el último sector de costa urbanizado. El mes de octubre correspondía a la temporada baja, por eso la mayoría de las casas parecían vacías. Sandy aparcó detrás de un coche recién lavado y con matrícula de Lusiana. De alquiler, seguramente. El sol se acercaba al horizonte, y ya solo lo separaban unos cuantos centímetros de la superficie lisa del agua. El Golfo estaba desierto; ni un barco a la vista. Sandy subió la escalera y recorrió la galería exterior hasta encontrar la puerta principal. Leah lo recibió con una sonrisa, un gesto forzado que contradecía su temperamento alegre y que demostraba hasta qué punto la habían afectado los últimos acontecimientos.

—Pase —le dijo en voz baja antes de volver a cerrar con llave.

El salón era una habitación espaciosa con el techo abovedado, tres paredes acristaladas y una chimenea en el centro.

—Bonita casa —comentó Sandy mientras aspiraba el delicioso aroma procedente de la cocina. Gracias a su amigo Patrick, se había quedado sin almuerzo.

—¿Le apetece comer algo? —preguntó Leah.

—Con mucho gusto —aceptó Sandy.

—Estoy preparando la cena.

—Perfecto.

El suelo de madera noble crujió un poco bajo los pasos de los dos abogados. Leah acompañó a Sandy hasta el comedor instalado en un rincón del inmenso salón. Sobre la mesa había una caja de cartón con varios montones de papeles al lado. Leah había estado trabajando.

—Este es el expediente Aricia —anunció al llegar junto a la mesa.

—¿Obra de...?

—De Patrick, por supuesto.

—¿Y de dónde ha salido?

—De un guardamuebles de Mobile.

Las respuestas de Leah, concisas, daban pie a una docena de preguntas que Sandy le habría formulado con sumo gusto.

—Hablaremos del asunto más tarde —añadió, acompañando sus palabras de un gesto indiferente.

Al lado del fregadero, sobre la tabla de trinchar, había un pollo asado. Una sartén con arroz y verduras salteadas humeaba sobre los fogones.

—Nada extraordinario —se disculpó—. Me resulta difícil cocinar fuera de casa.

—Tiene un aspecto de lo más apetitoso. ¿A quién pertenece esta casa?

—A una inmobiliaria. La he alquilado por un mes.

Leah trinchó el pollo y pidió a Sandy que sirviera el vino, un buen Pinot Noir de California. Luego llevaron las viandas al rincón del desayuno y se sentaron a la mesa. Había una vista espléndida del mar y del sol poniente.

—Salud —brindó Leah.

—A la de Patrick —añadió Sandy.

—A la de Patrick.

Leah no hizo ningún esfuerzo por aparentar apetito. Sandy se metió una porción de pollo en la boca.

—¿Cómo está?

Sandy masticó el bocado a toda prisa para que la joven no lo viera comer a dos carrillos. Luego tomó un sorbo de vino y se limpió los labios con la servilleta.

—Se encuentra mejor. Las quemaduras ya están casi curadas. Ayer lo visitó un cirujano plástico y le dijo que no necesitaría ningún injerto. Le quedarán cicatrices durante unos cuantos años, pero también le irán desapareciendo con el tiempo. Las enfermeras le llevan galletas, y el juez en persona compartió una pizza con él. Y tiene a seis hombres vigilándolo las veinticuatro horas del día. Yo diría que, teniendo en cuenta el delito del que se le acusa, no se puede quejar.

—¿Se refiere al juez Huskey?

—Sí, Karl Huskey. ¿Lo conoce?

—No, pero Patrick hablaba de él a menudo. Eran buenos amigos. Una vez me dijo que si tenían que atraparlo, prefería que fuera durante el mandato del juez Huskey.

—Está a punto de retirarse —dijo Sandy.

No se podía negar que Patrick tenía el don de la oportunidad.

—Él no podrá hacerse cargo del caso de Patrick, ¿verdad?

—No, tendrá que inhibirse muy pronto.

Sandy se metió en la boca una segunda porción de pollo, mucho más pequeña que la primera. Leah ni siquiera había tocado los cubiertos. Sostenía la copa de vino a la altura de la sien, y contemplaba las nubes de color naranja y violeta que cubrían el horizonte.

—Tendrá que perdonarme. He olvidado preguntarle por su padre.

—Seguimos sin tener noticias suyas. He hablado con mi hermano hace tres horas y no se sabe nada.

—Cuánto lo siento. Ojalá estuviera en mi mano ayudarla.

—Ojalá estuviera en la mía. Esta situación es desesperante. No puedo volver a casa, no puedo quedarme aquí...

—Lo siento —repitió Sandy.

No se le ocurría un consuelo mejor.

El resto de la cena transcurrió en silencio. Sandy siguió comiendo mientras Leah jugueteaba con la comida de su plato y contemplaba el océano.

—Delicioso —comentó Sandy por segunda vez.

—Gracias —respondió ella con una sonrisa triste.

—¿A qué se dedica su padre?

—Da clases en la universidad.

—¿Dónde?

—En Río. En la Universidad Católica.

—¿Y dónde vive?

—En Ipanema, en el piso donde vivíamos cuando yo era pequeña.

El padre de Leah era un tema delicado, pero al menos no generaba preguntas sin respuesta. Tal vez Leah necesitara desahogarse. Sandy siguió haciéndole preguntas generales que no tuvieran nada que ver con el secuestro.

La cena acabó con el plato de Leah intacto.

—¿Le apetece un café? —preguntó Leah.

—Me temo que nos hará falta.

—Sí.

Los dos abogados retiraron los platos de plástico de la mesa y los dejaron en la cocina. Leah se ofreció a preparar el café mientras Sandy echaba un vistazo a la casa. Cuando volvió al comedor, se encontró con que las tazas estaban llenas y ya no había lugar para la conversación intrascendente. Leah y él se sentaron cada uno a un extremo de la mesa de cristal.

—¿Qué sabe del caso Aricia? —preguntó Leah.

—Según los periódicos, los noventa millones que Patrick se llevó eran suyos. Trabajaba para Platt & Rockland cuando se descubrió que la compañía había estado cobrando dinero de más al gobierno. Entonces se acogió a la Ley de Contratación Pública y los demandó. Platt & Rockland se vio obligada a devolver unos seiscientos millones de dólares, y, según la ley, a Aricia le correspondía el quince por ciento de esa cantidad. El bufete de Bogan, el mismo donde trabajaba Patrick, fue quien llevó el caso a los tribunales. Eso es todo lo que sé. Lo que sabe todo el mundo.

—No está mal. Lo que yo voy a contarle corresponde al contenido de estas cintas y estos documentos. Los repasaremos despacio para que vaya familiarizándose con ellos. Tarde o temprano tendrá que aprendérselos de memoria.

—No crea que este es mi primer caso —dijo él con una sonrisa.

La seriedad de Leah abortó cualquier otra muestra de simpatía.

—La reclamación de Aricia no fue más que un fraude. —Leah hablaba despacio, sin prisa, para que Sandy tuviera tiempo de asimilar la información—. Benny Aricia es un hombre sin escrúpulos que un buen día concibió un plan para estafar a la vez a su empresa y a su gobierno. Lo ayudaron varios abogados competentes y algunos peces gordos de Washington. Esos abogados son los antiguos socios de Patrick.

—Y uno de los peces gordos debe de ser el senador Nye, el primo hermano de Bogan.

—Así es, pero no olvide que el senador Nye tiene muchos contactos en la capital.

—Eso dicen.

—Aricia se puso en manos de Bogan tan pronto como hubo urdido su plan. Patrick ya era socio del bufete, pero no lo pusieron al corriente del caso. En cambio, Bogan invitó a participar a todos los demás. Patrick detectó ciertos cambios en el bufete y adivinó que algo pasaba. Entonces empezó a atar cabos y a investigar por su cuenta, y acabó descubriendo que un tal Aricia, un nuevo cliente, era la causa de todo aquel secreto. Patrick se armó de paciencia e hizo ver que no sabía nada, pero no dejó de reunir pruebas en su contra. Muchas de ellas están aquí —dijo con la mano sobre la caja.

—Volvamos al principio —sugirió Sandy—. ¿Por qué dice que la reclamación fue fraudulenta?

—Aricia dirigía los astilleros de Pascagoula, una de las divisiones del grupo Platt & Rockland.

—Eso ya lo sé. Proveedores del Departamento de Defensa. Con fama de ladrones y un pasado más que turbio.

—Exacto. Aricia aprovechó las dimensiones del grupo

para poner en práctica su plan. Los astilleros estaban construyendo varios submarinos nucleares y ya se habían pasado del presupuesto. Aricia decidió empeorar las cosas. Los astilleros presentaron nóminas falsas: empleados ficticios y miles de horas de mano de obra imaginaria para justificar el precio de un trabajo inexistente. Y también cobraron los materiales a precios exorbitantes: bombillas de dieciséis dólares, vasos de papel de treinta, etcétera. La lista es infinita.

—¿Y está en esta caja?

—Aquí solo constan las grandes partidas: sistemas de radar, misiles, armas y un montón de cosas de las que nunca había oído hablar. Las bombillas son insignificantes. Aricia llevaba tiempo suficiente en la empresa para conseguir que sus malas artes pasaran inadvertidas. Generaba una cantidad ingente de papeleo, casi siempre firmado por otros. Dentro de Platt & Rockland había seis divisiones vinculadas contractualmente al Departamento de Defensa, y la organización era un auténtico caos. Aricia se aprovechó de este hecho. Para cada factura fraudulenta, tenía un escrito de autorización firmado por alguno de los ejecutivos de la central. Subcontrataba los materiales a los que luego aplicaba el sobreprecio, y solicitaba la aprobación de sus superiores. El sistema funcionaba a las mil maravillas, y no tenía secretos para un hombre astuto y dispuesto a todo. Por suerte para nosotros, Aricia guardaba todos sus papeles en un archivo y, llegado el momento, se los entregó a sus abogados.

—¿Es así como llegaron a manos de Patrick?

—Algunos.

Sandy contempló de nuevo la caja. Tenía las solapas cerradas.

—¿Y los ha tenido escondidos desde que se fue?

—Sí.

—¿Volvió alguna vez para comprobar que todo estuviera en orden?

—Nunca.

—¿Y usted?

—Yo vine hace dos años para renovar el contrato de alquiler del guardamuebles. Vi la caja, pero no tuve tiempo de examinar su contenido. Estaba nerviosa y asustada, y había venido a regañadientes. Yo estaba segura de que todo este material nunca serviría de nada porque Patrick no se dejaría coger. Pero él siempre supo que esto pasaría.

El abogado que había en Sandy tenía mil preguntas en la punta de la lengua, y ninguna relacionada con el caso Aricia. Calma, se dijo, haz ver que no te interesa y puede que algún día se resuelvan todas las incógnitas.

—Aricia llevó su plan a buen puerto —recapituló Sandy— y luego se puso en contacto con Charles Bogan, que tenía un primo bien situado en Washington y a un juez federal en el bolsillo. ¿Sabía Bogan que Aricia era el culpable de los excesos presupuestarios?

Leah se puso de pie, metió la mano en la caja, y sacó de ella un magnetófono alimentado con pilas y una serie de minicasetes perfectamente etiquetados. Escogió el que quería con la punta de un bolígrafo y lo introdujo en el reproductor. Sandy se dio cuenta de que no era la primera vez.

—Escuche esto —dijo—. Once de septiembre de mil novecientos noventa y uno. La primera voz es la de Bogan; la segunda es de Aricia. Bogan atiende la llamada desde la sala de juntas del primer piso del bufete.

Sandy apoyó los codos en la mesa. La cinta empezó a dar vueltas.

BOGAN: He recibido una llamada de uno de los abogados de Platt & Rockland. Un tal Krasny, de Nueva York.

ARICIA: Lo conozco. Neoyorquino tenía que ser.

BOGAN: Sí, no me ha parecido demasiado simpático. Ha dicho que podría haber pruebas contra ti en el caso de la doble facturación de las pantallas de radar que los astilleros compraron a RamTec. Le he pedido que me las enseñe, y hemos quedado en vernos dentro de una semana.

ARICIA: No te preocupes, Charlie. Te aseguro que no hay

manera humana de demostrarlo. No encontrarán mi firma en ninguna parte.

BOGAN: ¿Estabas al corriente del fraude?

ARICIA: Pues claro. Fue idea mía. Otra de mis ideas geniales. Su problema, Charlie, es que no pueden probarlo. No hay documentos, no hay testigos...

La grabación llegó a su fin.

—La misma conversación, diez minutos más tarde —anunció Leah.

ARICIA: ¿Cómo está el senador?

BOGAN: Bien. Ayer se reunió con el secretario de Estado para la Marina.

ARICIA: ¿Y qué tal le fue?

BOGAN: Bien. Se conocen desde hace mucho tiempo. El senador le comunicó su deseo de castigar la avaricia de Platt & Rockland sin perjudicar el proyecto de construcción de los submarinos. El secretario le dijo que a él también le parecía lo más adecuado, dadas las circunstancias, y que ejercería toda la presión necesaria para que el escarmiento fuera ejemplar.

ARICIA: ¿No podría acelerar un poco el proceso?

BOGAN: ¿Por qué?

ARICIA: Porque quiero ese dinero de una buena vez. Lo huelo, Charlie. ¡Lo toco!

Leah paró el magnetófono. Luego recuperó la cinta y la dejó con las demás.

—Patrick empezó a hacer estas grabaciones a principios del mil novecientos noventa y uno. Bogan y los demás tenían previsto prescindir de sus servicios a finales de febrero, alegando bajo rendimiento.

—¿Toda esa caja está llena de cintas?

—Hay unas sesenta grabaciones en total. Patrick escogió los fragmentos más jugosos para que se pudieran escuchar en solo tres horas.

Sandy consultó el reloj.

—Tenemos mucho que hacer —dijo Leah.

28

Paulo Miranda vio denegada su primera petición de tener acceso a un aparato de radio. Más tarde sus captores se dieron cuenta de que solo lo quería para oír música y le proporcionaron un radiocasete de segunda mano y dos cintas de la Orquesta Filarmónica de Río. Paulo se pasó horas enteras hojeando revistas viejas y escuchando música clásica —su preferida— con el volumen casi al mínimo. Mientras tanto, alguien decidía si podría o no leer libros durante su encierro. Sus secuestradores eran un puñado de hombres jóvenes a las órdenes de un cabecilla que Paulo nunca llegaría a ver. Si algún día, tal como le habían prometido, le devolvían la libertad, desaparecerían sin dejar rastro y de nada serviría denunciarlos.

El segundo día de secuestro transcurrió lentamente. Si esperaban que Eva cayera en su burda trampa es que no la conocían tan bien como él. Algún día, cuando todo se hubiera aclarado, entendería el porqué de todos aquellos misterios. Mientras tanto, estaba dispuesto a esperar.

Su señoría acudió a su segunda cita con Patrick con una pizza bajo el brazo. Había disfrutado tanto de su primer encuentro al cabo de los años que aquella misma tarde había llamado al hospital para ver si a su amigo le apetecía repetir.

Patrick habría hecho cualquier cosa por un poco de compañía.

Nada más llegar, Huskey abrió su maletín y dejó sobre el improvisado escritorio de Patrick un fajo de cartas.

—Todos te mandaban saludos, sobre todo los chicos del juzgado, y les he dado permiso para ponerlos por escrito.

—No sabía que tenía tantos amigos.

—Y no los tienes. Son funcionarios aburridos que no saben en qué otra cosa emplear su tiempo. Para ellos es casi como haber tomado parte en la acción.

—Caramba, gracias por sacarme de mi error.

Huskey acercó una silla a la cama y apoyó los pies en un cajón abierto de la mesita. Patrick se había comido dos porciones de pizza y empezaba a perder el apetito.

—Tendré que inhibirme del caso muy pronto —dijo Huskey como si pidiera disculpas por ello.

—Lo sé.

—Esta mañana he estado un buen rato hablando con Trussel. Ya sé que no es santo de tu devoción, pero es un buen juez. Está dispuesto a hacerse cargo del caso.

—Prefiero al juez Lanks.

—Ya lo sé, pero, por desgracia, no puedes elegir. Lanks tiene problemas de hipertensión, y desde hace algún tiempo tratamos de no asignarle ningún caso importante. Además, Trussel tiene más experiencia que Lanks y yo juntos, sobre todo en casos de pena de muerte.

Patrick se estremeció al oír las últimas palabras del juez y se quedó paralizado, como le pasaba a veces cuando se miraba mucho rato en el espejo. Un caso de pena de muerte. Huskey tomó buena nota de la reacción de su amigo.

Dicen que cualquiera es capaz de cometer un asesinato si se dan las circunstancias adecuadas, y Huskey había tenido ocasión de comprobarlo a lo largo de sus doce años en el estrado. Si Patrick resultaba ser culpable, lo único extraordinario del caso sería la relación de amistad que los unía.

—¿Por qué quieres dejar la judicatura? —preguntó Patrick.

—Por lo mismo que todos los jueces. Porque estoy harto del trabajo. Además, o lo hago ahora o no lo haré nunca. Los chicos están a punto de entrar en la universidad y nos hace falta más dinero. —Huskey hizo una pequeña pausa antes de preguntar—: Oye, ¿y tú cómo lo sabes? Que yo sepa, no lo han dicho en televisión.

—Las noticias vuelan.

—¿Hasta Brasil?

—Tú ganas. Me lo contó un pajarito.

—¿Alguien de Biloxi?

—No. Qué ocurrencia. ¿Cómo iba a correr el riesgo de seguir en contacto con alguien de aquí?

—Alguien de Brasil, entonces.

—Sí, alguien que conocí en un bufete.

—Ya. Y este abogado estará al corriente de todo, ¿no?

—Abogada. Sí, de todo.

Huskey juntó las palmas de las manos en un gesto cómplice.

—Conque esas tenemos, ¿eh?

—La próxima vez que desaparezcas —bromeó Patrick—, búscate una buena abogada.

—Descuida. Por cierto, ¿dónde está ahora tu amiga?

—No muy lejos de aquí, supongo.

—Ya veo. Entonces es ella quien tiene el dinero.

Patrick sonrió y acabó por soltar una carcajada. El juez había conseguido por fin romper el hielo.

—Karl, ¿qué es lo que quieres saber exactamente?

—Todo. Cómo robaste el dinero. Dónde está. Cuánto queda.

—¿Qué has oído comentar en el juzgado? ¿Circula algún rumor descabellado?

—Cientos de ellos. Mi preferido dice que has multiplicado tu fortuna por dos y la tienes enterrada en una caja fuerte suiza. Tenías planeado retirarte a los Alpes a contar tu dinero cuando te cansaras de la vida en los trópicos.

—No está mal.

—¿Y te acuerdas de Bobby Doak, esa rata purulenta que tramita divorcios por noventa y nueve dólares y odia a todos los abogados que cobran más?

—¿Cómo iba a olvidarlo? Se anunciaba en la hoja parroquial.

—El mismo. Ayer lo vi tomando café en el despacho del oficial del juzgado. Le estaba contando que sabía de fuentes fidedignas que te habías gastado el dinero en drogas y prostitutas adolescentes, y que por eso te habían encontrado en Brasil viviendo como un campesino.

—El bueno de Doak. No esperaba menos de él.

El silencio de Patrick parecía poner fin a aquellos momentos de frivolidad, pero Huskey no estaba dispuesto a dejar pasar otra oportunidad.

—Bueno, ¿dónde está el dinero?

—Lo siento, Karl, no puedo decírtelo.

—¿Cuánto te queda?

—Mucho.

—¿Más de lo que robaste?

—Más de lo que me llevé, sí.

Patrick bajó de la cama y se acercó a la puerta; estaba cerrada. Se desperezó para desentumecer brazos y piernas, y bebió un poco de agua. Luego volvió junto a Karl y se sentó en el borde de la cama.

—Tuve un golpe de suerte —le confesó en su susurro.

Huskey habría sido capaz hasta de leerle los labios.

—Estaba decidido a marcharme —continuó—. Con o sin el dinero. Sabía que el bufete estaba a punto de ingresar una minuta importante y había estudiado la manera de quedarme con el dinero, pero te aseguro que si algo hubiera salido mal, habría desaparecido igualmente. La sola idea de pasar otro día al lado de Trudy me ponía enfermo. Y el trabajo me daba asco. Además, por si eso fuera poco, estaba a punto de perderlo de todas maneras. Bogan y los demás estaban implicados en un fraude de proporciones mayúsculas, y yo era la única persona ajena al negocio que estaba al corriente de sus manejos.

—¿Qué fraude?

—La demanda de Aricia. Luego te lo cuento. El caso es que planeé mi desaparición con tiempo y la suerte me acompañó. De hecho, siguió acompañándome hasta hace dos semanas. Una suerte increíble.

—Nos habíamos quedado en el entierro.

—Sí. Después de la ceremonia volví al apartamento que había alquilado en Orange Beach. Estuve allí encerrado un par de días, escuchando diálogos en portugués y memorizando vocabulario. También dediqué muchas horas a resumir las conversaciones que había grabado en el bufete y a ordenar toda la documentación que había ido acumulando. La verdad es que trabajé como nunca. De noche me pasaba horas enteras paseando por la playa, tratando de quitarme de encima todos esos kilos de más. Llegó un momento en que dejé de comer por completo.

—¿A qué documentación te refieres?

—A la del expediente Aricia. Entonces empecé a hacer mis pinitos con la vela. Había salido a navegar otras veces, pero de repente encontré la motivación que necesitaba para convertirme en un lobo de mar. El barco era lo bastante grande para no tener que repostar durante varios días, y pronto me di cuenta de que no encontraría un escondite mejor.

—¿Me estás diciendo que seguiste viviendo en la Costa?

—Sí. Desde el fondeadero de Ship Island veía la playa de Biloxi.

—¿Por qué no te fuiste?

—Quería saber qué pasaba en el bufete. Los micrófonos seguían en su sitio. No había ni un teléfono ni una mesa que no tuviera el suyo. Los había por todas partes, excepto en el despacho de Bogan. Hasta en el lavabo de caballeros de la planta baja, entre el despacho de Bogan y el de Vitrano. Los micrófonos transmitían la información a un receptor que había escondido en el altillo, entre un montón de expedientes olvidados. El bufete está en un edificio muy antiguo, y hacía años que nadie se acordaba de aquel altillo. En el tejado, pegada a la chimenea, había una antena de televisión que aproveché para colocar los cables. El receptor retransmitía la información de los micrófonos a una antena parabólica de veinticinco centímetros de diámetro que había instalado en el barco. Estamos hablando de tecnología punta, Karl. El equipo me costó una fortuna, y tuve que comprarlo en el mercado negro mientras estábamos de vacaciones en Roma. Con los prismáticos alcanzaba a ver la chimenea incluso desde alta mar, y no tenía ningún problema para recibir la señal. Desde el barco podía escuchar cualquier conversación que tuviera lugar dentro del radio de acción de alguno de los micrófonos. De día las grababa todas, y de noche borraba lo que no me interesaba. Sabía a qué restaurante iban a comer y si sus mujeres estaban de mejor o peor humor. Lo sabía absolutamente todo.

—Increíble.

—Deberías haberlos oído después del entierro. Haciendo ver que estaban muy afectados por mi pérdida y aceptando pésames por teléfono. En cuanto se quedaban solos, se ponían a contar chistes a mi costa. Mi muerte les había ahorrado un mal trago, sobre todo a Bogan, que era quien tenía que comunicarme el despido. El día después del entierro, Havarac y él estuvieron hablando en la sala de juntas con un vaso de whisky escocés en la mano. Dijeron que había tenido la suerte de morir en el momento más oportuno.

—¿Aún tienes esas cintas?

—¿Tú qué crees? Tengo grabada la conversación que mantuvieron Trudy y Doug Vitrano en mi despacho horas antes del funeral. Abrieron la caja fuerte y se encontraron con una póliza de dos millones de dólares que no se esperaban. Es para morirse de risa. Trudy tardó menos de veinte segundos en preguntar cuándo podría cobrarla.

—¿Cuándo podré escuchar esas cintas?

—No lo sé. Pronto. Al principio tenía cientos de ellas. Me pasé varias semanas trabajando doce horas al día para reducirlas a lo imprescindible. Imagínate la cantidad de llamadas telefónicas que tuve que escuchar.

—¿Y nadie sospechó nada?

—La verdad es que no. Rapley dijo una vez a Vitrano que había sido muy oportuno lo de contratar el seguro de los dos millones ocho meses antes del accidente. Y también oí un par de comentarios sobre mi comportamiento durante los últimos tiempos. Nada importante. Estaban demasiado contentos pensando en el peso que les había quitado de encima.

—¿Pinchaste los teléfonos de Trudy?

—Estuve a punto de hacerlo, pero luego pensé: ¿Para qué? Para saber lo que estaba haciendo no necesitaba micrófonos. Nada de lo que dijera o dejara de decir podía serme de utilidad en aquellos momentos.

—Estabas más interesado en Aricia.

—Exacto. Gracias a los micrófonos estaba al corriente de todas las gestiones del bufete. Me enteré de que el dinero no se enviaría a Biloxi, y también de la fecha y el destino de la transferencia.

—¿Cómo te hiciste con el dinero?

—Tuve otro golpe de suerte. Bogan era quien movía los hilos de la operación, pero, por suerte para mí, las decisiones financieras se tomaban en el despacho de Vitrano. Cogí un avión a Miami armado con toda clase de documentos que me identificaban como Doug Vitrano. Tenía su número de la seguridad social y otros datos personales. En Miami fui a ver a un falsificador. El muy astuto ha ido archivando miles de caras diferentes en el ordenador, y sus clientes solo tienen que decidir cuál es la que más les gusta. Yo escogí una a medio camino entre la mía y la de Vitrano, y al poco rato ya la tenía en el carnet de conducir. De Miami me fui a Nassau, y allí es donde la cosa empezó a complicarse. Me presenté en el United Bank of Wales y pregunté por un tal Graham Dunlap, que había sido el interlocutor de Vitrano hasta entonces. Le enseñé mi documentación y una carta del bufete, impresa en papel timbrado, naturalmente, que me autorizaba a transferir los noventa millones tan pronto como el dinero llegara a su sucursal. Dunlap no tenía ni idea de que el señor Vitrano supervisaría la operación personalmente, y se sorprendió mucho al saber quién era. La verdad es que se sintió halagado por el hecho de que uno de los socios del bufete se hubiera tomado la molestia de viajar hasta tan lejos. En cuanto se recuperó del susto, me preparó un café y envió a una secretaria a comprar cruasanes. Cuando llegó la transferencia yo estaba en su despacho comiéndome uno.

—¿Y no se le ocurrió llamar al bufete?

—No. Si lo hubiera hecho, un servidor habría salido del banco por piernas. A la menor sospecha, estaba dispuesto a atizarle un puñetazo, meterme en un taxi y coger el primer avión que encontrara en el aeropuerto. Había comprado tres billetes diferentes por si acaso.

—¿Adónde habrías ido?

—Bueno, ten en cuenta que habría seguido estando muerto. A Brasil, supongo. Habría buscado trabajo de camarero y habría pasado el resto de mis días tumbado en la playa. Tal vez habría sido más feliz sin todo ese dinero. El día que me lo llevé renuncié para siempre a la tranquilidad. Por eso estoy aquí ahora. En fin, Dunlap me hizo las preguntas de rigor y mis respuestas lo dejaron satisfecho. Llegado el momento, confirmó la llegada del dinero y autorizó la transferencia a un banco de Malta.

—¿Así, como si tal cosa?

—Casi. Estuvo a punto de echarse atrás al darse cuenta de que el banco perdía un depósito importante. Aún me tiemblan las piernas cuando lo pienso. Él mismo mencionó el pago de cierta comisión y fijó el precio en cincuenta mil dólares. El muy cretino... Ni que decir tiene que se los di con mucho gusto. Los cincuenta mil se quedaron en la cuenta del bufete y acabaron en la de Dunlap. El banco está en el centro de Nassau y...

—Estaba. Cerró seis meses después de tu visita.

—Sí, eso oí. Es una lástima. Cuando salí del banco y puse los pies en la calle, me entraron ganas de ponerme a gritar y a dar saltos, pero me contuve. En vez de eso, me monté en el primer taxi que vi pasar y dije al conductor que iba con el tiempo justo para coger un avión. Nos plantamos en el aeropuerto en un periquete. El vuelo de Atlanta salía al cabo de una hora; el de Miami, al cabo de hora y media; el de La Guardia estaba procediendo al embarque de los pasajeros. No me lo pensé dos veces.

—Te fuiste a Nueva York con noventa millones de dólares.

—Ochenta y nueve millones novecientos cincuenta mil, descontando la comisión de Dunlap. Fue el vuelo más largo de mi vida. Me bebí tres martinis para tranquilizarme y ni por esas. En cuanto cerraba los ojos, veía a los agentes de aduanas esperándome al pie de la escalerilla con las metralletas en ristre. Algo me decía que Dunlap habría llamado al bufete, y que alguien me habría seguido la pista hasta el aeropuerto. Nunca he tenido tantas ganas de pisar tierra firme como aquel día. Por fin aterrizamos y nos dejaron bajar del avión. Al llegar a la terminal vi el flash de una cámara y me temí lo peor. Te han cogido, pensé. Pero no era más que un niño jugando con su Kodak. Me dirigí a los lavabos y tardé veinte minutos en volver a salir. Todo lo que poseía en el mundo iba conmigo en una bolsa de lona.

—Excepto los noventa millones.

—Sí, claro.

—¿Cómo te las apañaste para hacer llegar el dinero a Panamá?

—¿Cómo sabes que lo envié a Panamá?

—Acuérdate de que soy juez. De vez en cuando hablo con la policía, y ya sabes qué pasa en las ciudades pequeñas.

—Lo dejé todo arreglado antes de salir de Nassau. El banco de Malta recibió el dinero junto con instrucciones de transferirlo inmediatamente a Panamá.

—No conocía esa faceta tuya de banquero.

—Todo es ponerse. Tuve un año para prepararme. ¿Cuándo te enteraste de que el dinero había desaparecido?

Huskey soltó una carcajada, se apoyó en el respaldo de la silla y se llevó las manos a la nuca.

—Bueno, la verdad es que tus socios no son lo que se dice el colmo de la discreción.

—Me dejas anonadado.

—Toda la ciudad sabía que estaban a punto de convertirse en multimillonarios. Por lo que cuentas, parece que se tomaron muy en serio lo del secreto... hasta que empezaron a gastar el dinero a espuertas. Havarac se compró el Mercedes más grande y más negro que hayas visto jamás. El arquitecto de Vitrano dio los últimos retoques a los planos de su nuevo hogar: mil metros cuadrados de nada. Rapley se inclinó por un velero de veinticinco metros de eslora y empezó a pensar en la jubilación. También oí hablar de un jet privado. En fin, reconozco que en Biloxi una minuta de treinta millones debe de ser difícil de ocultar, pero te aseguro que ni siquiera lo intentaron. Querían que todo el mundo lo supiera.

—Ni que fueran abogados...

—El golpe fue un jueves, ¿verdad?

—Sí. El veintiséis de marzo.

—Recuerdo que al día siguiente tuve que presidir un juicio civil. Sí, eso es. Uno de los letrados se enteró por teléfono antes de entrar en la sala. Bogan, Rapley, Vitrano, Havarac y Lanigan tenían problemas con la minuta millonaria. Al parecer, el dinero había desaparecido de la faz de la tierra. Alguien les había robado hasta el último dólar.

—¿Se mencionó mi nombre?

—Al principio no. Tardaron unos cuantos días en sumar dos y dos. Se dijo que en la grabación de las cámaras de seguridad del banco aparecía alguien que se te parecía un poco, y quien más quien menos empezó a sacar sus propias conclusiones. El rumor se extendió como la pólvora.

—¿Y te lo creíste?

—Me llevé tal sorpresa que no sabía qué pensar. A todos nos pasó un poco lo mismo. Habíamos asistido a tu entierro, habíamos rezado por la salvación de tu alma..., francamente, se nos hacía difícil creer que todo formaba parte de un plan. Con el tiempo, la sorpresa fue a menos y las sospechas a más. La modificación del testamento, el seguro de vida, el cadáver incinerado y, para colmo, los micrófonos. El FBI tomó cartas en el asunto, y al cabo de una semana todo el mundo daba por sentado que eras un ladrón con suerte.

—¿Te sentiste orgulloso de mí?

—No creo que «orgulloso» sea la palabra adecuada. Más bien perplejo. Ten en cuenta que había un cadáver de por medio. Luego pudo más la curiosidad.

—¿De verdad no sentiste ni una pizca de admiración?

—No, que yo recuerde. No, un inocente había tenido que morir para que tú pudieras hacerte con los noventa millones de dólares. Además, habías abandonado a tu mujer y a tu hija.

—Una mujer que se hizo de oro y una hija que no lo era.

—Entonces no lo sabía. Nadie lo sabía. Si te soy sincero, Patrick, creo que tu gesto no despertó demasiada admiración. Al menos en Biloxi.

—¿Qué hay de mis socios?

—No se supo de ellos durante meses. Tuvieron que contestar la demanda de Aricia y hacer frente a varios pleitos más. Habían estado viviendo por encima de sus posibilidades y acabaron arruinados. Luego vinieron los divorcios, el alcoholismo... Fue espantoso. No creo que se hayan visto muchos casos de autodestrucción más evidentes.

Patrick volvió a meterse en la cama. Se sentó con las rodillas flexionadas y se alegró de las desgracias de sus enemigos. Huskey se levantó y se acercó a la ventana.

—¿Cuánto tiempo estuviste en Nueva York? —preguntó mientras echaba un vistazo al exterior a través de las persianas.

—Una semana, más o menos. Como no quería que el dinero volviera a Estados Unidos, abrí una cuenta en un banco de Toronto. El de Panamá era una sucursal del Bank of Ontario y no tuve ningún problema a la hora de hacer las transferencias.

—¿Gastabas mucho dinero?

—El imprescindible. De la noche a la mañana me convertí en un emigrante canadiense llegado de Vancouver. Adquirí un pequeño apartamento y solicité varias tarjetas de crédito a nombre de mi nuevo yo. Contraté a un profesor de portugués que me dio clases durante seis horas al día. Hice varios viajes por Europa para poner a prueba el pasaporte. Todo iba a pedir de boca. Al cabo de tres meses vendí el apartamento y me fui a Portugal. Estuve dos meses en Lisboa estudiando portugués. Y por fin, el cinco de agosto de mil novecientos noventa y dos, cogí un avión con destino a São Paulo.

—Cinco de agosto, el día de tu independencia.

—No te imaginas lo que es sentirse completamente libre. Llegar a una ciudad con dos maletas pequeñas, subirse a un taxi y perderse entre veinte millones de personas. Era de noche, estaba lloviendo y había atascos por todas partes. Y yo iba sentado en un taxi pensando que nadie, absolutamente nadie, sabía dónde encontrarme. Ni lo sabría jamás. Estuve a punto de echarme a llorar. Aquello era la libertad en mayúsculas. Veía las caras de la gente que iba y venía por las aceras, y me decía: «Ahora eres uno de ellos. Te llamas Danilo, eres brasileño y nunca volverás a ser otra cosa».

29

Después de tres horas de sueño sobre un colchón petrificado, Sandy se despertó en cuanto los primeros rayos de sol se colaron por los intersticios de las persianas. Se había instalado en el desván, lo más lejos posible de Leah. Eran las seis y media. Se habían dado las buenas noches a las tres de la madrugada, rendidos tras siete horas de trabajo intenso dedicadas a analizar documentos y a escuchar docenas de conversaciones furtivas inmortalizadas por los micrófonos de Patrick. Sandy se duchó, se vistió y luego bajó a la cocina. Leah estaba sentada en el rincón del desayuno sin rastro de sueño en los ojos. Había café recién hecho sobre la mesa. Sandy echó un vistazo a los periódicos mientras ella le preparaba unas tostadas con mermelada. Tenía prisa. Quería coger la caja con todo el material del expediente Aricia y repasar el caso en la tranquilidad de su despacho.

—¿Alguna noticia de su padre? —preguntó en voz baja.

A aquellas horas de la mañana no apetecía hablar.

—No. De todas maneras, no puedo llamar desde aquí. Cuando baje al mercado, llamaré desde una cabina.

—Lo tendré presente en mis oraciones.

—Gracias.

El expediente Aricia al completo fue a parar al portaequipajes de Sandy. Leah se despidió de él con la promesa de llamarlo antes de veinticuatro horas. No tenía intención de ir a ninguna parte. Los problemas de su cliente común no solo necesitaban una solución, sino que la requerían con urgencia.

El aire de la mañana era frío. El otoño se deja sentir incluso en la Costa, y no en vano estaban aún en el mes de octubre. Leah se puso una parka y salió a dar un paseo por la playa, sin zapatos ni medias, con una mano en el bolsillo y una taza de café en la otra. La playa estaba desierta, pero algo la obligaba a esconder el rostro tras unas gafas de sol. ¿Por qué? Como buena carioca, Leah había pasado gran parte de su vida en la playa, auténtico centro de la cultura de Río. De pequeña había vivido siempre en el apartamento que su padre tenía en Ipanema, el barrio más cotizado de la ciudad, y allí, junto al mar, había crecido igual que los demás niños del vecindario.

No estaba acostumbrada a andar sola por la arena. Echaba de menos la alegría de los bañistas y de los muchachos que se entretenían jugando a la pelota en las playas de su Río natal. Su padre había sido uno de los primeros en alzar la voz en contra del crecimiento desenfrenado de Ipanema. Paulo Miranda se oponía al desequilibrio demográfico y urbanístico que provocaba la especulación, y luchaba codo con codo con las asociaciones de vecinos. Aquella actitud comprometida iba en contra del talante permisivo de los cariocas, pero, al cabo de los años, sus conciudadanos habían aprendido a respetarla e incluso agradecerla. Su hija, la abogada Eva Miranda, aún regalaba parte de su tiempo a las asociaciones vecinales que trabajaban por la conservación de Ipanema y Leblon. El viento arreció y ocultó el sol tras unas nubes. Leah regresó a la casa seguida desde lo alto por los graznidos de las gaviotas. Al cabo de un rato cerró con llave puertas y ventanas, cogió el coche y se fue al supermercado a comprar fruta y champú. Por el camino —tres kilómetros— esperaba encontrar algún teléfono público.

Al principio no lo vio, pero cuando reparó en su presencia le pareció que llevaba un siglo a su lado. Ella sostenía en la mano una botella de acondicionador; él aspiró por la nariz como si estuviera resfriado. Leah se volvió y aprovechó el escudo de las gafas oscuras para observarlo; el tipo siguió mirándola sin inmutarse. Era un hombre de treinta o cuarenta años de edad, raza blanca y aspecto desaliñado. Leah no tuvo tiempo de fijarse en ningún otro detalle.

La miraba con unos ojos verdes y desafiantes que destacaban aún más sobre el fondo de su piel bronceada. Leah metió el acondicionador en la cesta y siguió su recorrido como si tal cosa. Tal vez era solo un loco inofensivo, un pervertido que se divertía asustando a las turistas. Tal vez los empleados del supermercado le conocían por su nombre y habían llegado a cogerle cariño.

Minutos después volvieron a coincidir en la sección de panadería. Él fingió interés en una pizza precocinada, pero sus ojos metálicos no la perdían de vista. ¿Por qué se escondía? Leah tomó nota de las bermudas y las sandalias.

Durante unos instantes estuvo a punto de ser presa del pánico y echar a correr; luego recobró la presencia de ánimo y recogió su cesta. La habían descubierto, pero aún contaba con la ventaja de poder observar a su perseguidor. Quién sabe cuándo volvería a verlo. Leah se entretuvo un rato en la sección de conservas antes de acercarse a la charcutería. Cuando ya lo daba por perdido, lo descubrió de espaldas a ella, con una botella de leche en la mano.

Al cabo de un rato lo vio pasar frente al escaparate, camino del aparcamiento, con la cabeza inclinada y un teléfono móvil pegado a la oreja. No llevaba ninguna bolsa. ¿Dónde estaba la botella de leche? Leah habría preferido esfumarse por la puerta de atrás, pero había dejado el coche aparcado al otro lado. Así pues, se puso a la cola y abonó el importe de su compra sin precipitarse. Al recoger el cambio se dio cuenta de que le temblaban las manos.

En el aparcamiento había treinta vehículos, incluido el suyo, y no podía pararse a examinarlos uno por uno. De hecho, tampoco quería. Lo único que deseaba era despistar a su perseguidor lo antes posible. Subió al coche, salió del aparcamiento y puso rumbo a la casa de la playa, consciente de que nunca volvería a poner los pies en ella. Un kilómetro más tarde cambió de sentido sin avisar. Tuvo el tiempo justo de ver a su perseguidor al volante de un Toyota recién salido de la cadena de montaje. Él la siguió con la mirada en el último momento, y ella se extrañó de que lo hiciera a cara descubierta.

En aquellos momentos, todo le parecía extraño. ¿Qué hacía ella, por ejemplo, circulando por la autopista de un país extranjero con un pasaporte falso, haciéndose pasar por quien no quería ser y yendo hacia no se sabía dónde? Sí, todo le parecía extraño, increíble y aterrador. Habría dado cualquier cosa por encontrarse cara a cara con Patrick y ajustar cuentas a su manera. Aquello no formaba parte del trato. Era lógico que Patrick tuviera que hacer frente a su pasado, pero no que pagaran justos por pecadores. Ella no había hecho nada malo. Y no digamos su padre.

En Brasil habría conducido con un pie en el acelerador y otro en el freno —y tal como estaba el tráfico en la Costa no había para menos—, pero se propuso mantener la calma. El pánico es mal consejero del fugitivo. Patrick se lo había repetido muchas veces. Pensar, observar, prever. Esa era su regla de oro. Leah hizo caso de todas las señales y no perdió de vista el retrovisor.

«Uno tiene que saber en todo momento dónde está», le decía siempre Patrick. Por eso se había pasado horas enteras estudiando el mapa de carreteras de la zona.

Leah se desvió hacia el norte y se detuvo en una gasolinera para ver qué pasaba. Nada. El hombre de los ojos verdes había desaparecido, pero eso no le servía de consuelo. Sabía que lo había descubierto, y seguramente ya había llamado al resto de sus compinches para ponerlos sobre aviso.

Una hora más tarde, Leah Pires entró en la terminal del aeropuerto de Pensacola y reservó un asiento en el avión que saldría en dirección a Miami al cabo de ochenta minutos. El destino del vuelo la traía sin cuidado. Escogió el avión de Miami porque era el primero en salir, y se arrepintió demasiado tarde de haber tomado aquella decisión.

Se sentó a esperar en una cafetería, con una revista entre las manos y los ojos bien abiertos. Un guardia de seguridad se encaprichó de ella, y Leah tuvo que hacer un esfuerzo por esquivar sus miradas. Por lo demás, el aeropuerto estaba prácticamente vacío.

El servicio de puente aéreo entre Pensacola y Miami era cubierto por aparatos con turbopropulsor. El viaje se le hizo eterno. Dieciocho de las veinticuatro plazas disponibles estaban desocupadas, y los cinco pasajeros que viajaban con ella parecían inofensivos. Leah aprovechó para descabezar un sueñecito.

Una vez en Miami, se pasó una hora escondida en una sala de espera, bebiendo agua mineral y observando las idas y venidas de los pasajeros. Luego se acercó al mostrador de Varig y compró un billete de ida en primera clase para São Paulo. ¿Por qué? Quién sabe. São Paulo no era Río, pero estaba más cerca de casa que otros muchos lugares. Tal vez sería buena idea esconderse en un bonito hotel durante unos cuantos días. Así se sentiría más cerca de su padre, fuera cual fuese el paradero de este. Había decenas de aviones a punto de despegar en otras tantas direcciones. ¿Por qué no visitar su país?

Como era su costumbre en esos casos, el FBI había puesto sobre aviso al personal de inmigración y aduanas, así como a las líneas aéreas. La descripción incluida en la orden de busca correspondía a una mujer joven, de treinta y un años, de nombre Eva Miranda, que viajaba con pasaporte brasileño y, seguramente, bajo un nombre supuesto. Una vez conocida la identidad de su padre, averiguar su verdadero nombre había sido un juego de niños.

Leah Pires dirigió sus pasos hacia el control de pasaportes del aeropuerto internacional de Miami ajena al desastre que se avecinaba. No había tenido ningún problema con la documentación durante aquellas últimas dos semanas, y su única preocupación en esos momentos era dar esquinazo a los hombres que la habían estado siguiendo.

Por desgracia para ella, el agente de aduanas había leído la orden de busca hacía tan solo una hora, mientras saboreaba una taza de café. El agente apretó el botón de alarma escáner y se dispuso a comprobar la validez del pasaporte que tenía entre las manos. A Leah no le hizo gracia el retraso. Luego, al ver que los demás pasajeros franqueaban el control sin apenas tener que enseñar la documentación, se dio cuenta de que algo andaba mal. Un funcionario vestido de azul apareció de la nada para conferenciar con el agente.

—Señora Pires, si es usted tan amable de acompañarme —le dijo cortés pero tajantemente. Su brazo indicaba una de las puertas del corredor.

—¿Algún problema? —preguntó Leah.

—No. Solo queremos hacerle unas cuantas preguntas.

El funcionario la esperaba al lado de un guardia armado con porra y pistola. Llevaba su pasaporte en la mano. Detrás de ella, docenas de pasajeros seguían la escena con curiosidad.

—¿Qué clase de preguntas? —dijo mientras los seguía hasta la segunda puerta del corredor.

—Unas cuantas preguntas —repitió el funcionario antes de abrir la puerta y acompañar a Leah hasta una habitación cuadrada y cerrada. Una sala de interrogatorios.

Leah leyó el nombre Rivera en la solapa del funcionario y pensó que no tenía aspecto de ser de origen hispano.

—Devuélvame mi pasaporte —exigió tan pronto como el guardia cerró la puerta y los dejó a solas.

—No tan deprisa, señora Pires. Antes tengo que hacerle unas cuantas preguntas.

—No tengo por qué contestarlas.

—Tranquilícese, por favor. Siéntese. ¿Le apetece un café o un vaso de agua?

—No.

—Veo que reside usted en Río. ¿Es esta su dirección?

—Sí.

—¿Cómo ha llegado a Miami?

—En avión. Desde Pensacola.

—¿Recuerda el número del vuelo?

—Airlink ochocientos cincuenta y cinco.

—¿Adónde se dirige?

—A São Paulo.

—¿A qué parte?

—Eso es asunto mío, ¿no le parece?

—¿De vacaciones o en viaje de negocios?

—¿Qué importa eso?

—Mucho. En su pasaporte consta un domicilio de Río. ¿Dónde piensa hospedarse cuando llegue a São Paulo?

—En un hotel.

—¿Cuál?

Leah trató de recordar el nombre de un hotel cualquiera, y su tardanza a la hora de responder la traicionó a los ojos del funcionario.

—En el... Intercontinental —dijo finalmente, y ya sin visos de credibilidad.

Rivera tomó nota del nombre del hotel.

—En tal caso, habrá una habitación reservada a nombre de Leah Pires. ¿Me equivoco?

—No —replicó ella sin pensárselo dos veces. Una simple llamada la pondría en evidencia.

—¿Dónde están sus maletas?

Otro detalle revelador. Una grieta más en la fachada de su disfraz.

—Me gusta ir ligera de equipaje —contestó tras un momento de duda.

Rivera entreabrió la puerta en respuesta a la llamada de un

colaborador misterioso que le entregó una hoja de papel y recibió instrucciones en voz baja. Leah tomó asiento y procuró tranquilizarse. Rivera cerró la puerta y echó un vistazo al papel.

—Según nuestros informes, llegó usted a este aeropuerto hace ocho días en un vuelo procedente de Zurich con escala en Londres. Ocho días y ni una sola maleta. Raro, ¿verdad?

—No sabía que fuera delito viajar sin equipaje.

—Y no lo es. Es mucho peor viajar con un pasaporte falso. Al menos en este país.

Leah miró el pasaporte que Rivera acababa de dejar sobre la mesa, falso a más no poder.

—Ese pasaporte no es falso —protestó.

—¿Conoce a una persona llamada Eva Miranda? —preguntó Rivera.

Leah no tuvo el valor de mirarlo a los ojos. Sintió que el corazón dejaba de latirle y agachó la cabeza. La persecución había terminado.

Rivera se dio cuenta de que había vuelto a hacer diana.

—Tendré que informar al FBI —dijo—. Me llevará un rato.

—¿Estoy detenida? —preguntó Leah.

—Todavía no.

—Soy abogada. Tengo...

—Lo sé. Y nosotros tenemos derecho a interrogarla. Mi despacho está en la planta baja. Vamos.

Leah obedeció. Andaba a toda prisa, agarrada a su bolso, con las gafas de sol puestas.

La mesa de la sala de juntas estaba cubierta de carpetas y papeles, hojas de bloc arrancadas de cualquier manera, servilletas, vasos vacíos y hasta bocadillos a medio comer. Habían pasado cinco horas desde el almuerzo, pero ninguno de los dos abogados tenía presente la hora de cenar. Al otro lado de la puerta, el tiempo transcurría con normalidad. Allí no significaba nada. La caja del expediente Aricia estaba en un rincón, vacía. Su contenido se hallaba sobre la mesa.

El agente Joshua Cutter abrió la puerta sin esperar a que Patrick o su abogado respondieran a su llamada.

—Esta reunión es confidencial —protestó Sandy saliéndole al paso.

Nadie debía tener acceso a los documentos que había sobre la mesa. Patrick se acercó a la puerta para hacer de pantalla.

—¿Cuándo aprenderá a llamar a la puerta? —lo reprendió.

—Lo siento —se disculpó Cutter sin demostrar un ápice de arrepentimiento—. Ya me voy. Me ha parecido que le gustaría saber que hemos detenido a Eva Miranda. Intentaba volver a Brasil desde el aeropuerto de Miami con un pasaporte falso.

Patrick se quedó sin habla.

—¿Eva? —repitió Sandy.

—Sí, también conocida como Leah Pires. Ese es el nombre que figura en el pasaporte. —Cutter respondió a Sandy sin dejar de mirar a Patrick.

—¿Dónde está? —le preguntó Patrick sin salir de su asombro.

—En la cárcel. En Miami.

Patrick dio media vuelta y se acercó de nuevo a la mesa. La palabra «cárcel» sonaba mal en cualquier contexto, pero, por alguna razón, resultaba espeluznante unida al nombre de Miami.

—¿Puedo localizarla en algún número de teléfono? —preguntó Sandy.

—No.

—Le recuerdo que está en su derecho.

—Estamos en ello.

—Quiero ese número enseguida, ¿me oye?

—Ya veremos. —Cutter seguía mirando a Patrick como si las palabras de Sandy no fueran con él—. Parece que tenía prisa por salir del país. No llevaba equipaje. Ni una sola maleta. Quería volver a Brasil y dejarlo en la estacada.

—Cállese —lo atajó Patrick.

—Ya puede irse —dijo Sandy.

—Me ha parecido que le gustaría saberlo —insistió Cutter con una sonrisa en los labios.

Patrick se sentó y empezó a frotarse las sienes. La visita de Cutter había empeorado su dolor de cabeza, por más que lo sucedido entrara en sus previsiones. Eva sabía que la captura de Patrick podía afectarla de tres maneras: la primera y más deseable, que se viera obligada a trasladarse de incógnito a Estados Unidos para ayudar a Sandy; la segunda y más de temer, que Aricia y Stephano la secuestraran; y la tercera, problemática pero preferible a la anterior, que acabara en manos del FBI. Su único consuelo era saber que estaba a salvo.

El retorno a Brasil en solitario era una cuarta posibilidad de la que nunca habían hablado. Patrick se resistía a creer que Eva hubiera querido abandonarlo a su suerte.

Sandy recogió las carpetas y ordenó la mesa en silencio.

—¿A qué hora os separasteis? —preguntó Patrick.

—A eso de las ocho. Estaba perfectamente, Patrick. Ya te lo he dicho.

—¿Hablasteis de Miami o de Brasil?

—No. Me pareció que tenía intención de pasar una temporada en la casa de la playa. Me dijo que la había alquilado por un mes.

—Algo la asustó. No hay otra explicación.

—Quién sabe.

—Búscale un abogado en Miami. Y date prisa, por favor.

—Conozco a un par de ellos.

—Debe de estar muerta de miedo.

30

Eran más de las seis. Havarac debía de estar en la mesa de black-jack de algún casino, bebiendo whisky gratis y buscando compañía. Se rumoreaba desde hacía tiempo que tenía deudas de juego. Rapley estaría encerrado en su buhardilla, por propia voluntad y para regocijo del resto del mundo. Las secretarias y los procuradores ya se habían ido. Doug Vitrano cerró con llave la puerta del bufete y volvió al despacho del fondo del pasillo, más grande y luminoso que los demás, donde lo esperaba Charlie Bogan en mangas de camisa.

Patrick había conseguido instalar micrófonos en todos los despachos menos en aquel, hecho que Bogan había explotado en extremo durante las confrontaciones que siguieron a la desaparición del dinero. Si el decano del bufete no se hallaba en su despacho o en la inmediata vecindad, podía darse por seguro que el cerrojo estaba echado. Los demás miembros del bufete, tal como Bogan se encargaba de recordarles cada dos por tres, habían sido poco cautelosos en este sentido. Sobre todo Vitrano, desde cuyo teléfono se habían realizado las últimas y cruciales llamadas a Graham Dunlap: las que pusieron a Patrick al corriente del cómo y el cuándo de la transferencia. La cuestión de la seguridad había llegado a convertirse en una arma arrojadiza, y, en las disputas correspondientes, los socios del bufete habían estado a punto de llegar a las manos más de una vez.

Bogan no podía, sin faltar a la verdad, alegar que sus escrúpulos obedecían al temor de que sus propios empleados lo espiaran. De ser así, habría alertado de inmediato a los demás socios. Así pues, había sido solo cuestión de costumbre y de suerte. Las conversaciones más importantes tenían lugar en el despacho de Bogan. Echar el cerrojo no le llevaba más de un par de segundos, y no había más llave que la suya. En ausencia de su dueño, ni siquiera los conserjes podían franquear la puerta de aquel despacho.

Vitrano se aseguró de que la puerta estuviera cerrada y se dejó caer sobre una de las butacas de piel que había frente al escritorio de Bogan.

—Esta mañana he hablado con el senador —dijo Bogan—. En su casa.

La madre de Bogan y el padre del senador eran hermanos, y los primos se llevaban diez años de diferencia.

—¿Estaba de buen humor? —preguntó Vitrano.

—Yo no diría tanto. Quería que lo pusiera al corriente de las novedades del caso Lanigan, y eso he hecho. Le he dicho que seguíamos sin saber nada del dinero. Teme que Lanigan disponga de información comprometedora y que la utilice contra él. Le he repetido por enésima vez que siempre hablé con él desde este despacho, y que aquí nunca se encontró ningún micrófono, de manera que no tiene por qué estar preocupado.

—Pero lo está.

—Pues claro que lo está. Ha vuelto a preguntarme si existió alguna vez algún documento que pudiera relacionarlo con algún modo con Aricia, y he vuelto a decirle que no.

—Y es la pura verdad.

—Sí. Que yo recuerde, el nombre del senador no figura en ningún documento. Es más, todos los tratos con él se hicieron por teléfono o bien en el campo de golf. Debo de habérselo repetido un millón de veces, pero el regreso de Patrick lo ha puesto nervioso y necesitaba oírlo de nuevo.

—¿Le has hablado del Armario?

—No.

Los dos abogados contemplaron el polvo que cubría la mesa y rememoraron los hechos sucedidos en el Armario. Corría el mes de enero de 1992. Habían pasado treinta días desde que el Departamento de Justicia hiciera pública su intención de aprobar la reclamación presentada por Aricia y faltaban dos meses para que los noventa millones de dólares cambiaran de manos. Aricia se presentó en el bufete sin previo aviso y hecho una furia. Patrick estaba trabajando en su despacho, y nadie podía imaginar que al cabo de tres semanas estaría muerto y enterrado. Las obras de renovación del bufete ya habían comenzado, y por ese motivo no se pudo recibir a Aricia en el despacho de Bogan, ocupado por las escaleras de los pintores y con todos los muebles tapados. A falta de un lugar mejor, Aricia fue conducido a una pequeña sala de reuniones situada frente al despacho del decano, al otro lado del pasillo. La sala era tan pequeña que todo el mundo la llamaba «el Armario». No tenía ventanas ni más mobiliario que una mesa cuadrada con una silla a cada lado, y el techo era inclinado porque estaba justo debajo de la escalera que conducía al primer piso.

Vitrano estuvo presente en la reunión —por llamarla de alguna manera— en calidad de segundo de a bordo. Aricia estaba enojado porque sus abogados estaban a punto de embolsarse treinta millones de dólares. La noticia del visto bueno otorgado por el Departamento de Justicia le había hecho cambiar de opinión, de la noche a la mañana, sobre el valor de la intervención del bufete: ya no estaba dispuesto a pagar treinta millones a cambio de unas cuantas gestiones en Washington. La reunión degeneró en reyerta, y los abogados tuvieron que apelar al contrato firmado para defender sus intereses, pero Aricia no estaba de humor para papeles.

En un momento de la contienda, el futuro multimillonario se dejó llevar por la ira y preguntó a gritos qué porcentaje de los treinta millones correspondía a la comisión del senador. Bogan perdió la paciencia y le dijo que no era asunto suyo. Aricia le replicó que sí que lo era y que, al fin y al cabo, el dinero era suyo. Entonces pronunció una dura diatriba en contra del senador y de todos los políticos en general. Le traía sin cuidado que el senador hubiera tenido que emplearse a fondo para convencer a la Marina, al Pentágono y al Departamento de Justicia de que debían aprobar su reclamación.

—¡Quiero saber cuánto se va a llevar! —les repetía sin cesar.

Bogan no se daba por aludido y se limitaba a responder que el senador era asunto suyo. También recordó a Aricia que, si había decidido contratar los servicios de su bufete, había sido, en buena medida, a causa de sus influencias en las altas esferas. Además, añadió, teniendo en cuenta que la reclamación era una farsa del principio al fin, no entendía por qué no se conformaba con sus sesenta millones.

Todos se fueron de la lengua.

Aricia sugirió que el bufete rebajara su minuta a diez millones de dólares. Bogan y Vitrano se opusieron en redondo. Aricia salió del Armario del mismo humor del que había llegado, y no dejó de soltar improperios hasta encontrarse de nuevo en la calle.

Dentro del Armario no había teléfonos. El registro de los hombres de Stephano, sin embargo, detectó la presencia de dos micrófonos. Uno estaba debajo de la mesa, pegado con plastilina negra y escondido en la intersección de dos piezas de soporte. El otro lo encontraron entre dos códigos polvorientos abandonados sobre el único estante de la habitación a efectos puramente decorativos.

Después de la conmoción provocada por la desaparición del dinero y el descubrimiento de los micrófonos, Bogan y Vitrano guardaron silencio sobre aquel incidente durante mucho tiempo, quién sabe si con la esperanza de que el silencio llegara a borrar su misma existencia. Tampoco hablaron del tema con

Aricia, entre otras cosas porque los había demandado y porque se alteraba con solo oír sus nombres. Pasaron los meses y el recuerdo de aquella reunión se fue haciendo más y más borroso. Al cabo de los años llegaron incluso a dudar de que hubiera tenido lugar.

El regreso de Patrick los obligaba a enfrentarse con los hechos, pero ninguno de los abogados parecía dispuesto a hacerlo. Al fin y al cabo, siempre quedaba la posibilidad de que los micrófonos no estuvieran bien instalados o de que Patrick no hubiera escuchado esa conversación. Con tantos micrófonos, era imposible que hubiera tenido tiempo de escuchar todas las grabaciones. Sí, pensándolo bien, lo más probable era que Patrick no tuviera ni idea de lo que se había dicho aquel día en el Armario.

—De todas formas, eso fue hace más de cuatro años —dijo Vitrano—. ¡Quién sabe adónde habrán ido a parar todas esas cintas!

Bogan no respondió. Siguió sentado con las manos cruzadas sobre el vientre y la mirada fija en el polvo de la mesa. ¡Por qué poco! Si no hubiera sido por Patrick, él habría cobrado cinco millones y su primo, el senador, otros tantos. El bufete no se habría arruinado ni su mujer le habría pedido el divorcio. Su familia habría seguido unida; su reputación, intacta. Los cinco millones se habrían convertido ya en diez, puede que incluso en veinte, y esa fortuna le habría valido la libertad de hacer todo lo que le diera la gana. Había tenido la felicidad al alcance de la mano, y ese Patrick Lanigan se la había arrebatado.

La aparición de Patrick había hecho renacer sus esperanzas de recuperar los treinta millones: los días transcurridos desde su regreso habían acabado con ellas. El dinero parecía alejarse más y más a medida que pasaban las horas.

—Charlie, ¿crees que llegaremos a ver el dinero algún día? —preguntó Vitrano con un hilo de voz y los ojos clavados en el suelo.

Hacía años que no se dirigía a su socio con aquel apelativo cariñoso. La amistad no tenía cabida en un bufete lleno de resentimientos.

—No —respondió Bogan—. Tendremos suerte si no acabamos entre rejas.

Ante la perspectiva de pasarse una hora al teléfono, Sandy decidió quitarse de encima cuanto antes la llamada más comprometida de todas. Sentado al volante de su coche, aparcado frente al hospital de la base, marcó el número de su mujer y le explicó que aquel día trabajaría hasta muy tarde, tan tarde que tal vez tendría que pasar la noche en Biloxi. Su hijo tenía un partido de fútbol americano. Sandy dijo que lo sentía, le echó las culpas a Patrick y prometió dar más explicaciones en cuanto llegara a casa. Su mujer no se lo tomó tan mal como él esperaba.

Sandy encontró a una de sus secretarias haciendo horas extra en el bufete y le pidió que le buscara un par de números de teléfono. Conocía a dos abogados de Miami, pero eran las siete y cuarto y, al parecer, ambos habían dado ya por terminada su jornada laboral. Decidió probar suerte en el domicilio particular de los interesados: en casa del primero nadie cogía el teléfono, y el número del segundo no venía en la guía. Sandy llamó a varios abogados de Nueva Orleans, y finalmente pudo conseguir el número particular de Mark Birck, un criminalista de Miami conocido en todo el país. Birck no disimuló su disgusto por la interrupción —era la hora de cenar—, pero no colgó el auricular. Sandy le explicó una versión reducida de la saga Lanigan que incluía la detención de Eva Miranda en Miami. He ahí el motivo de la llamada. Birck se mostró interesado en el caso, y se declaró experto en temas de inmigración y de derecho penal. Sí, haría un par de llamadas. En cuanto acabara de cenar. Sandy le dio las gracias y prometió volver a llamar al cabo de una hora.

Hicieron falta tres llamadas más para localizar al agente Cutter, y veinte minutos de esfuerzos diplomáticos para convencerlo de que aceptara un café en cierta confitería. Sandy puso rumbo a su cita y aprovechó el retraso de Cutter para hacer la segunda llamada a Mark Birck.

Birck le confirmó que Eva Miranda se hallaba detenida en las dependencias del FBI en Miami. Aún no se había presentado ningún cargo contra ella, pero dada la hora no era de extrañar. Verla aquella misma noche era del todo imposible, y hacerlo al día siguiente tampoco sería tarea fácil. Según las leyes de inmigración, el FBI y las autoridades aduaneras podían retener a cualquier súbdito extranjero portador de documentación falsa durante cuatro días enteros. Birck justificó la dureza del procedimiento apelando a las circunstancias que rodean esta clase de infracciones: una vez puestos en libertad, los detenidos desaparecen sin dejar rastro.

Birck había estado en varias ocasiones en el interior de las dependencias mencionadas, y aseguró a Sandy que, dentro de lo que cabe, la señorita Miranda no podía quejarse: disponía de una celda para ella sola y, en principio, no corría ningún peligro. Con un poco de suerte, la dejarían llamar por teléfono a la mañana siguiente.

Sin entrar en detalles, Sandy dio a entender a su colega que la puesta en libertad de su defendida no corría prisa. Una vez divulgada su identidad, estaba más segura en la cárcel que fuera de ella. Birck prometió hacer todas las gestiones necesarias a primera hora de la mañana siguiente.

Eva Miranda podía contar con sus servicios a cambio de diez mil dólares. Sandy aceptó el precio sin regatear.

Cutter entró en la confitería en el momento preciso en que Sandy colgaba el teléfono. Tal como habían acordado, el agente se sentó a una mesa junto al escaparate. Sandy salió del coche y se dispuso a reunirse con él.

La cena consistió en un plato precocinado calentado en el microondas y servido en una vieja bandeja de plástico. Tenía hambre, pero la comida era lo que menos la preocupaba en aquellos momentos. La habían acompañado hasta su celda dos celadoras robustas y perfectamente uniformadas que llevaban un montón de llaves colgando de una cadena atada a la cintura. Antes de dejarla sola, una de ellas le había preguntado qué tal se encontraba. Eva había mascullado una respuesta en portugués. La puerta estaba hecha con gruesas planchas de metal y no tenía más que un orificio cuadrado a la altura de los ojos. De vez en cuando se oían las voces de otras reclusas, pero en general reinaba el silencio.

Eva nunca había estado en una cárcel, ni siquiera como profesional para asistir a un detenido. Patrick era la única persona que conocía que había pasado por la misma experiencia. La sorpresa inicial se había convertido en miedo y luego en indignación: era humillante verse entre rejas como un vulgar delincuente. Durante las primeras horas de reclusión, lo único que la ayudó a mantener la serenidad era el recuerdo de su padre. Sin duda sus captores no lo trataban con tanto miramiento como las autoridades. Eva pidió a Dios que protegiera a su padre de todo mal.

En la cárcel resultaba más fácil concentrarse en la oración. Eva rezó por su padre y también por Patrick. Habría sido fácil culparlo de todos sus problemas, pero se resistió a caer en la tentación. A decir verdad, ella era la auténtica responsable de que la hubieran detenido. Había sido presa del pánico y había huido demasiado deprisa. Patrick le había enseñado a moverse sin dejar rastro, a desaparecer en cualquier circunstancia. No, el error había sido suyo, no de él.

Pensó que el uso de un pasaporte falso no era un delito grave y que las cosas se solucionarían rápidamente. En un país castigado por la violencia y con problemas de masificación en las cárceles, la cuestión quedaría zanjada con el pago de una multa y la deportación al país de origen. De algo tenía que servir el hecho de no tener antecedentes penales.

Pensar en el dinero también la reconfortaba. Al día siguiente exigiría la presencia de un abogado, alguien con prestigio e influencia que pudiera ponerse luego en contacto con las autoridades brasileñas; ella misma le facilitaría unos cuantos nombres. Llegado el caso, el dinero podía emplearse para intimidar al más pintado. Estaría en la calle en un periquete, lista para reemprender el viaje a Brasil y rescatar a su padre. Una vez en Río no le sería difícil encontrar algún lugar donde esconderse.

La celda tenía la temperatura correcta, un sistema de cierre a prueba de bomba y todas las medidas de seguridad necesarias, incluida una escolta de agentes armados. Eva se convenció de que estaba en lugar seguro. Los hombres que habían torturado a Patrick y secuestrado a su padre no podían actuar contra ella dentro de la cárcel.

Eva apagó la luz y se tendió en el camastro. Al FBI le habría faltado tiempo para hacer pública su detención, de manera que lo más probable era que Patrick ya estuviera al corriente de lo sucedido. Se lo imaginó con el bloc de notas en la mano, analizando los últimos acontecimientos desde todos los ángulos posibles. Seguro que ya se le habían ocurrido al menos diez maneras de sacarla de la cárcel. Y seguro que no se acostaría antes de haber reducido la lista a las tres con más posibilidades.

«Lo más divertido es la estrategia», solía decir.

Cutter pidió un refresco sin cafeína y un donut de chocolate. El traje oscuro y la camisa blanca habituales habían sido reemplazados por unos vaqueros y una camiseta: en algo tenía que notarse que no estaba de servicio. Sus aires de suficiencia, en cambio, eran los mismos que de costumbre. La detención de Eva Miranda no había hecho más que alimentar su orgullo.

Sandy dio cuenta de un sándwich de jamón en cuatro bocados. Eran casi las nueve de la noche, y habían pasado muchas horas desde el almuerzo que había compartido con Patrick en el hospital.

—Tengo que hablar con usted de algo muy serio —le anunció.

El establecimiento estaba abarrotado, y Sandy procuraba no levantar la voz.

—Le escucho —dijo Cutter.

Sandy tragó el último bocado y se secó los labios antes de acercarse más al agente y decir:

—No se lo tome a mal, pero necesitamos otro interlocutor.

—¿Por ejemplo?

—Algún superior de usted. Alguien de Washington.

Cutter reflexionó un instante mientras contemplaba el tráfico de la autopista 90. Entre ellos y el Golfo no había más de cien metros.

—Como quiera —aceptó—, pero necesitará una buena excusa.

Sandy echó un vistazo a su alrededor. Nadie los miraba, ni siquiera por casualidad.

—¿Y si le dijera que podemos probar que la demanda de Aricia no fue más que un montaje? ¿Que Aricia y Bogan se pusieron de acuerdo para defraudar al gobierno? ¿Que el primo de Bogan, el senador, formaba parte de la conspiración y estaba dispuesto a aceptar un soborno de varios millones de dólares?

—¿Por qué no escribe una novela?

—Le digo que tenemos pruebas.

—Y si lo que dice fuera cierto, ¿espera que retiremos los cargos que pesan sobre su cliente a cambio de algún tipo de indemnización?

—No sería mala idea.

—No tan deprisa. ¿Qué hay del cadáver?

Cutter tomó un mordisco de su donut de chocolate.

—¿A qué clase de pruebas se refiere? —continuó después de masticar a conciencia el bocado.

—Documentos, conversaciones telefónicas, etcétera, etcétera.

—¿Admisibles como prueba?

—En su mayoría.

—¿Definitivas?

—Irrefutables.

—¿Las tiene aquí?

—En el maletero de mi coche.

Cutter dirigió la vista hacia el aparcamiento casi sin darse cuenta. Luego volvió a mirar a Sandy.

—¿Se trata de las pruebas que recogió su cliente antes de desaparecer?

—Exacto. Se enteró de lo que planeaban Aricia y los demás socios del bufete, y supo que además tenían pensado deshacerse de él. Estuvo reuniendo pruebas contra ellos durante una larga temporada.

—Fracaso matrimonial, etcétera, etcétera. Un buen día se hartó, cogió el dinero y se largó.

—No exactamente. Primero se largó y después cogió el dinero.

—Lo que sea. Y ahora quiere hacer un trato, ¿eh?

—¿No haría usted lo mismo en su lugar?

—¿Qué hay del cadáver?

—Eso es cosa del sheriff, no del FBI. Nos ocuparemos de ello a su debido tiempo.

—¿Qué le hace pensar que el asesinato no es cosa del FBI?

—El FBI acusó a mi cliente de haber robado los noventa millones de dólares. El estado de Mississippi lo acusó de haber cometido un asesinato. Siento decírselo, pero el FBI ya no puede meter baza.

Cutter odiaba a los abogados. No había manera de hacerles tragar un farol.

347

—Mire, esta entrevista es un puro trámite —siguió Sandy—. Preferiría no tener que pasar por encima de usted, pero estoy dispuesto a llamar a Washington yo mismo mañana por la mañana. Pensé que esta conversación bastaría para convencerle de que lo del trato va en serio. Pero si prefiere que coja el teléfono...

—¿Con quién quiere hablar?

—Con alguien que esté en disposición de tomar decisiones. Alguien del FBI o del Departamento de Justicia. Nos reuniremos en algún lugar tranquilo y pondremos las cartas sobre la mesa.

—Llamaré a Washington, pero más le vale tomárselo en serio.

Sandy se fue tras un frío apretón de manos.

31

La señora Stephano volvía a dormir tranquila. Los hombres del uniforme oscuro y los malos modales habían abandonado su calle, y las vecinas habían dejado de incordiarla con preguntas indiscretas. Su marido también parecía más relajado, y sus actividades habían dejado de ser el centro de los comentarios durante las partidas de bridge.

El teléfono de la mesilla de noche la despertó de un sueño profundo. Eran las cinco y media de la madrugada.

—¿Diga? —contestó.

—Jack Stephano, por favor —dijo una voz imperativa.

—¿De parte de quién? —preguntó la señora Stephano.

Su marido ya daba señales de vida bajo las sábanas.

—Hamilton Jaynes, del FBI.

—¡Cielo santo! —exclamó—. Jack —dijo con una mano sobre el auricular—, es el FBI otra vez.

Stephano encendió la lámpara de la mesilla, consultó la hora en el despertador y se puso al aparato.

—¿Con quién hablo?

—Buenos días, Jack. Soy Hamilton Jaynes. Siento despertarle tan temprano.

—Pues que sea la última vez.

—Solo quería que supiera que hemos detenido a la chica,

Eva Miranda. La tenemos a buen recaudo, con que ya puede despedir a todos sus sabuesos.

Stephano bajó de la cama y se quedó en pie junto a la mesilla de noche. Adiós a su última esperanza. La búsqueda del dinero había llegado a su fin.

—¿Dónde está? —preguntó sin esperanzas de obtener una respuesta sincera.

—Despídase de ella, Jack. Nosotros la hemos visto primero.

—Mi enhorabuena.

—Escuche con atención lo que voy a decirle. He enviado a mis hombres a Río para que se ocupen del asunto del secuestro. Dispone usted de veinticuatro horas. Si Paulo Miranda no está en libertad mañana por la mañana a las cinco y media, haré que le detengan y que detengan al señor Aricia. Ya puestos, creo que también me pasaré por Monarch-Sierra y por Northern Case Mutual para arrestar a sus otros amigos, el señor Atterson y el señor Jill. Hace tiempo que tengo ganas de hablar con todos ustedes.

—Disfruta haciendo amenazas, ¿verdad?

—No puedo negarlo. Por cierto, también me ocuparé de que las autoridades brasileñas tramiten la extradición de sus chicos lo antes posible. Dentro de un par de meses, a lo sumo. Es una lástima que los tribunales no acepten fianzas en los casos de extradición. Usted y esa pandilla de facinerosos que tiene por clientes tendrán que pasar las Navidades entre rejas. Y quién sabe, el gobierno podría decidirse a conceder su extradición. Para todo hay una primera vez. Dicen que las playas de Río son algo extraordinario. ¿Sigue ahí, Jack?

—Sigo aquí.

—Veinticuatro horas.

Un chasquido anunció el final de la comunicación. La señora Stephano se había encerrado en el baño, a punto de sufrir un ataque de nervios.

Jack bajó a la cocina a prepararse un café. El amanecer lo

sorprendió sentado aún junto a la mesa. Estaba harto de Benny Aricia.

Lo habían contratado para encontrar a Patrick y al dinero, no para descubrir de dónde habían salido los noventa millones de dólares. Conocía muy por encima la historia de la demanda contra Platt & Rockland, pero siempre había sospechado que había gato encerrado. Las pocas veces que había intentado sondear a Aricia, este se había mostrado contrario a hablar de los acontecimientos que precedieron a la desaparición de Lanigan.

Desde el principio, Jack había sospechado que los micrófonos instalados por Lanigan cumplían dos funciones: por una parte, recoger pruebas contra el bufete y sus clientes, con Aricia a la cabeza; por otra, hacer posible el seguimiento del dinero después del accidente. Lo que nadie sabía, excepto tal vez Aricia y los socios del bufete, era hasta qué punto podía ser concluyente la evidencia acumulada por esta vía. Stephano se temía lo peor.

Cuando Stephano puso en marcha su operación de busca y captura a raíz del robo, el bufete de Bogan decidió no formar parte del consorcio.

A pesar de los treinta millones en juego, los abogados prefirieron aceptar la derrota sin más, alegando dificultades financieras. El bufete estaba al borde de la bancarrota y no podía permitirse el dispendio que exigía la operación, sobre todo teniendo en cuenta que lo peor aún estaba por llegar. Stephano cedió ante el peso del argumento económico, pero también se dio cuenta de que Bogan y compañía no tenían mucho interés en volver a ver a su socio.

Aquellas cintas contenían alguna información importante. Estaba claro que Lanigan los había pillado con las manos en la masa. ¿Cómo explicar, si no, que el regreso de su socio representara un quebradero de cabeza aún mayor que la pérdida del dinero?

Y lo mismo podía aplicarse al caso de Aricia. Stephano decidió dejar que pasara otra hora antes de ponerse en contacto con él.

A las seis y media de la mañana, el despacho de Hamilton Jaynes estaba en plena ebullición. Sentados en el sofá, dos agentes estudiaban el último informe llegado de Río. Otro esperaba frente al escritorio de Jaynes el momento de comunicarle las últimas novedades sobre el paradero de Benny Aricia, quien seguía en su apartamento de Biloxi. Un cuarto agente tenía noticias relacionadas con Eva Miranda. Una secretaria acababa de entrar cargada con un caja llena de carpetas. Jaynes estaba hablando por teléfono, ojeroso y desaliñado, ajeno a la actividad que lo rodeaba.

Joshua Cutter entró en el despacho con el mismo aspecto demacrado que ofrecía su superior. Había dormido dos horas en el aeropuerto de Atlanta mientras esperaba la salida de un vuelo con destino a la capital. Un coche enviado por la central lo había trasladado después hasta el edificio Hoover. Jaynes colgó el teléfono en cuanto se dio cuenta de su presencia y despachó al resto de sus colaboradores.

—Traiga café —ordenó a la secretaria—. Litros.

La habitación se había vaciado en cuestión de segundos.

Cutter tomó asiento frente al gran escritorio de Jaynes. Estaba agotado, pero no quería que se le notara. Nunca había tenido tan cerca al subdirector de la Agencia en persona.

—Adelante —gruñó Jaynes.

—Lanigan quiere hacer un trato. Dice que tiene pruebas suficientes para empapelar a Aricia, a sus socios y a cierto senador.

—¿Qué clase de pruebas?

—Cintas y documentos. Lanigan estuvo haciendo acopio de ellos antes de desaparecer.

—¿Ha visto usted esas pruebas?

—No. McDermott dijo que las llevaba en el maletero del coche.

—¿Qué hay del dinero?

—No entramos en detalles. McDermott quiere reunirse con usted y con alguien del Departamento de Justicia para discutir los términos del acuerdo. Me dio la impresión de que estaba convencido de que el dinero podría solucionar todos sus problemas.

—Cuando se roba dinero sucio, siempre cabe esa posibilidad. ¿Dónde quiere que nos encontremos?

—En Biloxi.

—Déjeme hablar con el Departamento de Justicia —le dijo Jaynes casi para sus adentros mientras descolgaba el auricular—. A ver qué dice Sprawling.

El café ya estaba listo.

Mark Birck jugueteaba con su pluma de diseño en la sala de espera del centro de detención del FBI. Aún no habían dado las nueve, y faltaba un buen rato para la hora de visita de los abogados, pero se trataba de un caso urgente, y para eso estaban los amigos. La mesa estaba colocada frente a media pared de cristal y entre dos paneles opacos que garantizaban la confidencialidad de las entrevistas. Eva y él hablarían a través de una abertura con rejas.

El famoso criminalista llevaba media hora jugueteando con su pluma cuando Eva apareció tras una esquina enfundada en un mono amarillo con una inscripción desgastada sobre el pecho. Las esposas le habían lastimado las muñecas y no dejaba de frotárselas.

En cuanto la celadora la dejó a solas con su abogado, se sentó y miró al otro lado del cristal. Birck le pasó una tarjeta de visita entre las rejas. Eva la cogió y la leyó varias veces.

—Me envía Patrick —dijo.

Eva cerró los ojos.

—¿Se encuentra bien? —le preguntó.

Eva apoyó los codos sobre su lado de la mesa y habló a través de las rejas.

—Sí, gracias por venir. ¿Cuándo podré salir de aquí?

—Me temo que tendrá que quedarse unos cuantos días. El FBI podría hacer dos cosas. Una, la peor, acusarla de viajar con un pasaporte falso. Siendo usted extranjera y sin antecedentes penales, no les serviría de nada. Dos, la más probable, deportarla y prohibirle la entrada en Estados Unidos. En cualquier caso, tardarán unos días en tomar una decisión. Mientras tanto, no tendrá más remedio que esperar. Es demasiado pronto para solicitar la libertad bajo fianza.

—Ya veo.

—Patrick está muy preocupado por usted.

—Lo sé. Dígale que estoy bien. Y que estoy muy preocupada por él.

Birck abrió su bloc de notas y dijo:

—Patrick quiere que me explique con todo detalle cómo ocurrió todo.

Eva sonrió y respiró aliviada. «El mismo Patrick de siempre», se dijo. Luego explicó a su abogado la historia del hombre de los ojos verdes y todo lo demás.

Benny siempre había pensado que la playa de Biloxi era ridícula. Una lengua de arena encajonada entre una carretera demasiado peligrosa para cruzarla a pie y un mar de aguas parduzcas y demasiado salobres para nadar en él. En temporada alta se llenaba de veraneantes sin dinero, y los fines de semana era invadida por estudiantes, discos voladores y motos acuáticas de alquiler. El boom de los casinos había atraído otra clase de turismo, pero los jugadores pocas veces se alejaban durante mucho tiempo del objeto de su deseo.

Con todo, aparcó el coche en el muelle, encendió un cigarro, se quitó los zapatos y se dispuso a dar un paseo por la arena. La playa estaba mucho más limpia —sin duda gracias a los casinos—, y también desierta. En alta mar se distinguía algún que otro barco de pesca.

Había pasado una hora desde la llamada de Stephano; una llamada que podía cambiar el rumbo de su vida y que, por de pronto, le había estropeado la mañana. Con la detención de la chica se había desvanecido la última esperanza de dar con el dinero. Ya no podían arrancarle el paradero de los noventa millones ni utilizarla para presionar a Lanigan.

El FBI había presentado cargos contra Patrick, pero el abogado tenía el dinero y las pruebas contra Bogan y su cliente. Las dos partes llegarían a un acuerdo y él, Benny Aricia, quedaría atrapado entre los dos. Por si eso fuera poco, no le cabía ninguna duda de que sus cómplices, Bogan y compañía, cantarían como canarios en cuanto les apretaran un poco las tuercas. Benny tenía todas las de perder, y lo sabía. De hecho, lo sabía desde hacía mucho tiempo. Y desde entonces soñaba con hacer lo mismo que había hecho Patrick: coger los noventa millones y desaparecer.

Benny sabía que su sueño era imposible, sobre todo desde el regreso de Patrick. Pero aún tenía un millón de dólares en el banco, amigos en el extranjero y contactos en todo el mundo. Sí, se dijo, había llegado el momento de desaparecer.

Sandy tenía una cita en la oficina del fiscal del distrito. Había quedado en verse a las diez de la mañana con T. L. Parrish, y pese a la tentación de posponer el encuentro y dedicar la mañana al estudio del expediente Aricia, compareció. Había salido de su despacho a las ocho y media, y ya había dejado a todos sus empleados y a sus dos socios haciendo fotocopias y ampliaciones de los documentos más importantes.

La entrevista se había concertado a instancias de Parrish, y Sandy creía saber el porqué de tanta prisa. La fiscalía tenía serios problemas para fundamentar su acusación y, pasados los primeros momentos de euforia, quería sentarse a negociar. Los fiscales, por definición, prefieren los casos que no dejan ninguna duda sobre la culpabilidad del acusado. No es de extrañar, pues, que un caso lleno de lagunas y seguido de cerca por los medios de comunicación trajera al pobre Parrish por la calle de la amargura.

Parrish quería información, pero antes de tirar el anzuelo se anduvo un buen rato por las ramas. Según él, ningún jurado vería con buenos ojos el caso de un abogado que había cometido un asesinato para hacerse con una gran suma de dinero. Sandy se limitó a escuchar. Como era de esperar, Parrish echó mano de las estadísticas para presumir una vez más de su eficiencia: ni un solo caso perdido, ocho condenas a muerte.

Sandy tenía mejores cosas que hacer que seguir escuchando baladronadas. Él también necesitaba hablar largo y tendido con Parrish, pero a su debido tiempo. Harto de cháchara, preguntó al fiscal cómo pensaba probar su acusación de asesinato si ni siquiera podía demostrar cuál había sido la causa de la muerte. Con la ayuda de Patrick, desde luego, mejor no contar. Y eso no era todo. ¿Quién se suponía que era la víctima? Según los informes de Patrick, ningún jurado de Mississippi había emitido un veredicto de culpabilidad sin una víctima con nombre y apellido.

Parrish esperaba todas aquellas preguntas y consiguió salir del paso sin responder a ninguna.

—¿Ha considerado su cliente la posibilidad de declararse culpable? —preguntó al fin, como si le doliera pronunciar aquellas palabras.

—No.

—¿Cree que estaría dispuesto a hacerlo?

—No.

—¿Por qué no?

—Fue usted quien convocó al jurado de acusación, quien presentó los cargos de asesinato y quien se hizo el héroe ante la prensa. Podría haber esperado un poco y analizar las pruebas con calma, pero no lo hizo. Ahora ya es demasiado tarde para echarse atrás.

—Todavía nos queda el homicidio sin premeditación —dijo con rabia—. ¡Veinte años de cárcel!

—Puede —concedió Sandy sin inmutarse—. Pero mi cliente no ha sido acusado de ese delito.

—Puedo presentar los cargos mañana mismo.

—Me parece muy bien. Hágalo. Retire los cargos de asesinato y presente los de homicidio sin premeditación. Volveremos a hablar cuando reciba la citación.

32

Se llamaba suite Camille, y ocupaba un tercio de la superficie del último piso del Nugget de Biloxi, el casino más grande, más nuevo y el de más éxito de todos los que se habían construido en la Costa. A los chicos de Las Vegas les había parecido ingeniosa la idea de bautizar las diferentes suites y salas de banquetes del hotel con los nombres de los peores huracanes que habían asolado la Costa a lo largo de la historia. Para un huésped cualquiera, atraído simplemente por el número de metros cuadrados, la suite costaba setecientos cincuenta dólares diarios. Exactamente lo mismo que le costaba a Sandy. Para los jugadores llegados de quién sabe dónde con la intención de dejar parte de su fortuna en la mesa de la ruleta, el alojamiento era gratuito. Nada más lejos del pensamiento de Sandy —o de su cliente, que había dado el visto bueno al traslado sin moverse de la habitación del hospital en que se hallaba ingresado, a menos de tres kilómetros de distancia— que perder el tiempo jugando a las cartas. La suite Camille comprendía dos dormitorios, una cocina, un sala de estar y dos salones más pequeños, es decir, el lugar ideal para celebrar varias reuniones al mismo tiempo. También disponía de cuatro líneas telefónicas, un aparato de fax y un vídeo. El ayudante de Sandy se encargó de llevar de Nueva Orleans el ordenador y el resto del equipo técnico, así como el primer lote de documentos del expediente Aricia.

La primera visita que recibió la sede provisional del bufete McDermott fue la de J. Murray Riddleton, el otrora ambicioso abogado de Trudy Lanigan. Riddleton presentó al representante de la otra parte un borrador del convenio que establecería el reparto de los bienes matrimoniales y el régimen de visitas de la pequeña Ashley Nicole. Los dos abogados discutieron el contenido del acuerdo —por no decir los términos de la rendición— durante el almuerzo.

—Para ser un primer borrador, no está mal —repetía el quisquilloso abogado del bando vencedor mientras cercenaba el documento a golpes de rotulador rojo.

Riddleton aguantó el chaparrón sin inmutarse e hizo gala de una gran profesionalidad al rebatir punto por punto las enmiendas propuestas por Sandy. En el fondo, sin embargo, ambos sabían que se trataba de una rendición incondicional. La prueba del ADN y las fotos de la piscina pesaban más que cualquier argumento.

La segunda visita fue la de Talbot Mims, representante legal de la Northern Case Mutual destacado en Biloxi, un tipo hiperactivo y jovial que se desplazaba a bordo de una furgoneta equipada con chófer, tapicería de cuero, escritorio, dos teléfonos, fax, busca, televisor, vídeo para estudiar declaraciones grabadas, dos ordenadores y un sofá donde descabezar un sueñecito cuando la jornada laboral resultaba más ardua que de costumbre. Mims viajaba acompañado de una secretaria y un ayudante provistos de sendos teléfonos móviles, y de un tercer colaborador cuya única función era la de darle tono.

Los cuatro miembros del equipo Mims fueron recibidos en la suite Camille por un Sandy vestido con vaqueros que les ofreció refrescos del minibar. Todos declinaron la oferta. La secretaria y el ayudante se pusieron a trabajar inmediatamente vía teléfono móvil. Sandy acompañó a Mims y a su comparsa hasta un gabinete desde donde se disfrutaba de una vista espléndida del aparcamiento del hotel y de los primeros pilares de acero del último homenaje al kitsch.

—Iré al grano —dijo Sandy—. ¿Conoce a un hombre llamado Jack Stephano?

Mims caviló su respuesta un segundo.

—No.

—Lo suponía. Stephano es uno de los detectives más cotizados de la capital. Benny Aricia, el presidente de la Northern Case Mutual y el presidente de Monarch-Sierra lo contrataron para que localizara a Patrick Lanigan.

—¿Y?

—Y esto —replicó Sandy con una sonrisa mientras mostraba a su interlocutor una selección de fotografías macabras.

Mims las puso una al lado de otra sobre la mesa: las quemaduras de Patrick en todo su esplendor.

—Son las mismas que salieron en los periódicos, ¿no?

—Más o menos.

—Sí, creo que las publicaron para ilustrar la noticia de su querella contra el FBI.

—Señor Mims, le aseguro que el responsable de estas heridas no es el FBI.

—¿Ah, no?

Mims dejó las fotografías y prestó atención a Sandy.

—No fue el FBI quien localizó a mi cliente.

—Y entonces ¿por qué se querella contra ellos?

—Simple estrategia publicitaria. Necesitaba presentar a mi cliente bajo una luz positiva.

—Pues no creo que lo consiguiera.

—Tal vez no desde su punto de vista, pero usted no formará parte del jurado, ¿me equivoco? En cualquier caso, estas heridas fueron el resultado de una larga sesión de tortura a la que Patrick Lanigan fue sometido por órdenes explícitas del señor Jack Stephano, entre cuyos clientes se encuentra, como ya le he dicho, la compañía que usted representa: una sociedad anónima con una sólida reputación en el ámbito de la responsabilidad extracontractual y con un patrimonio neto de seis mil millones de dólares.

Talbot Mims era un hombre extremadamente pragmático. No podía ser de otro modo. Con trescientos expedientes sobre su mesa y dieciocho aseguradoras en su cartera de clientes, no tenía tiempo que perder.

—Dos preguntas —dijo—. ¿Puede usted probar lo que acaba de contarme?

—Sí. El FBI se lo confirmará, si así lo desea.

—¿Cuál es su propuesta?

—Quiero que vuelva mañana con un alto ejecutivo de la Northern Case. Alguien con capacidad de decisión.

—Hablamos de gente muy ocupada.

—Todos estamos muy ocupados. No se lo tome como una amenaza, pero piense en las repercusiones de una demanda interpuesta contra su cliente.

—No sé de qué otra forma tomármelo.

—Usted verá.

—¿A qué hora?

—A las cuatro en punto de la tarde.

—Aquí estaremos —dijo Mims mientras le ofrecía la mano.

Segundos después, él y su séquito abandonaban el hotel a toda prisa.

Los colaboradores de Sandy llegaron a media tarde. Una de las secretarias se ocupó de atender el teléfono, que sonaba aproximadamente cada diez minutos. Sandy había llamado a Cutter, a Parrish, al sheriff Sweeney, a Mark Birck, al juez Huskey, a varios abogados de Biloxi, y a Maurice Mast, fiscal general del distrito occidental de Mississippi. Además, trabajo aparte, había llamado dos veces a su mujer para saber cómo estaba la familia y una vez al director de la escuela de su hijo menor.

Hal Ladd, el representante de Monarch-Sierra, y Sandy habían hablado un par de veces por teléfono, pero nunca se habían visto hasta su entrevista en la suite Camille. Ladd llegó solo, lo que sorprendió a Sandy, acostumbrado a ver trabajar a los abogados de las compañías aseguradoras en pareja. Fuera cual fuese la magnitud del caso, los abogados que asumían la defensa de una aseguradora siempre lo hacían de dos en dos. Todos escuchaban, observaban, hablaban y tomaban notas de dos en dos. Y lo más importante: todos presentaban dos minutas separadas a sus clientes a cambio de dos trabajos idénticos.

Sandy también conocía dos bufetes de Nueva Orleans que, por motivos más que evidentes, habían adoptado un sistema tripartito a la hora de plantear la defensa de cualquier caso relacionado con una compañía de seguros.

Ladd era un hombre serio y maduro, que rondaba la cincuentena, con una reputación lo bastante sólida para no necesitar la colaboración de ningún otro abogado. Ladd aceptó una Coca-Cola *light* y ocupó el mismo asiento en el que se había sentado su colega Mims.

Sandy empezó la entrevista con la misma pregunta:

—¿Conoce a un hombre llamado Jack Stephano?

Ladd no lo conocía, y Sandy se vio obligado a ponerlo también al corriente. Luego le enseñó las fotografías de Patrick y juntos las comentaron durante unos minutos. Las heridas no fueron infligidas por hombres del FBI, explicó Sandy. Ladd supo leer entre líneas. Llevaba muchos años representando a compañías de seguros y nada lo sorprendía: sabía que siempre encontraban la manera de caer aún más bajo. Con todo, el caso de Patrick parecía establecer un nuevo récord.

—En el supuesto de que estos hechos puedan probarse —dijo—, estoy seguro de que mi representado no tendrá ningún interés en que se hagan públicos.

—Estamos dispuestos a retirar la querella contra el FBI y a llevar ante los tribunales a su representado, a la Northern Case Mutual, a Benny Aricia, a Jack Stephano y a cualquier otra persona directa o indirectamente relacionada con los malos tratos sufridos por mi cliente. Un ciudadano de Estados Unidos torturado por un puñado de compatriotas suyos. Será un caso millonario. Y se juzgará aquí mismo, en Biloxi.

No si Hal Ladd podía evitarlo. El abogado de Monarch-Sierra accedió a ponerse inmediatamente en contacto con sus clientes y aconsejarles que enviaran a Biloxi un representante con plenos poderes. A ser posible, abogado. Ladd pareció molesto por el hecho de que la compañía de seguros no lo hubiera informado de su participación en el consorcio.

—Si es verdad lo que dice —aseguró a Sandy—, tendrán que buscarse otro bufete.

—Lo es —dijo Sandy—. Créame.

Ya casi había oscurecido. Los secuestradores de Paulo Miranda maniataron a su prisionero y le vendaron los ojos antes de sacarlo de la casa. Nadie lo amenazó ni lo intimidó con arma alguna. Nadie dijo nada. Durante una hora o más, viajó en el asiento de atrás de un utilitario, con música clásica de fondo.

Tan pronto como llegaron a su destino, dos hombres salieron de los asientos delanteros y ayudaron a Paulo a bajar del coche.

—Venga por aquí —dijo una voz muy cercana mientras una mano poderosa lo cogía del brazo.

Anduvieron por una carretera sin asfaltar durante un centenar de metros. Luego se pararon.

—Está a veinte kilómetros de Río. A trescientos metros a su izquierda hay una granja con teléfono. Vaya a pedir ayuda. Tengo una pistola en la mano. Si se da la vuelta, no tendré más remedio que matarle.

—No lo haré —prometió Paulo con voz trémula.

—Así me gusta. Primero le quitaré las esposas y luego la venda.

—No me daré la vuelta —repitió Paulo.

El secuestrador le quitó las esposas.

—Voy a quitarle la venda. Cuando lo haya hecho, empiece a andar.

La venda cayó. Paulo bajó la cabeza y echó a correr por la carretera. No oyó ningún ruido a su espalda ni se atrevió a mirar atrás. Al llegar a la granja llamó a la policía y luego a su hijo.

33

Las relatoras llegaron puntualmente a las ocho. Previa entrega de sus tarjetas de visita, las dos Lindas —una con i latina y la otra con y griega— siguieron a Sandy hasta el centro de la suite, donde los muebles habían sido sustituidos por un círculo de sillas. Sandy las colocó en extremos opuestos de la habitación: Y de espaldas a la ventana oscura e I en un rincón cercano al bar, desde donde dominaría toda la acción. Las dos dijeron necesitar desesperadamente un último pitillo, y Sandy las envió al dormitorio del fondo.

Jaynes y los suyos llegaron en segundo lugar. El séquito estaba formado por un chófer, un agente maduro del FBI que también hacía las veces de guardaespaldas, vigía y recadero, un abogado del FBI, Cutter, el superior inmediato de Cutter y —en representación del fiscal general— Sprawling, un veterano de mirada oscura y profunda que no hablaba mucho pero no se perdía detalle. Los seis iban de negro o azul marino riguroso, y entregaron sus tarjetas de visita al ayudante de Sandy. La secretaria los dejó camino del salón para ir a preparar el café.

El tercero en llegar fue Maurice Mast, el fiscal del distrito occidental de Mississippi, un hombre a quien —a juzgar por su único acompañante— le gustaba viajar sin demasiado equipaje. Algo más tarde llegó, en solitario, T. L. Parrish. La reunión ya podía empezar.

La división jerárquica se estableció de forma espontánea. El chófer de Jaynes y el ayudante de Mast, por ejemplo, se quedaron en uno de los gabinetes en compañía de una bandeja de donuts y de los periódicos de la mañana.

Sandy cerró la puerta, dio la bienvenida a la concurrencia con un alegre «Buenos días a todos», y les agradeció su presencia. Las sillas estaban distribuidas en círculo. Nadie sonreía ni parecía contrariado por el hecho de estar allí. El espectáculo prometía.

Luego presentó a las relatoras y explicó que las transcripciones de la reunión permanecerían en poder de su cliente y serían tratadas con la máxima confidencialidad. No hubo protestas, y era demasiado pronto para hacer preguntas o comentarios. A decir verdad, nadie conocía con certeza el orden del día.

El bloc de notas que Sandy sostenía en una mano contenía un resumen de una docena de páginas de todo cuanto pensaba decir. Cualquiera habría podido tomar aquella reunión por la vista de un juicio. El abogado informó a los presentes del estado de salud de su cliente y los saludó de su parte. A continuación recapituló los cargos pendientes contra su representado, Patrick Lanigan, a quien el estado de Mississippi acusaba de homicidio en primer grado y el gobierno federal de robo, espionaje y fuga de capitales. En el primer caso, la fiscalía pediría la pena de muerte; en el segundo, un máximo de treinta años de prisión.

—Los cargos federales son graves —dijo con voz solemne—, pero palidecen al lado de la pena de muerte. Por eso, y con el debido respeto, nos gustaría librarnos del FBI para así concentrarnos en la acusación de homicidio.

—¿Y ya sabe cómo va a librarse de nosotros? —preguntó Jaynes.

—Les propondremos un trato.

—No tendrá algo que ver con el dinero, ¿verdad?

—Así es.

—En tal caso, sepa que el dinero no nos interesa. La víctima del robo no fue el gobierno federal.

—Se equivoca.

El representante del fiscal general quería intervenir.

—¿En serio creen que podrán salir de este lío a golpe de talonario?

Las palabras tajantes de Sprawling, pronunciadas con su voz áspera y monótona, sonaron casi como un desafío.

La tribuna increpaba al abogado, pero él, Sandy, no estaba dispuesto a alejarse del guión.

—Un poco de paciencia —dijo—. Permítanme exponer el caso antes de discutir las posibles soluciones. Bien, supongo que todos los presentes conocen la reclamación que el señor Aricia presentó contra su antigua empresa en mil novecientos noventa y uno amparándose en la Ley de Contratación Pública. La demanda en cuestión fue redactada y presentada por el bufete de Charles Bogan, entre cuyos empleados se hallaba, por aquel entonces, el recién ascendido Patrick Lanigan. Dicha demanda se fundamentaba en hechos falseados. Mi cliente lo descubrió, y se enteró, paralelamente, de que sus socios tenían previsto deshacerse de él tan pronto como el Departamento de Justicia aceptara la reclamación y antes de cobrar la correspondiente minuta. A lo largo de varios meses, mi cliente llegó a acumular pruebas suficientes para establecer de forma concluyente la participación del señor Aricia y sus abogados en una conspiración destinada a obtener del gobierno una recompensa ilícita de noventa millones de dólares. Las pruebas consisten en documentos escritos y conversaciones grabadas.

—¿Dónde están esas pruebas? —preguntó Jaynes.

—Mi cliente es el único que puede autorizar su difusión.

—No esté tan seguro. Podemos obtener una orden de registro e incautarnos de ellas en cualquier momento.

—Aun así, mi cliente tendría que dar su consentimiento. ¿Ha pensado qué pasaría si decidiera destruir esas pruebas? ¿O esconderlas de nuevo? ¿Qué harían entonces? ¿Meterlo en la cárcel? ¿Añadir cargos a los que ya han presentado? No se haga ilusiones: a Patrick Lanigan ya no le dan miedo ni usted ni sus órdenes de registro.

—¿Y qué me dice de usted? —preguntó Jaynes—. Si las pruebas estuvieran en su poder, podríamos obtener una orden de registro contra usted.

—Me resistiría a entregarlas. Cualquier documento que haya recibido de manos de mi cliente constituye información confidencial. Hay legislación específica sobre el tema y usted lo sabe de sobra. Y no olvide que el señor Aricia ha demandado a mi cliente. Le repito, pues, que todos los documentos que se hallan en mi poder son estrictamente confidenciales, y no estoy dispuesto a hacerlos públicos hasta que mi cliente así lo decida.

—¿Y si consiguiéramos una orden judicial? —preguntó Sprawling.

—Apelaría. Lo siento, caballeros, la ley me ampara.

Los presentes encajaron la derrota sin sorpresa.

—¿Cuánta gente tomó parte en la conspiración? —preguntó Jaynes.

—Los cuatro socios del bufete y el señor Aricia.

A continuación hubo una pausa cargada de tensión. Jaynes y los demás esperaban que Sandy pronunciara el nombre del senador, pero no fue así. El abogado defensor se limitó a consultar sus notas y a seguir exponiendo el caso:

—Les propongo un trato muy simple. Mi cliente les entrega los documentos y las cintas y les restituye el dinero; hasta el último centavo. Y ustedes, a cambio, retiran los cargos federales para que podamos concentrarnos en la acusación de asesinato, consiguen que el fisco se comprometa a dejarlo en paz, y ponen en libertad a Eva Miranda.

Sandy recitó los términos del acuerdo de un tirón porque había ensayado previamente su intervención, y los ocupantes de la tribuna lo escucharon atentamente. Sprawling tomó buena nota de todo lo dicho mientras Jaynes contemplaba el suelo sin sonreír ni fruncir el entrecejo. El resto aún no había decidido de qué lado inclinarse, pero tenía muchas preguntas que hacer.

—Los términos del acuerdo deben cumplirse de inmediato. Hoy mismo.

—¿Por qué tanta prisa? —preguntó Jaynes.

—Porque mientras ustedes están aquí, Eva Miranda sigue en la cárcel. Y porque mi cliente ha fijado como plazo para el cumplimiento del acuerdo las cinco de esta tarde. Si no aceptan, se quedará el dinero, destruirá las pruebas, y cumplirá su condena con la esperanza de llegar a viejo y salir algún día de la cárcel.

De Patrick Lanigan podía esperarse cualquier cosa. De momento ya había conseguido cambiar su celda de Parchman por una estancia en el hospital con servicio de habitaciones.

—Hablemos del senador —dijo Sprawling.

—Me parece buena idea —aceptó Sandy.

Acto seguido abrió la puerta que comunicaba la sala de estar con uno de los gabinetes y dio instrucciones a uno de sus ayudantes. El joven empujó un carrito equipado con altavoces y un reproductor de casetes hasta el centro de la habitación. Sandy esperó hasta que se fue y luego volvió a cerrar la puerta.

—La grabación que oirán —dijo mientras consultaba sus notas— corresponde al catorce de enero de mil novecientos noventa y dos, tres semanas antes de la desaparición de mi cliente. La conversación tiene lugar en la planta baja del bufete Bogan, en una habitación conocida como «el Armario», una especie de trastero utilizado para pequeñas reuniones. La primera voz que oirán pertenece a Charles Bogan; la segunda, a Benny Aricia, y la tercera, a Doug Vitrano. Aricia acaba de presentarse en el bufete sin avisar y, como verán, no está de muy buen humor.

Sandy se acercó a la mesa y estudió las teclas del casete, un aparato nuevo conectado a dos altavoces de gran calidad. Los presentes lo observaban con atención, casi todos inclinados imperceptiblemente hacia delante.

—Recuerden: Bogan, Aricia, Vitrano —dijo Sandy antes de apretar la tecla de reproducción. Al cabo de diez segundos de completo silencio, se oyeron las primeras voces. Los protagonistas parecían muy alterados.

BOGAN: Nuestra comisión será de un tercio. Además de que es la práctica habitual, hemos firmado un contrato, y usted lo sabe desde hace un año y medio.

ARICIA: Su trabajo no vale treinta millones de dólares.

VITRANO: Ni el suyo sesenta.

BOGAN: Tres partes, dos para usted y una para nosotros. Sesenta para usted, treinta para nosotros.

ARICIA: De eso nada. ¿Cómo pensaban repartir esos treinta millones?

VITRANO: Eso no es asunto suyo.

ARICIA: Ya lo creo que sí. Soy yo quien paga la minuta. Tengo derecho a saber cómo se va a repartir mi dinero.

BOGAN: Se equivoca.

ARICIA: ¿Cuánto se va a llevar el senador?

BOGAN: No es asunto suyo.

ARICIA: ¡Sí lo es! Ese tipo se ha pasado un año presionando a la Marina, al Pentágono y al Departamento de Justicia. ¡Por todos los santos, ha dedicado más tiempo a mi caso que a sus propios electores!

VITRANO: Benny, por favor, no grite.

ARICIA: Quiero saber cuánto se va a llevar esa sanguijuela. Tengo derecho a saber qué se hace con mi dinero.

VITRANO: Benny, todo se ha pagado bajo mano.

ARICIA: ¿Cuánto?

BOGAN: El senador es asunto mío. Déjelo de mi cuenta, ¿de acuerdo? ¿A qué viene tanta insistencia? El procedimiento no es ninguna novedad.

VITRANO: Si escogió este bufete, fue precisamente por nuestros contactos en Washington.

ARICIA: ¿Cinco millones? ¿Diez? ¿A cuánto asciende el soborno?

Bogan: No insista. Nunca lo sabrá.

Aricia: ¿Que no? ¡Me enteraré aunque tenga que llamar y preguntárselo personalmente!

Bogan: Adelante.

Vitrano: ¿Qué le pasa, Benny? ¡Por el amor de Dios, está a punto de cobrar sesenta millones de dólares! ¿Es que va a volverse avaro a estas alturas?

Aricia: No me venga con sermones. ¿Cómo se atreve a hablar de avaricia? Cuando les contraté trabajaban por doscientos pavos la hora. Y mírense ahora, tratando de justificar una minuta de treinta millones de dólares. El bufete en obras, coches nuevos... Pronto empezarán a comprar barcos y aviones como un multimillonario cualquiera. Con la diferencia de que esos millones no son suyos, sino míos.

Bogan: ¿Suyos? No quiera pasarse de listo, Benny. ¿Ya no se acuerda? ¡Su reclamación es más falsa que un billete de tres dólares!

Aricia: Puede, pero al menos fue idea mía. Fui yo, y no ustedes, quien preparó la trampa.

Bogan: Si no le hacíamos falta, ¿por qué se tomó la molestia de contratarnos?

Aricia: Yo también me lo pregunto.

Vitrano: Veo que tiene usted mala memoria, Benny. Vino aquí en busca de influencias, porque necesitaba nuestra ayuda. Nosotros redactamos la reclamación. Invertimos cuatro mil horas de trabajo en esa demanda y luego tocamos las teclas necesarias en Washington. Contando en todo momento con su autorización, además.

Aricia: Dejemos fuera al senador. Eso nos ahorraría diez millones. Renuncien a otros diez millones y quédense con diez. Esa sería una minuta mucho más realista.

Vitrano: Ja, ja, ja... Está usted hecho un genio de los negocios. Conque ochenta para usted y diez para nosotros, ¿eh?

Aricia: Sí, y a los políticos que les den por saco.

Bogan: Ni hablar, Benny. Olvida usted un detalle importante. Si no fuera por nosotros y por los políticos, usted no vería ni un centavo.

Sandy pulsó la tecla de parada. El eco de las voces se oyó —o esa impresión dio— durante un minuto entero. Jaynes y los demás tenían la vista vuelta hacia el techo, el suelo, las paredes o cualquier otro rincón de la sala. Todos intentaban fijar en la memoria los mejores fragmentos de la grabación.

—Y esto es solo una muestra, caballeros —se jactó Sandy con una sonrisa de mal gusto.

—¿Cuándo podría entregarnos el resto? —preguntó Jaynes.

—En cuestión de horas, si aceptan el trato.

—¿Estaría su cliente dispuesto a testificar ante un jurado de acusación federal? —preguntó Sprawling.

—Ante un jurado de acusación, sí. En un juicio, quizá.

—¿Por qué solo «quizá»?

—Mi cliente no tiene por qué dar explicaciones.

Sandy empujó el carrito hacia la puerta, la abrió y devolvió el equipo a su ayudante. Después se dirigió de nuevo a los presentes:

—Creo que deberían hablar entre ustedes. Yo iré a dar un paseo. Pónganse cómodos.

—No esperará que hablemos aquí, ¿verdad? —dijo Jaynes mientras se ponía de pie. Había demasiados cables a la vista y, conociendo a Patrick, aquel no era lugar seguro—. Iremos a nuestra habitación.

—Como quiera —dijo Sandy.

El resto de los presentes se levantó y recogió sus bártulos. Uno a uno atravesaron la sala, el gabinete y, finalmente, la puerta de la suite. Lynda y Linda salieron disparadas hacia el dormitorio del fondo para aliviar la vejiga y fumar un cigarrillo. Sandy se preparó una taza de café y esperó.

Jaynes y los demás volvieron a reunirse dos pisos más abajo, en una habitación doble insuficiente para albergarlos a todos. Todas las chaquetas acabaron apiladas sobre las almohadas de las camas. Jaynes ordenó a su chófer que esperara en el pasillo con el ayudante de Mast. Él y sus colegas estaban a punto de discutir cuestiones demasiado delicadas para sus oídos plebeyos.

De aceptarse el trato, el principal perdedor sería Maurice Mast, ya que, sin cargos federales, se quedaría sin caso. Y no estaban hablando precisamente de un juicio sin importancia. Así pues, el fiscal se sintió obligado a hacer constar su disconformidad con el acuerdo antes de que los demás empezaran a tomar la palabra.

—Si cedemos seremos el hazmerreír de la Costa —dijo con la mirada fija en Sprawling, quien se había sentado en una silla endeble y no conseguía ponerse cómodo.

Sprawling estaba un nivel por debajo del fiscal general en el escalafón y varios por encima de Mast. Por pura cortesía, Jaynes y él escucharían durante unos minutos las opiniones de sus subordinados. Luego tomarían todas las decisiones entre los dos.

Hamilton Jaynes miró a T. L. Parrish y le preguntó:

—¿Está seguro de que puede conseguir un veredicto de culpabilidad contra Patrick Lanigan?

Parrish era un tipo prudente, y sabía muy bien que cualquier promesa hecha en aquel contexto sería recordada durante mucho tiempo.

—Con una acusación de homicidio en primer grado, no. Para ir sobre seguro habría que rebajar la acusación a homicidio sin premeditación.

—¿De cuánto es la pena por homicidio sin premeditación?

—De veinte años.

—¿Cuánto tiempo tardaría en salir?

—Cinco años, más o menos.

Por extraño que parezca, la respuesta de Parrish satisfizo a Jaynes, un funcionario de carrera que creía que había que tener mano dura con los intrusos.

—¿Qué le parece, Cutter? —preguntó mientras paseaba de un extremo a otro de la cama.

—Faltan pruebas —dijo Cutter—. No podemos demostrar ni el quién, ni el qué, ni el cómo, ni el dónde, ni el cuándo. Creemos saber el porqué, pero el juicio podría convertirse en una auténtica pesadilla. Yo me inclinaría por el homicidio sin premeditación.

—¿Qué hay del juez? —preguntó Jaynes a Parrish—. ¿Estará dispuesto a imponerle la pena máxima?

—Si se le declarara culpable de homicidio sin premeditación, creo que el juez lo condenaría a veinte años. La concesión de la libertad condicional dependería de las autoridades penitenciarias.

—¿Podemos dar por seguro que Lanigan se pasará los próximos cinco años entre rejas? —preguntó Jaynes a todos los presentes en general.

—Sin duda —respondió Parrish a la defensiva—. Y en cuanto a la acusación de homicidio en primer grado, no tenemos intención de echarnos atrás. Insistiremos en que Lanigan mató a una persona para así tener acceso a los noventa millones. Hay pocas probabilidades de que lo condenen a la pena de muerte, pero siempre podría caerle una cadena perpetua.

—¿Hasta qué punto nos importa que cumpla la condena en Parchman o en una prisión federal? —preguntó Jaynes.

Estaba claro que a él no le importaba en absoluto.

—Juraría que a Patrick sí le importa —dijo Parrish.

Varios de los presentes sonrieron tímidamente.

T. L. Parrish veía el trato con buenos ojos porque, de ser aceptado, él se convertiría en el único fiscal del caso Lanigan. Mast y el FBI tendrían que darle carpetazo.

—Estoy completamente seguro —afirmó para disipar cualquier duda que pudiera albergar Mast— de que Patrick Lanigan cumplirá su condena en Parchman.

Pero Mast no pensaba morderse la lengua.

—No sé —dijo con el entrecejo fruncido—. Algo me dice

que no deberíamos aceptar. No se puede robar un banco y después devolver el dinero a cambio de la absolución. La justicia no se vende.

—Las cosas no son tan sencillas —intervino Sprawling—. Lanigan se ha convertido de repente en la clave para atrapar a peces mucho más gordos. El dinero que robó se había conseguido por medios ilícitos. Nosotros nos limitaremos a devolverlo a los contribuyentes.

Mast no tenía ni la más remota intención de rebatir las palabras de Sprawling.

—Parrish —dijo Jaynes—, disculpe la descortesía, pero... ¿le importaría esperar fuera un momento? Los federales tenemos cosas de que hablar.

—En absoluto —respondió segundos antes de salir al pasillo.

Basta de cháchara, se dijo Sprawling. Había llegado la hora de cerrar el trato.

—La cuestión es muy simple, caballeros. La Casa Blanca está siguiendo de cerca este caso y, francamente, el senador Nye nunca ha sido del agrado del presidente. Un buen escándalo en su circunscripción haría feliz a más de un pez gordo. Nye tiene que presentarse a la reelección dentro de dos años, y una acusación de soborno lo mantendría ocupado hasta entonces. Si además resultara ser verdad, sería el fin de su carrera.

—Nosotros nos encargaremos de la investigación —dijo Jaynes a Mast—, y ustedes de la instrucción.

Mast comprendió de repente que aquella reunión podía reportarle grandes beneficios. La decisión de negociar con Lanigan no había partido de Sprawling o Jaynes, sino de mucho más arriba. En realidad, no intentaban sino complacerlo. Al fin y al cabo, él era el fiscal general del distrito.

La idea de acusar y procesar a un senador de Estados Unidos tenía su aquel, y a Mast no se le escapaba. De pronto empezó a imaginarse en una sala de vistas abarrotada, con el público y el jurado escuchando embelesados las grabaciones de Lanigan.

—Entonces estamos de acuerdo, ¿no? —dijo, y se encogió de hombros como si la cosa no fuera con él.

—Exacto —respondió Sprawling—. No hace falta darle más vueltas. Patrick se pasa una buena temporada entre rejas, nosotros devolvemos el dinero, quedamos como unos señores y, de paso, ponemos a un par de peces gordos a la sombra.

—Y le hacemos un favor al presidente —añadió Mast con la única sonrisa de la habitación.

—Yo no he dicho eso —lo corrigió Sprawling—. No he hablado con el presidente sobre este tema. Mis superiores han hablado con su gente. No sé nada más.

Jaynes hizo regresar a Parrish del pasillo. La hora siguiente se invirtió en repasar la oferta de Patrick y ponderar cada uno de sus elementos. La chica podía estar en la calle en menos de una hora. Y Patrick —se decidió— podía ser obligado a pagar intereses por el dinero sustraído. ¿Y la querella contra el FBI? Jaynes elaboró una lista de puntos para tratar con Sandy.

Mientras tanto, en Miami, Mark Birck comunicaba a Eva la buena nueva de la liberación de su padre. No, no le habían hecho daño. En realidad, lo habían tratado bastante bien.

Luego le comunicó que, con un poco de suerte, ella también podría volver a casa en cuestión de un par de días.

34

Jaynes y los demás volvieron a la suite Camille y se sentaron en el mismo orden que la primera vez. Su expresión solemne no dejaba traslucir el resultado de la reunión. La mayoría no había vuelto a ponerse la chaqueta, y se había remangado la camisa y aflojado la corbata como quien se enfrenta a la perspectiva de un gran esfuerzo físico. Según el reloj de Sandy, habían estado fuera casi una hora y media. En el transcurso de ese tiempo, Sprawling se había convertido en el portavoz del grupo.

—Por lo que respecta al dinero... —empezó, y Sandy comprendió enseguida que habían aceptado el trato; a partir de ese momento se trataría solo de discutir los detalles—. Por lo que respecta al dinero, ¿qué cantidad está dispuesto a restituir su cliente?

—La cantidad íntegra.

—¿Es decir...?

—Noventa millones de dólares.

—¿Qué pasa con los intereses?

—¿A quién le importan los intereses?

—A nosotros.

—¿Por qué?

—Porque es lo más justo.

—¿Para quién?

—Para los contribuyentes, por supuesto.

Sandy tuvo que contener la risa.

—Por favor... Todos ustedes trabajan para el gobierno federal. ¿Desde cuándo les preocupa el bienestar de los contribuyentes?

—Es el procedimiento habitual en casos de robo y desfalco —añadió Maurice Mast.

—¿Cuánto quieren? —preguntó Sandy—. ¿Qué porcentaje?

—El tipo de interés preferencial es del nueve por ciento —respondió Sprawling—. Con eso nos conformaríamos.

—¿Ah, sí? ¿Sabe con cuánto tengo que conformarme yo cuando Hacienda se da cuenta de que he pagado de más y tiene que devolverme dinero?

Nadie respondió.

—Con un interés del seis por ciento —dijo Sandy—. Un miserable seis por ciento. ¡Eso es lo que paga el gobierno!

Sandy, huelga decirlo, jugaba con ventaja. Había previsto las preguntas y había estudiado todas las respuestas posibles. Era conmovedor ver cómo se esforzaban sus contrincantes por estar a la altura de sus réplicas.

—Entonces ¿debo entender que nos ofrece un seis por ciento? —preguntó Sprawling.

Hablaba despacio y con cautela.

—Desde luego que no. Nosotros tenemos el dinero y nosotros decidiremos cuánto pagaremos de más. Es el mismo principio que aplica el gobierno. Al fin y al cabo, el dinero acabará en ese agujero negro que es el Pentágono.

—Eso ya no depende de nosotros —dijo Jaynes, cansado y con pocas ganas de aguantar sermones de nadie.

—Yo lo veo de esta manera —explicó Sandy—. De no ser por la oportuna intervención de mi cliente, los noventa millones de dólares habrían ido a parar a las manos de una pandilla de ladrones y nunca más se habría vuelto a saber de ellos. Mi cliente evitó que esto sucediera, conservó el dinero intacto y ahora se propone devolverlo.

—¿Quiere que le demos una recompensa? —se burló Jaynes.

—No. Bastará con que renuncien a los intereses.

—El acuerdo no será válido sin la aprobación de Washington —dijo Sprawling en tono conciliador—. No podemos ir con exigencias.

—Pagaremos la mitad del interés fiscal. Ni un centavo más.

—Llamaré al fiscal general —anunció Sprawling con cara de póquer—. Espero que esté de buen humor.

—Dele recuerdos de mi parte —dijo Sandy.

Jaynes levantó la vista de su bloc de notas y preguntó:

—Entonces quedamos en un tres por ciento, ¿no?

—Eso es. Devengable desde el veintiséis de marzo de mil novecientos noventa y dos hasta el uno de noviembre de mil novecientos noventa y seis. El total asciende a ciento trece millones más una cantidad desestimable. Digamos ciento trece millones en números redondos.

La cifra sonaba bien, sobre todo para los representantes del gobierno. Todos la anotaron en sus cuadernos. Ciento trece millones era mucho dinero. ¿Quién iba a rechazar un acuerdo que reportaba tantos beneficios al erario público?

La oferta de Sandy solo podía interpretarse de una manera: Patrick había sabido invertir bien el dinero. Los hombres de Sprawling habían hecho algunos cálculos para determinar los beneficios que podía haber obtenido Patrick a lo largo de aquellos cuatro años. Invertidos a un interés del ocho por ciento anual, el botín habría pasado de noventa a ciento treinta y un millones. A un interés del diez por ciento, de noventa a ciento cuarenta y cuatro millones. Libres de impuestos, claro. Si, como parecía, Patrick no era un tipo derrochador, aun devolviendo el dinero robado seguiría disfrutando de una fortuna más que considerable.

—¿Qué pasa con la querella que usted y su cliente interpusieron contra el FBI? —preguntó Sprawling.

—Desistiremos —respondió Sandy—. A propósito, tendré que pedirle un favor, señor Jaynes. Algo sin importancia. Ya lo discutiremos más adelante.

—De acuerdo. Sigamos. ¿Estará dispuesto su cliente a testificar ante el jurado de acusación?

—En cuanto ustedes lo deseen. Físicamente, ya se encuentra en condiciones de hacerlo.

—Le advierto que tenemos intención de agilizar este asunto al máximo.

—Mejor para mi cliente.

Sprawling fue eliminando puntos de su lista.

—Debo insistir en la cuestión de la confidencialidad. Nada de filtraciones a la prensa. Bastante nos criticarán ya.

—Ni una palabra —prometió Sandy.

—¿Cuándo quiere su cliente que se produzca la liberación de la señorita Miranda?

—Mañana. Necesitará una escolta para ir desde la cárcel de Miami hasta un aeropuerto privado. Nos gustaría que el FBI se encargara de protegerla hasta que suba al avión.

Jaynes se encogió de hombros como si no entendiera a qué venía tanta prudencia.

—Como quiera —aceptó.

—¿Algo más?

Sandy se frotaba las manos como si la diversión estuviera a punto de empezar.

—Por nuestra parte, nada más —respondió Sprawling en nombre del gobierno.

—Perfecto. Entonces, en ese caso, les propongo una cosa —dijo Sandy como si los demás tuvieran posibilidad de elegir—. Tengo aquí a dos secretarias, cada una con su ordenador. Hemos preparado un borrador del convenio y de la petición de desistimiento. Si nos ponemos de acuerdo en los detalles y ustedes firman los documentos antes de irse, podría llevárselos a mi cliente y en un par de horas habríamos zanjado la cuestión. Señor Mast, le sugiero que se ponga en contacto con el juez federal y convoque una teleconferencia lo antes posible. Le pasaremos la petición de desestimación por fax en cuanto esté lista.

—¿Cuándo nos entregarán los documentos y las cintas? —preguntó Jaynes.

—Si todo queda resuelto durante las próximas horas, podrían estar en su poder a las cinco de la tarde.

—Necesito un teléfono —dijo Sprawling.

Mast y Jaynes también. Los hombres del FBI se distribuyeron por toda la suite. Sandy se sentó a revisar el texto del convenio.

Los pacientes normales salían a pasear una hora al día. Era una mañana fría y nublada de finales de octubre, y Patrick decidió exigir sus derechos constitucionales. Los ayudantes del sheriff no podían permitírselo sin antes recibir una orden de sus superiores.

Patrick llamó a Karl Huskey y obtuvo la autorización correspondiente. También le propuso un almuerzo al aire libre. De camino al hospital, podía pasar por Rosetti's, la marisquería de Division Street, cerca de Point, y recoger un par de especiales Vancleave. El juez aceptó encantado.

Se sentaron a comer en un banco de madera, entre la fuente del jardín y un arce joven de aspecto melancólico, rodeados por las diversas dependencias del hospital. Los miembros de la escolta, para quien el juez también había llevado bocadillos, almorzaban un poco más lejos, lo suficiente para no oír la conversación.

Huskey no sabía nada de la reunión que se estaba celebrando en la suite del hotel, y Patrick prefirió no contárselo de momento. Parrish se encargaría de ponerlo al corriente de todo.

—¿Qué dice la gente de mí? —preguntó Patrick mientras guardaba las dos terceras partes de su sándwich.

—Se acabaron los rumores. La situación ha vuelto a la normalidad, y tus amigos siguen siendo tus amigos.

—He escrito un par de cartas. ¿Te importaría llevárselas de mi parte?

—Faltaría más.

—Gracias.

—Oye, he oído decir que han detenido a tu amiga en Miami.

—Sí, pero la soltarán enseguida. Un malentendido con su pasaporte.

Huskey dio un buen mordisco al sándwich y siguió comiendo en silencio. Ya no le sorprendían las largas pausas en sus diálogos, pero, a diferencia de Patrick, continuaba esforzándose en dar conversación a su interlocutor.

—Sienta bien un poco de aire fresco —dijo Patrick al cabo de un rato—. Gracias por la autorización.

—El aire fresco es un derecho constitucional.

—¿Has estado alguna vez en Brasil, Karl?

—No.

—Pues deberías ir.

—¿Con la familia o por libre, como tú?

—No, no. De visita.

—¿A ver las playas?

—No. Déjate de playas. Y de ciudades. Adonde tienes que ir es al centro del país, a los espacios abiertos donde el cielo es transparente y azul. El aire es ligero, el paisaje es hermoso, y la gente es amable y sencilla. Brasil es mi hogar, Karl. Quiero volver.

—Puede que tengas que esperar un poco.

—No importa. Lo haré. Ya no soy el mismo de antes, Karl. El viejo Patrick murió. Era un hombre desgraciado, gordo y convencional, y me alegro de que ya no esté con nosotros. Ahora soy Danilo, Danilo Silva. Llevo una existencia tranquila en el extranjero y soy mucho más feliz. Danilo esperará todo lo que haga falta.

«Con noventa millones y una mujer bonita aguardando, no me extraña», quiso decir Huskey, pero se contuvo.

—¿Cómo se las apañará ese tal Danilo para volver a Brasil? —preguntó el juez.

—Aún no lo sé.

—Oye, Patrick... ¿Te importa que no te llame Danilo?

—Claro que no.

—Creo que ha llegado el momento de que deje el caso en manos del juez Trussel. Pronto empezarán a llegar peticiones y habrá que hacer diligencias. Ya he hecho todo cuanto estaba en mi mano por ayudarte.

—¿Te están presionando para que abandones el caso?

—No mucho. No te lo tomes a mal, pero creo que si no me inhibo enseguida podríamos tener complicaciones. Todo el mundo sabe que somos amigos. ¡Si hasta llevé tus cenizas al cementerio!

—Aún no te he dado las gracias por lo que dijiste, ¿verdad?

—No, pero no te preocupes. Por aquel entonces estabas muerto. Además, lo hice con mucho gusto.

—Sí, ya lo sé.

—En fin, he hablado con el juez Trussel y me ha dicho que está dispuesto a hacerse cargo del caso. También le he contado lo de las heridas, y lo importante que es que puedas quedarte en el hospital el mayor tiempo posible. Le parece bien.

—Gracias.

—Pero tienes que ser realista. Tarde o temprano te meterán en la cárcel, y puede que sea por una buena temporada.

—¿Aún crees que maté a ese chico, Karl?

El juez dejó los restos del sándwich en una bolsa y tomó un trago de té frío. Tenía intención de ser absolutamente sincero con su amigo.

—Todos los indicios apuntan hacia ti. Encontraron un cadáver en tu coche, luego hubo un asesinato. Y el FBI ha estado investigando todos los casos de desapariciones anteriores al nueve de febrero de mil novecientos noventa y dos. Pepper es la única persona desaparecida en un radio de quinientos kilómetros que no ha vuelto a dar señales de vida.

—No pueden condenarme basándose en indicios.

—Eso no es lo que me has preguntado.

—Tienes razón. ¿En serio crees que lo maté?

—No sé qué creer, Patrick. Hace doce años que dicto sentencias y no sería la primera vez que veo a alguien confesando haber cometido un crimen que incluso a él le parecía inconcebible. En determinadas circunstancias, la gente es capaz de todo.

—Entonces lo crees.

—No quiero creerlo. No sé qué pensar.

—¿Crees que yo sería capaz de matar a alguien?

—No. Pero tampoco te creía capaz de fingir tu muerte o de agenciarte noventa millones de dólares. Tu biografía reciente está llena de sorpresas.

Otro silencio interminable. Karl consultó el reloj y empezó a recoger los restos del almuerzo. Patrick lo dejó en el banco y fue a dar un paseo por el jardín.

En la suite Camille, el almuerzo consistió en una amplia selección de bocadillos insípidos servidos en bandejas de plástico. Para colmo de desdichas, lo interrumpió una llamada del juez federal que había llevado el caso de Patrick cuatro años antes. Su señoría llamaba desde Jackson, estaba en pleno juicio y no tenía tiempo que perder. Mast le explicó quiénes eran los presentes y le resumió los términos del acuerdo propuesto. El juez accedió a hablar a través de un altavoz y expresó su deseo de escuchar la versión del abogado defensor, lo que tuvo ocasión de hacer enseguida. También hubo varias preguntas para Sprawling, de tal manera que lo que había empezado como una breve llamada telefónica se convirtió en una larga teleconferencia. En un momento dado, Sprawling se retiró a otra habitación para hablar con su señoría en privado. El juez debía saber que en las altas esferas de la capital se prefería renunciar a Lanigan a cambio de conseguir la cabeza de los peces gordos implicados en el caso. Su señoría también habló en privado con T. L. Parrish, quien expresó de nuevo su convicción de que Lanigan no quedaría en libertad, sino que tendría que hacer frente a acusaciones muy graves y, probablemente, pasaría muchos años entre rejas.

El juez se mostró reacio a actuar con tanta premura, pero, teniendo en cuenta los intereses de todos los implicados y dada la categoría de los presentes, acabó por aceptar. El documento fue enviado por fax, firmado y retornado en cuestión de minutos. Quedaban retirados todos los cargos pendientes contra Patrick Lanigan.

Mientras el resto de la concurrencia acababa de almorzar, Sandy se acercó un momento al hospital. Patrick estaba en su habitación, escribiendo una carta a su madre.

—¡Lo conseguimos! —gritó Sandy.

Patrick reconoció el texto del acuerdo que su abogado acababa de dejar sobre la mesa.

—Han dicho a todo que sí —explicó este.

—¿Retirarán todos los cargos?

—Sí. El juez acaba de firmar la orden.

—¿Cuánto habrá que pagar?

—Los noventa más el tres por ciento de interés.

Patrick cerró los ojos y apretó los puños. Acababa de perder una fortuna, pero seguía teniendo mucho dinero, más que suficiente para establecerse al lado de Eva en algún lugar seguro, comprar una casa y mantener a una gran familia. Una casa muy grande. Una familia numerosa.

Cliente y abogado repasaron juntos el documento. Luego Patrick lo firmó y Sandy salió corriendo de vuelta al hotel.

A las dos de la tarde, hora de inicio de la segunda reunión, la concurrencia había disminuido. Sandy dio la bienvenida a Talbot Mims y a su cliente, un tal Shenault, vicepresidente de la Northern Case Mutual. Los acompañaban dos abogados de la empresa cuyos nombres Sandy no llegó a oír, uno de los socios de Mims, y uno de sus colaboradores, ambos igualmente anónimos. Sandy aceptó sus tarjetas de visita y los condujo al mismo gabinete donde había tenido lugar la primera entrevista. Las relatoras ocuparon sus puestos.

Jaynes y Sprawling estaban en la habitación de al lado, es decir, en la sala de estar, hablando por teléfono con Washington. El resto del séquito había obtenido permiso para pasar una hora en el casino, aunque sin probar una sola gota de alcohol.

La embajada de Monarch-Sierra fue mucho más modesta: Hal Ladd, uno de sus colaboradores y el máximo responsable del departamento jurídico de la aseguradora, un hombrecillo atildado que respondía al nombre de Cohen. Tras las presentaciones de rigor, todos los convocados se dispusieron a escuchar las últimas noticias por boca de Sandy. Antes de tomar la palabra, el abogado repartió varias carpetas entre los presentes y los invitó a hojear su contenido: una copia de la querella presentada contra el FBI por malos tratos y fotografías a todo color de las quemaduras. Los representantes de las aseguradoras habían sido informados del desarrollo de las conversaciones del día anterior, de manera que no hubo sorpresas.

Sandy explicó la situación en pocas palabras. Las heridas sufridas por su cliente no habían sido infligidas por el FBI, sino por los secuaces del hombre encargado de darle caza, Jack Stephano. Los clientes de Jack Stephano eran tres: Benny Aricia, Northern Case Mutual y Monarch-Sierra, y los tres compartían otra cosa además de sus malas artes: tenían mucho que perder si Patrick los llevaba ante los tribunales.

—¿Cómo piensa probar lo que dice? —preguntó Talbot Mims.

—Un momento —dijo Sandy.

Abrió la puerta que conducía a la sala de estar y requirió la presencia de Jaynes. Este entró en el gabinete y se presentó.

Acto seguido procedió a repetir con evidente fruición la información facilitada por Stephano a lo largo de varias conversaciones: financiación del consorcio, recompensas, sobornos, aventuras brasileñas, operaciones de cirugía plástica, Pluto Group y, finalmente, el cómo y el cuándo de la captura y tortura de Patrick Lanigan. Hasta el último detalle. Y todo gracias al dinero proporcionado por Aricia, Monarch-Sierra y Northern Case Mutual; todo pensando exclusivamente en su propio provecho.

Jaynes ofreció una actuación excelente, tanto que incluso él quedó satisfecho.

—¿Desean formular alguna pregunta al señor Jaynes? —preguntó Sandy con una sonrisa al final de la exposición.

No, nadie quería. Tras dieciocho horas de investigación, ni Shenault ni Cohen habían sido capaces de determinar quién había dado el visto bueno a la contratación de Jack Stephano y, teniendo en cuenta el tiempo transcurrido desde los hechos, ya no contaban con conseguirlo.

Las dos aseguradoras eran empresas importantes y solventes con muchos accionistas y grandes presupuestos publicitarios destinados a proteger su reputación. Ninguna de las dos quería verse metida en líos.

—Gracias, señor Jaynes —dijo Sandy.

—Si me necesitan, estaré aquí al lado —se despidió el subdirector, deseoso de administrarles otra dosis de la misma medicina.

La intervención de Jaynes fue decisiva. ¿Qué hacía en Biloxi el subdirector del FBI y por qué parecía tan bien dispuesto a acabar con ellos?

—Les propongo un trato —dijo Sandy en cuanto Jaynes cerró la puerta—. Es simple, rápido y no admite negociación. Señor Shenault, representante de Northern Case Mutual, el último cartucho de su cliente en esta pequeña guerra es un intento desesperado por recuperar los dos millones y medio pagados a Trudy Lanigan. Le agradeceríamos que no llegara a dispararlo. Retiren la demanda, olvídense de Trudy y déjenla vivir en paz. Tiene una hija que mantener y, de todas formas, ya se ha gastado casi todo lo que cobró. Retiren la demanda y mi cliente no les llevará a juicio.

—¿Eso es todo? —preguntó incrédulo Talbot Mims.

—Sí.

—En ese caso, trato hecho.

—Mi abogado y yo querríamos hablar un momento a solas —dijo Shenault con cara de pocos amigos.

—Déjese de consultas —dijo Mims—. Es una buena oferta y está sobre la mesa. No hay nada más que hablar.

—Me gustaría analizar... —insistió Shenault.

—No —lo atajó Mims—. Acabo de aceptar el trato en nombre de su empresa. Si desea cambiar de representante, no tiene más que decírmelo. En caso contrario, y mientras yo siga siendo su abogado, el trato está aceptado desde ahora mismo.

Shenault enmudeció.

—Trato hecho —repitió Mims.

—¿Señor Shenault? —preguntó Sandy.

—Sí, sí, acepto.

—Espléndido. Hay un borrador del acuerdo esperándoles en la habitación de al lado. Si son tan amables de dejarnos solos unos minutos... Tengo cosas que discutir en privado con el señor Ladd y su cliente.

Mims salió del gabinete a la cabeza de su delegación. Sandy cerró la puerta y se dirigió a Cohen, a Ladd y a su colaborador.

—Me temo que el trato que les ofrezco es algo diferente del de sus colegas. Ellos juegan con ventaja porque hay un divorcio de por medio. Es un asunto desagradable y complicado, y mi cliente puede utilizar a su favor la demanda contra Northern Case Mutual. Por desgracia, ustedes no se encuentran en la misma situación. Northern Case desembolsó medio millón de dólares; su compañía, el doble. Monarch-Sierra debe responder de los perjuicios causados a mi cliente en mayor proporción; además, tiene mucho más dinero que Northern Case Mutual.

—¿De qué cantidad estamos hablando? —preguntó Cohen.

—Mi cliente no pide nada para él. Sin embargo, está muy preocupado por el futuro de la niña. La pequeña apenas acaba de cumplir seis años, y su madre tiene agujeros en los bolsillos. De ahí la actitud de sus colegas: les habría sido muy difícil recuperar el dinero de la prima. Mi cliente desearía que su compañía donara una pequeña suma a un fondo fiduciario que garantizara el bienestar económico de la niña. Ni que decir tiene que la madre no debe tener acceso a ese dinero.

—¿Cuánto?

—Un cuarto de millón, más otro tanto en concepto de gastos. Medio millón en total, pagado con la más absoluta discreción para evitar que su cliente pueda verse perjudicado por la difusión de esas horribles fotografías.

Los jurados de la Costa tenían fama de resolver con prodigalidad los casos de reclamaciones por daños y perjuicios, y Hal Ladd había advertido a Cohen que, de llegar a juicio, tanto Aricia como las compañías aseguradoras se arriesgaban a encajar un veredicto multimillonario. Cohen, como buen californiano, no necesitó más explicación. La empresa estaba ansiosa por dejar zanjada la cuestión.

—No habrá juicio —anunció Cohen—. Y su cliente tendrá su medio millón de dólares.

—En ese caso...

—Trato hecho.

Sandy sacó varias hojas de papel de una carpeta.

—Este es el borrador del acuerdo. Se lo dejo para que lo vayan leyendo.

Sandy distribuyó las copias del documento y salió de la habitación.

35

El psiquiatra era amigo del doctor Hayani. Su segundo encuentro con Patrick duró dos horas, y fue tan poco productivo como el primero. Así pues, no habría una tercera vez.

Patrick pidió disculpas y volvió a su habitación a tiempo para la cena, aunque el hambre quedó relegada por la curiosidad en cuanto empezaron las noticias de la tarde. No hablaron de él. Impaciente, se puso a dar vueltas por la habitación y a charlar con su escolta. Sandy había estado llamando toda la tarde para mantenerlo al corriente de las últimas novedades, pero lo que él quería era ver los documentos con sus propios ojos. Ni los concursos de televisión ni las novelas de misterio consiguieron tranquilizarlo.

Eran casi las ocho cuando, por fin, oyó que Sandy saludaba a los guardias y les preguntaba qué tal estaba el prisionero. A Sandy le gustaba referirse a Patrick de ese modo.

Patrick salió a recibirlo a la puerta. Sandy estaba agotado, pero contento.

—Ya está —dijo mientras entregaba a Patrick un fajo de papeles.

—¿Qué hay de los documentos y las cintas?

—Los hemos entregado al FBI hace una hora. Había al menos una docena de agentes merodeando por allí. Jaynes me ha dicho que tenían intención de trabajar toda la noche.

Patrick se llevó los papeles a su escritorio del rincón y allí los leyó palabra por palabra. Sandy cenó lo que había comprado por el camino en una hamburguesería sin ni siquiera sentarse. De pie junto a la cama siguió por televisión —con el volumen a cero— un partido de rugby retransmitido desde Australia por la ESPN.

—¿Les ha sorprendido lo del medio millón? —preguntó Patrick sin levantar la vista del papel.

—Qué va. Nadie se ha sorprendido de nada.

—Igual deberíamos haber pedido más.

—Me parece que con eso tendrás bastante.

Patrick pasó a la página siguiente y firmó.

—Has hecho un buen trabajo, Sandy. Más que bueno, excelente.

—Ha sido un gran día. El FBI ha retirado los cargos y ya no habrá juicio, hemos cubierto los gastos, hemos asegurado el porvenir de la niña y mañana liquidaremos lo de Trudy. Estás en plena racha, Patrick. Lástima que siga habiendo un cadáver de por medio.

Patrick dejó los papeles sobre la mesa y se acercó a la ventana. Las persianas no estaban echadas y la ventana estaba entreabierta.

Sandy siguió comiendo y observando a Patrick.

—Tarde o temprano tendrás que contármelo.

Patrick seguía dándole la espalda.

—¿Contarte qué?

—Pues... ¿qué te parece si empiezas por Pepper, por ejemplo?

—Muy bien. Yo no maté a Pepper.

—¿Quieres decir que lo mató otra persona?

—Que yo sepa, no.

—¿Se mató él?

—Que yo sepa, no.

—¿Estaba vivo cuando tú desapareciste?

—Creo que sí.

—¡Por todos los santos, Patrick! Ha sido un día muy largo. No estoy de humor para adivinanzas.

Patrick se volvió y regañó a su amigo en voz baja.

—Sandy, no grites. Ahí fuera hay unos cuantos policías con la antenas puestas. Siéntate, anda.

—No quiero sentarme.

—Por favor.

—Te oigo mejor de pie. Adelante, te escucho.

Patrick cerró la ventana, echó las persianas, comprobó que la puerta estuviera cerrada y apagó el televisor. Acto seguido se metió en la cama y adoptó su postura favorita: incorporado y con la sábana hasta la cintura. Una vez instalado cómodamente, empezó a hablar en voz baja.

—Pepper y yo éramos amigos. Nos conocimos el día que llegó a la cabaña pidiendo comida. Eso fue poco antes de las Navidades de mil novecientos noventa y uno. Me dijo que se pasaba la vida en el bosque. Le preparé un plato de huevos con beicon y se lo comió como si hubiera ayunado durante días. Era un chico muy tímido. Tartamudeaba y se le notaba incómodo en presencia de extraños. Sentí curiosidad. ¿Por qué un chico de diecisiete años y aspecto de tener algunos menos, aseado y, dentro de lo que cabe, bien vestido, prefería vivir en el bosque a estar en casa con su familia a solo treinta kilómetros de allí? Le fui tirando de la lengua. Le pregunté por su familia, y él me contó la triste historia de su vida. Cuando acabó de comer se levantó para irse. Yo le dije que podía quedarse a dormir, pero él prefirió volver a su campamento.

»Al día siguiente salí a cazar, solo, y Pepper me siguió. Me enseñó su tienda y su saco de dormir. Tenía varios utensilios de cocina, una nevera portátil, una linterna y una escopeta. Me confesó que no había aparecido por su casa desde hacía dos semanas. Su madre se había echado novio, me dijo. El peor de su historia. Luego me contó que había encontrado un rebaño de ciervos en el corazón del bosque y me llevó hasta allí. Una hora más tarde maté a un macho con una cornamenta de diez puntas, un auténtico récord. Pepper me dijo que conocía aquellos bosques como la palma de su mano y se ofreció a enseñarme los mejores lugares donde cazar.

»Un par de semanas más tarde volví a la cabaña. La vida al lado de Trudy se me hacía insoportable. Creo que los dos esperábamos los fines de semana con la misma impaciencia. Pepper apareció al poco de llegar yo. Preparé un estofado y nos lo comimos en un momento. En aquella época aún tenía buen apetito. Pepper me contó que había estado en su casa tres días, pero que había vuelto a irse después de una pelea con su madre. Cuanto más hablaba, menos tartamudeaba. Entonces le dije que era abogado, y no tardó en contarme que había tenido problemas con la justicia. Había estado trabajando en una gasolinera de Lucedale. Alguno de los empleados robó dinero de la caja, y todos echaron la culpa al pobre Pepper porque lo tenían por un retrasado mental. Evidentemente, él dijo que no sabía nada del dinero, pero el incidente se convirtió en otro argumento para quedarse en las montañas. Le prometí que intentaría ayudarlo.

—Y empezaste a urdir tu plan —se adelantó Sandy.

—Más o menos. Pepper y yo seguimos viéndonos en el bosque.

—Debía de faltar poco para el nueve de febrero.

—Muy poco. Le dije a Pepper que la policía quería detenerlo. Era mentira, claro. Ni siquiera había vuelto a pensar en su caso. Tenía otras cosas en la cabeza, como puedes comprender. Cuanto más hablábamos, más me convencía de que Pepper sí sabía algo del dinero robado. Estaba asustado y confiaba en mí ciegamente. Intentamos encontrar una solución a su problema, y una de las que discutimos fue la desaparición.

—Esto parece una epidemia.

—No se llevaba bien con su madre, la policía lo andaba buscando y, por más asustado que estuviera, no podía vivir eternamente en el bosque. Le hacía ilusión irse al oeste y trabajar como guía de montaña. Trazamos un plan. Yo estuve pendiente de los periódicos hasta que se publicó un artículo tremendista sobre un adolescente muerto en un accidente ferroviario en las afueras de Nueva Orleans. Se llamaba Joey Palmer, un bonito nombre para alguien que quisiera pasar desapercibido. Llamé a un falsificador de Miami para que me consiguiera el número de la seguridad social de Joey Palmer, y en menos de cuatro días ya teníamos todos los documentos que Pepper necesitaba para desaparecer: carnet de conducir de Luisiana, con su foto y todo, número de la seguridad social, certificado de nacimiento y hasta pasaporte.

—Lo dices como si fuera fácil.

—Y lo es. Mucho más de lo que parece. Basta con tener imaginación y un poco de dinero. Pepper estuvo encantado con sus papeles nuevos, y no veía el momento de subirse en un autobús y perderse en las montañas. Créeme, Sandy, el chico estaba absolutamente decidido a dejar a su madre. Le traía sin cuidado lo que pudiera llegar a pensar.

—Por lo que veo, erais almas gemelas.

—Sí, bueno... En fin, ese domingo, el nueve de febrero...

—El día del accidente.

—Sí, es verdad. Ese día llevé a Pepper a la estación de autobuses de Jackson. Le di la oportunidad de echarse atrás, pero estaba decidido. Más que eso: estaba loco de contento. El pobre muchacho nunca había salido de Mississippi. El viaje a Jackson ya le parecía una gran aventura. Le expliqué que, si seguía adelante, jamás podría volver. Pasara lo que pasase. A todo esto, seguía sin hablar de su madre. Tres horas de trayecto y no mencionó a su madre ni una sola vez.

—¿Adónde fue?

—Le encontré un campamento de madereros al norte de Eugene, en el estado de Oregón, y le busqué los horarios de autobús y toda la información que necesitaría para llegar hasta allí. Se lo escribí todo, y se lo hice repetir de memoria una docena de veces mientras íbamos de camino a la estación. Al llegar a Jackson le di dos mil dólares en efectivo y lo dejé a dos manzanas de la estación. Era casi la una, y no podía arriesgarme a que alguien me viera. La última vez que vi a Pepper iba corriendo hacia esa estación con una sonrisa de oreja a oreja y una mochila cargada al hombro.

—Su escopeta y su equipo de acampada aparecieron en tu cabaña.

—Porque Pepper no tenía otro sitio donde guardarlos.

—Otra pieza para el rompecabezas.

—Quería que todo el mundo creyera que Pepper había muerto en el accidente.

—¿Dónde está ahora?

—No lo sé. No es importante.

—No te he preguntado eso, Patrick.

—Te digo que no es importante.

—Deja de jugar conmigo, por lo que más quieras. Si te hago una pregunta, merezco una respuesta, ¿no?

—Tendrás tus respuestas cuando yo lo decida.

—¿Por qué no te fías de mí?

Sandy hablaba cada vez más alto, y su voz sonaba cada vez más alterada. Patrick hizo una pausa para que se tranquilizara. Los dos intentaron controlar sus nervios y su respiración.

—No es que no me fíe de ti, Sandy —dijo Patrick.

—¿Ah, no? Me dejo la piel resolviendo un misterio y, cuando lo consigo, aparecen más por docenas. ¿Por qué no quieres contármelo todo?

—Porque no te hace falta saberlo todo.

—Puede que no, pero sería agradable, para variar.

—¿Lo dices en serio? ¿Cuándo fue la última vez que un delincuente te lo contó todo?

—Ahora que lo dices, nunca he pensado que fueras un delincuente.

—¿Qué otra cosa te parece que soy?

—No sé. ¿Un amigo?

—El trabajo te resultaría más sencillo si pensaras que soy un delincuente.

Sandy recogió los documentos firmados de la mesa y se dirigió hacia la puerta.

—Estoy cansado. Me voy a la cama. Mañana volveré para escuchar el resto de la historia.

Acto seguido abrió la puerta y se fue.

El primero en darse cuenta de que los estaban siguiendo fue Guy.

Dos días atrás, a la salida del casino, una cara no del todo desconocida les había dado la espalda de repente. Luego fue un coche que los seguía demasiado deprisa. Guy, que no era lo que se dice lego en materia de espionaje, se lo dijo a Benny Aricia, que era quien iba al volante.

—Tiene que ser el FBI —dedujo Guy—. ¿Quién si no?

Lo dispusieron todo para abandonar el apartamento alquilado de Biloxi. Desconectaron las líneas telefónicas, despacharon al resto del grupo y esperaron hasta que anocheció.

Guy salió de Biloxi en dirección a Mobile, donde pasaría la noche con los ojos bien abiertos y cogería un avión a primera hora de la mañana. Benny puso rumbo al oeste y siguió el perfil de la Costa por la autopista 90. Pasó por el lago Ponchartrain y finalmente llegó a Nueva Orleans, una ciudad que conocía palmo a palmo. Permaneció alerta en todo momento, pero no observó nada fuera de lo normal.

Después de un atracón de ostras en el Barrio Francés, se montó en un taxi y se fue al aeropuerto. Su primer destino fue Memphis; luego vinieron O'Hare, donde pasó gran parte de la noche escondido en una sala de espera, y, al amanecer, Nueva York.

El FBI, mientras tanto, estaba en Boca Ratón, vigilando su casa. Su amiguita sueca seguía al pie del cañón, pero los agentes suponían que no tardarían en reunirse. Entonces Aricia sería presa fácil.

36

Debió de ser la liberación menos accidentada de la historia. Eva salió del centro de detención a las ocho y media de la mañana, vestida con los mismos vaqueros y la misma camisa que llevaba puestos el día que llegó. Volvía a ser una mujer libre. Las celadoras la habían tratado bien, el personal administrativo había demostrado una eficiencia poco usual y el director llegó incluso a desearle suerte. Mark Birck la condujo rápidamente a su coche —un modelo antiguo de Jaguar, recién encerado para la ocasión— e hizo una seña a los dos miembros de la escolta.

—Son agentes del FBI —dijo refiriéndose a dos hombres que esperaban en el interior de un coche aparcado no lejos del suyo.

—Creía que los había perdido de vista para siempre —se extrañó Eva.

—No del todo.

—¿Tengo que saludarlos?

—No hace falta. Suba al coche, por favor.

Birck abrió la portezuela del copiloto y la cerró suavemente cuando la joven hubo entrado en el coche. Mientras lo hacía, y antes de dar la vuelta y ocupar su asiento detrás del volante, tuvo tiempo de admirar el resultado de la sesión de encerado a la que había sometido el capó del Jaguar.

—Sandy McDermott me ha enviado esta carta por fax —le anunció mientras arrancaba y daba marcha atrás—. Ábrala.

—¿Adónde vamos?

—Al aeropuerto. Hay un jet esperándola.

—¿Para llevarme adónde?

—A Nueva York.

—¿Y desde allí?

—A Londres. En Concorde.

—¿Por qué nos siguen? —preguntó Eva al reparar en el coche del FBI con el que compartían atasco en aquellos momentos.

—Seguridad.

Eva cerró los ojos y se frotó la frente con los dedos. Pensó en lo aburrido que debía de estar Patrick, encerrado en su pequeña habitación del hospital, sin otra cosa que hacer que prepararle una ruta turística.

—¿Puedo? —dijo cuando ya tenía el teléfono del coche en la mano.

—Naturalmente.

Birck conducía con cuidado y sin perder de vista los espejos retrovisores, como si su pasajero fuera el mismísimo presidente del gobierno.

Eva marcó un número de Brasil y mantuvo una emotiva conversación vía satélite con su padre. Paulo estaba bien, lo mismo que ella. A su manera los dos habían sido liberados, aunque el profesor no sabía dónde había pasado su hija aquellos últimos tres días. Lo del secuestro no era tan grave como parecía, bromeó. Lo habían tratado de maravilla. Ni un rasguño. Eva prometió volver pronto a casa. Sus compromisos laborales en Estados Unidos estaban llegando a su fin, y echaba mucho de menos a su familia.

Birck no pudo evitar oír la conversación, pero no entendió ni una sola palabra. Cuando Eva colgó y acabó de enjugarse las lágrimas, le dijo:

—En la carta encontrará varios números de teléfono, por

si volviera a tener problemas en la frontera. El FBI ha retirado la orden de busca y captura, y ha accedido a dejarla viajar con su pasaporte durante los próximos siete días.

Eva no respondió.

—También hay un número de teléfono de Londres, por si pasa algo en Heathrow.

Finalmente, Eva se decidió a abrir la carta. El papel llevaba el membrete de Sandy. En Biloxi las cosas marchaban bien y deprisa. Podía llamarlo desde el aeropuerto de Nueva York; él estaría esperando en el hotel. Entonces le daría más instrucciones; en otras palabras, le explicaría cosas que el señor Birck no debía oír.

En la terminal norte del aeropuerto internacional de Miami se vivía el ajetreo de costumbre. Los agentes del FBI se quedaron en su coche mientras Birck acompañaba a su cliente al interior de la terminal. Los pilotos ya habían llegado y el jet —pequeño y coquetón— estaba listo para despegar.

Por favor —estuvo a punto de decir Eva—, llévenme a Río. Por favor.

Se despidieron con un apretón de manos. Eva agradeció a Birck sus atenciones y se dispuso a embarcar. Con lo puesto, sin equipaje. Patrick no sabía la que se le venía encima. Una vueltecita por Bond y Oxford Street, y tendría más ropa de la que cabía en ese avión.

Debido en partes iguales al cansancio y al madrugón, Riddleton acudió a su cita con un aspecto más desaliñado que de costumbre. Apenas tuvo fuerzas para dar los buenos días a la secretaria que le abrió la puerta y aceptarle un café. Solo y sin azúcar. Sandy salió a recibirlo, se ofreció a colgarle la chaqueta —arrugadísima, por cierto—, y lo acompañó hasta uno de los gabinetes de la suite, donde podrían repasar tranquilamente el convenio de divorcio.

—Bueno —dijo Sandy cuando acabó de leer la nueva propuesta de su colega—, esto es otra cosa.

Al pie del documento ya figuraba la firma de una de las partes. Riddleton había decidido reducir a lo indispensable el contacto con Trudy y ese figurín que no la dejaba ni a sol ni a sombra, sobre todo después de la riña que había tenido que presenciar el día anterior en su propio despacho, una de las últimas, si su intuición de matrimonialista no lo engañaba. La crisis económica había empezado a hacer mella en Trudy, y ese tal Lance tenía los días contados.

—No creo que Patrick ponga ninguna pega —le dijo Sandy.

—Solo faltaría eso —replicó Riddleton—. Es lo que él quería.

—Teniendo en cuenta las circunstancias, me parece un acuerdo justo.

—Desde luego.

—Murray, tengo que comunicarle una noticia importante a propósito de su cliente y la demanda de la Northern Case Mutual.

—Soy todo oídos.

—Es una larga historia, pero me atendré a la parte que interesa a su cliente: la Northern Case ha accedido a retirar la demanda contra Trudy.

Riddleton se quedó petrificado. Al cabo de unos segundos, su labio inferior empezó a separarse del superior. ¿Le estaba tomando el pelo?

Sandy buscó la copia del acuerdo que había preparado para la ocasión. Los párrafos confidenciales estaban tachados, pero aun así quedaba mucho por leer.

—¿Lo dice en serio? —preguntó el otro abogado con un hilo de voz.

Riddleton se saltó las líneas censuradas sin el menor asomo de curiosidad y se concentró en los dos párrafos que habían sobrevivido a la tijera. En ellos se decía, de manera clara y concisa, que la aseguradora se comprometía a retirar la demanda presentada contra su cliente.

¿Por qué? A quién le importaba a eso. La figura de Patrick Lanigan siempre había estado rodeada por un velo de misterio impenetrable: no era cuestión de empezar a hacer preguntas.

—Esto es lo que yo llamo una sorpresa agradable —se congratuló Riddleton.

—He supuesto que le gustaría saberlo.

—¿Podrá quedarse con todo?

—Con todo lo que le queda.

Riddleton releyó el documento con más calma.

—¿Puedo quedármelo? —preguntó.

—No. En estos momentos, aún es confidencial. Pero le enviaré una copia de la solicitud hoy mismo, en cuanto la presenten.

—Gracias.

—Una última cosa —dijo Sandy mientras le pasaba una copia del acuerdo con Monarch-Sierra, igualmente censurado—. Eche un vistazo al tercer párrafo de la cuarta página.

Riddleton leyó las frases que hablaban de los doscientos cincuenta mil dólares asignados al fondo de fideicomiso. La pequeña Ashley Nicole Lanigan sería la beneficiaria y Sandy McDermott el administrador. Según los términos del acuerdo, el fondo estaba destinado exclusivamente a sufragar los gastos médicos y educativos de la niña, quien tendría libre acceso al dinero sobrante el día de su trigésimo aniversario.

—No sé qué decir —mintió Riddleton, que ya estaba pensando en cómo sacar provecho de aquel arreglo.

Sandy le dio a entender que no tenía por qué decir nada.

—¿Alguna otra novedad? —preguntó el abogado de Trudy con una sonrisa de oreja a oreja. Aquello empezaba a gustarle.

Tras el apretón de manos de rigor, Riddleton emprendió el camino de regreso mucho más animado que hacía un rato. Ya en el ascensor su cabeza se había convertido en un auténtico hervidero. Se imaginó refiriendo la escena a su cliente. Harto de la prepotencia de la otra parte, había llegado al hotel hecho una furia y se había enfrentado cara a cara con aquella pandilla de indeseables. Si no se avenían a hacer ciertas concesiones —les había amenazado—, convertiría el juicio en un auténtico infierno. Y no habría sido la primera vez. J. Murray Riddleton se había ganado a pulso la fama de abogado agresivo.

Al cuerno el adulterio. Al cuerno las fotos picantes. Que su cliente hubiera tenido un desliz no los autorizaba a tratarla de aquel modo. ¿Y qué había de la niña? ¿Se habían parado a pensar en el daño irreparable que podían causar a aquella criatura inocente?

Luego contaría cómo el enemigo se había venido abajo y batido en retirada. Él había aprovechado la ocasión para exigir la creación de un fondo de fideicomiso para la niña, y Patrick había acabado por derrumbarse bajo el peso de su propia culpabilidad. Si había aceptado el cuarto de millón, había sido casi por hacerles un favor.

¿Qué menos que un cuarto de millón a cambio del sufrimiento causado a su cliente? ¡Ojalá lo hubiera visto en acción, defendiendo sus intereses como un jabato! ¡Obligándolos a buscar a toda costa la mejor manera de proteger su dinero!

Había que pulir algún que otro detalle de la historia, pero aún tenía por delante una hora de camino. Cuando llegara al bufete, pensó Riddleton, el gesto magnánimo de Patrick se habría convertido en el relato de una claudicación.

Al empleado del mostrador del Concorde le sorprendió saber que no llevaba equipaje y decidió avisar a su superior. Eva tuvo que hacer un esfuerzo por controlarse al ver la cola que se estaba formando por su causa. Sabía que no podría soportar otra escena como la del aeropuerto de Miami. Su amor por Patrick no dejaba lugar a dudas, pero hasta el romanticismo tenía un límite. Eva pensó en la prometedora carrera que había truncado la llegada de Patrick.

De repente se encontró rodeada de sonrisas británicas que le indicaban el camino hacia la sala de espera. Eva se preparó un café y marcó el número de la suite Camille.

—¿Se encuentra bien? —preguntó Sandy al reconocer su voz.

—Muy bien, gracias. Estoy en el aeropuerto Kennedy, de camino a Londres. ¿Cómo está Patrick?

—Bien. Hemos cerrado el trato con los del FBI.

—¿Por cuánto?

—Ciento trece millones —respondió.

Lo mismo que Patrick, Eva parecía indiferente a las cifras astronómicas.

—¿Cuándo? —preguntó.

—Lo tendré todo listo cuando usted llegue a Londres. He reservado una habitación a nombre de Leah Pires en el hotel Four Seasons.

—Vaya, mi viejo yo.

—¿Me llamará en cuanto llegue?

—Dígale a Patrick que le quiero. Que no me importa haber estado en la cárcel.

—Se lo diré esta noche. Tenga cuidado.

—Adiós.

Con tanto pez gordo en la ciudad, Mast no pudo resistir la tentación de lucirse. La noche anterior, después de haberse incautado de los documentos y las cintas del expediente Aricia, había dado las instrucciones pertinentes para que todos los miembros del jurado de acusación federal fueran convocados en sesión extraordinaria. Ayudado por cinco de sus hombres, había trabajado codo con codo con el FBI para dejar leídos y clasificados todos los documentos. Había salido de su despacho a las tres de la madrugada, y antes de cinco horas volvía a estar al pie del cañón.

El jurado de acusación se reunió al mediodía y no hizo una pausa para salir a almorzar. Hamilton Jaynes decidió quedarse a presenciar la sesión, igual que Sprawling, de la fiscalía general. Patrick Lanigan era el único testigo convocado.

Patrick fue trasladado sin esposas; los efectos del acuerdo empezaban a notarse.

Varios agentes del FBI lo ocultaron en la parte de atrás de un vehículo no oficial y lo sacaron por una puerta lateral del juzgado de Biloxi. Sandy iba sentado a su lado. Patrick llevaba pantalón largo, zapatillas y un jersey de algodón, todo comprado por Sandy. Estaba pálido y extremadamente delgado, pero andaba sin dificultad aparente. Por dentro, estaba exultante.

Los dieciséis miembros del jurado de acusación estaban sentados alrededor de una larga mesa rectangular, de manera que al menos la mitad de ellos tuvo que volverse hacia la puerta. Patrick encajó las miradas con una sonrisa. Jaynes y Sprawling se habían sentado en un rincón, impacientes por ver en persona al célebre ladrón.

Patrick presidiría la mesa desde el asiento reservado a los testigos. ¡Qué momento! No iba a necesitar mucha ayuda de Mast para contar la historia, al menos la parte que estaba dispuesto a revelar. Se sentía tranquilo y animado, y en parte era porque aquel puñado de personas ya no podía hacer nada contra él. Había conseguido zafarse de los tentáculos de la ley federal.

Patrick empezó hablando de sus antiguos compañeros de bufete, de sus clientes, sus hábitos de trabajo y las personalidades con las que se relacionaban, y poco a poco fue introduciendo la figura de Aricia.

Mast lo interrumpió para presentar un documento que Patrick identificó como el contrato firmado por su bufete y Aricia. Tenía cuatro páginas, pero, en resumen, venía a decir que el bufete se quedaría con una tercera parte de la recompensa que conseguiría Aricia si prosperaba su demanda contra Platt & Rockland.

—¿Cómo consiguió este documento? —le preguntó Mast.

—Lo pasó a limpio la secretaria del señor Bogan. Mi ordenador y el suyo estaban conectados a la misma red. Solo tuve que imprimir una copia.

—¿Por eso está sin firmar?

—Exacto. El original debe de estar en los archivos de Bogan.

—¿Tenía usted acceso al despacho del señor Bogan?

—Limitado —contestó Patrick antes de explicar la debilidad que sentía su socio por los cerrojos.

Siguió una digresión sobre el acceso a los demás despachos del bufete y sobre la fascinante historia de la tecnología aplicada al ámbito del espionaje. Patrick explicó al jurado que Aricia no le había parecido trigo limpio, y que por eso se había propuesto averiguar en qué consistía exactamente su relación con el bufete. Para hacerlo tuvo que convertirse en un experto en vigilancia electrónica, controlar los demás ordenadores del bufete, prestar oídos a todas las habladurías, sonsacar información a secretarias y procuradores, escudriñar la papelera de la sala de fotocopias, y trabajar a horas intempestivas con la esperanza de encontrar alguna puerta abierta.

Al cabo de dos horas de declaración, Patrick pidió un refresco. Mast concedió un descanso de quince minutos a los miembros del jurado. El tiempo les había pasado volando.

Cuando el testigo volvió del lavabo, el resto de los presentes se apresuró a regresar a sus asientos, impacientes por oír el resto de la historia. Mast hizo algunas preguntas sobre la reclamación de Aricia, y Patrick la describió en términos generales.

—Aricia demostró ser un tipo bastante hábil. No solo discurrió la manera de estafar al gobierno, sino que fue capaz de implicar a los ejecutivos de la central cuando, en realidad, el auténtico responsable del sobreprecio era él.

Mast colocó un fajo de documentos sobre la mesa. Patrick cogió el primero del montón y tuvo bastante con verlo de reojo para saber de qué se trataba.

—Este documento prueba que los astilleros pasaban factura al gobierno en concepto de una mano de obra inexistente. Se trata de un resumen informatizado de la facturación correspondiente a una semana del mes de junio de mil novecientos noventa y ocho. La lista contiene los nombres de ochenta y cuatro empleados, todos falsos, y detalla los jornales de una semana. El total facturado asciende a setenta y un mil dólares.

—¿Cómo se seleccionaban los nombres? —preguntó Mast.

—En aquel momento, los astilleros empleaban a ocho mil trabajadores. Bastaba con escoger los nombres auténticos más comunes... Jones, Johnson, Miller, Green, Young, etcétera, y cambiar la primera inicial.

—¿Qué cantidad se facturó ilícitamente en concepto de mano de obra?

—Según los archivos de Aricia, diecinueve millones de dólares a lo largo de cuatro años.

—¿Sabía el señor Aricia que los nombres eran falsos?

—Sí. El sistema fue idea suya.

—¿Y usted cómo lo sabe?

—¿Dónde están las cintas?

Mast le pasó una hoja que contenía el listado de más de sesenta conversaciones catalogadas. Patrick la estudió un momento.

—Creo que es la cinta número diecisiete —dijo.

Uno de los ayudantes del fiscal, el que se ocupaba de las cintas, localizó la número diecisiete y la colocó en el casete que había en el centro de la mesa.

—Oirán a Doug Vitrano y a Jimmy Havarac, dos de los socios del bufete, hablando en el despacho del primero el tres de mayo de mil novecientos noventa y uno.

El ayudante puso en marcha el aparato ante la expectación general.

PRIMERA VOZ: ¿Cómo puede alguien sacarse de la manga diecinueve millones de dólares en mano de obra?

—Ese es Jimmy Havarac —apuntó Patrick.

SEGUNDA VOZ: No es tan difícil.

—Y ese otro es Vitrano.

VITRANO: Los astilleros facturaban unos cincuenta millones de dólares al año en concepto de mano de obra. Más de doscientos millones en cuatro años. Solo tuvieron que hinchar la factura un diez por ciento. Con tanto papeleo, nadie se dio cuenta.

HAVARAC: ¿Y Aricia lo sabía?

VITRANO: ¿Que si lo sabía? ¡Fue idea suya!

HAVARAC: Anda ya...

VITRANO: Es todo mentira, Jimmy. Toda la reclamación es un invento de principio a fin. La mano de obra, el sobreprecio, las facturas presentadas por duplicado y por triplicado... Todo. Aricia lo tenía todo planeado desde un principio, y tuvo la suerte de trabajar para una empresa con antecedentes. Sabía cómo funcionaba la compañía, sabía cómo funcionaba el Pentágono, y fue lo bastante listo para tenderles una trampa.

HAVARAC: ¿Quién te ha contado todo eso?

VITRANO: Bogan. Aricia se lo ha contado todo. Y Bogan se lo ha contado al senador. Si mantenemos la boca cerrada y conseguimos que prospere la reclamación, de esta nos hacemos millonarios.

En ese punto, la grabación llegó a su fin. Años atrás Patrick se había encargado de eliminar los fragmentos poco significativos. Durante unos segundos, los miembros del jurado siguieron contemplando el casete como si las voces no hubieran enmudecido.

—¿Podemos oír más? —preguntó finalmente uno de ellos.

Mast se encogió de hombros y miró a Patrick.

—Me parece una idea excelente —dijo el testigo.

Con los oportunos comentarios de Patrick y su análisis sensacionalista, la audición de las cintas llevó casi tres horas. La última en oírse —cuatro veces— fue la del Armario, que el testigo se había reservado para el final. A las seis se ordenó un receso y se encargó algo de cena en un restaurante cercano.

Patrick obtuvo permiso para volver al hospital a las siete.

Mast aprovechó la cena para comentar algunos de los documentos más importantes e informar a los miembros del jurado del contenido de las diversas leyes federales relevantes. Gracias a las cintas, podía decirse que la conspiración había sido puesta al descubierto prácticamente en directo.

A las ocho y media los miembros del jurado decidieron por unanimidad acusar a Benny Aricia, Charles Bogan, Doug Vitrano, Jimmy Havarac y Ethan Rapley de ampararse en la Ley de Contratación Pública para llevar a cabo sus propósitos fraudulentos. Si el delito llegaba a probarse, cada uno podía verse obligado a cumplir hasta diez años de cárcel y a pagar hasta quinientos mil dólares de multa.

El nombre del senador Harris Nye aparecía como cómplice de la conspiración, pero no entre los nombres de los acusados. Por desgracia para él, se trataba solo de un arreglo temporal. Según la estrategia diseñada por Sprawling, Jaynes y Maurice Mast, se acusaría primero a los peces pequeños y se les presionaría para que delataran al pez gordo a cambio de una rebaja de la pena. El odio que Rapley y Havarac sentían por Charles Bogan también podía resultar muy útil.

La sesión se levantó definitivamente a las nueve. Mast y el supervisor del distrito decidieron que las detenciones se llevarían a cabo a la mañana siguiente. Jaynes y Sprawling tuvieron el tiempo justo para coger el último vuelo a Washington.

37

—Poco después de empezar a trabajar para Bogan, me asignaron un caso contra una aseguradora. Un accidente de circulación. El coche de nuestros clientes iba hacia el norte por la autopista Cuarenta y nueve; al llegar cerca de Wiggins, en el condado de Stone, un camión salió de una carretera secundaria sin previo aviso y se les echó encima. Fue un accidente muy aparatoso. En el turismo viajaban tres personas: el conductor murió, su mujer quedó gravemente herida y el niño que iba en el asiento de atrás se rompió una pierna. El camión pertenecía a una compañía papelera con una buena cobertura y, en fin, el caso prometía. Era uno de mis primeros casos, y me lo tomé muy en serio. Desde nuestro punto de vista, no cabía duda que la culpa había sido del camión, pero el conductor, que había salido ileso del accidente, decía que el coche circulaba a una velocidad superior a la permitida. Y ese acabó por convertirse en el tema clave: a qué velocidad iba el conductor muerto. El perito a quien encargamos la reconstrucción del accidente dictaminó que el turismo iba a noventa y cinco kilómetros por hora, una velocidad aceptable teniendo en cuenta que el límite permitido era de noventa y que nadie bajaba de los noventa y cinco. En el momento del accidente, mis clientes se dirigían a Jackson a visitar a unos parientes, así que no había motivo para pensar que tenían prisa.

»El perito de la aseguradora calculó que la velocidad era de ciento veinte, y eso, naturalmente, perjudicaba seriamente nuestros intereses. Ningún jurado vería con buenos ojos un exceso de velocidad de treinta kilómetros. Entonces encontramos un testigo, un anciano de ochenta y un años que había llegado al lugar de los hechos minutos después del accidente. Se llamaba Clovis Goodman, y estaba prácticamente ciego.

—¿En serio? —preguntó Sandy.

—No, pero la verdad es que no andaba muy sobrado de vista. En fin, a pesar de todo, seguía conduciendo. El día del accidente iba por la carretera en su camioneta Chevrolet de mil novecientos sesenta y ocho cuando el coche de nuestros clientes lo adelantó. Al poco volvió a encontrárselo hecho un montón de chatarra. Clovis era un viejecito entrañable, sin parientes cercanos ni nadie que se ocupara de él, y el accidente lo afectó profundamente. Se bajó de la camioneta para ver si podía ayudar a las víctimas, se quedó un rato mirando y luego se fue sin decir una palabra a nadie. Estaba demasiado afectado para hablar. Más tarde me confesó que no había podido conciliar el sueño durante una semana.

»En fin, a todo esto nos enteramos de que uno de los curiosos que se había parado al ver el accidente había grabado en vídeo el trabajo de las ambulancias, la policía y los bomberos. El tráfico estaba cortado, la gente se aburría y, bueno, hay quien no necesita excusas para sacar la videocámara. Conseguimos la cinta y la estudiamos a fondo. Uno de los empleados del bufete se encargó de apuntar los números de todas las matrículas que aparecían en las imágenes y localizar a los propietarios y testigos potenciales. Y así es como dimos con Clovis. El viejecito no tuvo inconveniente en admitir que se acordaba del coche accidentado, pero dijo que estaba demasiado afectado para hablar del tema. De todas formas, le pedí permiso para ir a visitarlo y me lo concedió.

»Clovis vivía en el campo, cerca de Wiggins, en una casita blanca que él y su mujer se habían construido antes de la guerra. Su mujer había muerto hacía muchos años, lo mismo que su único hijo, un tipo poco recomendable, según parece. Clovis tenía dos nietos: un nieto en California y una nieta en Hattiesburg, pero no los había visto desde hacía años. Cuando empezó a contarme todas estas cosas, no llevaba ni una hora en su casa. Clovis era un viejo solitario, y al principio mantuvo bastante las distancias, como si no se fiara de los abogados y le molestara perder el tiempo, pero al cabo de un rato ya estaba hirviendo agua para preparar un par de tazas de café soluble y contándome los secretos de su familia. Recuerdo que nos sentamos a hablar en las mecedoras del porche, con una docena de gatos ronroneando a nuestros pies. Por suerte, era sábado y no tenía que volver al bufete, porque parecía dispuesto a hablar de todo menos del accidente. Me contó un montón de batallitas, sobre todo de la Depresión y de la guerra. Al cabo de un par de horas saqué el tema del accidente, y la reacción fue la misma de siempre: se calló, puso cara de circunstancias y dijo que aún no se sentía con fuerzas para hablar de ello. También me insinuó que sabía algo importante, pero que aún no había llegado el momento de hacerlo público. Cuando le pregunté a qué velocidad iba él cuando el otro coche lo adelantó, me dijo que él nunca pasaba de los ochenta. Cuando le pedí que calculara a qué velocidad iba el otro coche, se encogió de hombros.

»Dos días después, a media tarde, volví a visitarlo para que me contara más batallitas en el porche. A eso de las seis, Clovis dijo que tenía hambre y que le apetecía comerse un buen pescado. En aquella época yo aún estaba soltero, de manera que me ofrecí a acompañarlo. Mientras íbamos hacia el restaurante, en mi coche, naturalmente, seguimos hablando. Luego comimos en uno de esos restaurantes de seis dólares. Clovis masticaba muy despacio, con la mandíbula a pocos centímetros del plato. Cuando la camarera nos dejó la cuenta sobre la mesa, él se hizo el sueco y siguió hablando con la boca llena. Seis dólares no era mucho a cambio de un buen testimonio, me dije, así que pagué la cena de los dos. Más tarde, mientras volvíamos a su casa, dijo que necesitaba una cerveza, un traguito para limpiar la vejiga. Casualmente, estábamos a pocos metros de un bar de carretera. En cuanto aparqué el coche me di cuenta de que él no tenía intención de salir. Así pues, volví a hacerme cargo de la factura. Nos bebimos las cervezas camino de su casa. Entonces, antes de llegar, me salió con que quería enseñarme la casa donde había nacido. Según él, estaba muy cerca de allí. En fin, después de coger unos cuantos desvíos y de pasar por no sé cuántas carreteras sin asfaltar, tuvimos que reconocer que nos habíamos perdido. Clovis no veía muy bien, y, además, su vejiga reclamaba otra cerveza. Paramos a comprarla y aproveché para preguntar el camino al dependiente antes de seguir adelante. Clovis volvió a orientarse y llegamos a Necaise Crossing, un pueblo del condado de Hancock, pero una vez allí perdió todo interés por la casa de su infancia y quiso dar media vuelta. Más cerveza. Más preguntas a los dependientes.

»Al cabo de un rato reconocí los alrededores de su casa y volví a sacar el tema del accidente. Clovis, como siempre, se cerró en banda. Tuve el tiempo justo de abrir la puerta y acompañarlo hasta el sofá antes de que empezara a roncar. Ya era casi medianoche. Estuvimos así durante casi un mes. Batallitas en el porche, pescado todos los martes, excursiones diuréticas de bar en bar. La prima de la póliza de seguros era de dos millones de dólares, y el bufete quería su parte del botín, de manera que el testimonio de Clovis se convirtió en un elemento crucial del caso. Además, si era cierto que no había mantenido contactos con la parte contraria, era fundamental que nosotros consiguiéramos la información antes que los de la aseguradora.

—¿Cuánto tiempo había pasado desde el accidente? —preguntó Sandy.

—Cuatro o cinco meses. Entonces, un buen día, me cansé de esperar. Le dije que el caso había llegado a un punto decisivo y que necesitaba algunas respuestas. Y Clovis accedió a hablar por fin. Volví a preguntarle a qué velocidad iba el coche que lo adelantó, y él me relató la terrible experiencia de ver a otro ser humano malherido y cubierto de sangre. El pobre lloró al recordar la cara del niño con la pierna rota. Al cabo de unos minutos insistí: «Clovis, ¿se atrevería a decir a qué velocidad iba el coche que le adelantó?». Clovis me dijo cuánto le gustaría ayudar a aquella pobre familia, y yo le dije que por qué no lo hacía. Entonces me miró a los ojos y me preguntó: «¿A qué velocidad diría usted que iba?».

»Yo le contesté que, en mi opinión, debía de ir a noventa kilómetros por hora. "Seguro que tiene razón —me dijo—. Yo iba a ochenta y ellos a noventa, casi a la misma velocidad que yo."

»Y llegó el momento de la vista y del testimonio de Clovis Goodman. Nunca he visto un testigo mejor. Anciano, discreto, sensato y, por encima de todo, convincente. El jurado se olvidó de todo lo que habían dicho los peritos y emitió su veredicto basándose en las palabras de Clovis: dos millones trescientos mil dólares.

»Después del juicio Clovis y yo seguimos en contacto. Una vez me llamó para que redactara su testamento. No tenía mucho: la casa, menos de una hectárea de terreno y siete mil dólares en el banco. Quería que a su muerte se vendiera todo y el dinero fuera a parar a las Hermanas de la Confederación. En el testamento no se mencionaba a ningún pariente. El nieto californiano llevaba veinte años sin dar señales de vida; la nieta de Hattiesburg lo había invitado a su graduación en mil novecientos sesenta y ocho y luego se había olvidado de él. Clovis tampoco se había molestado en acudir ni en mandar un regalo. La verdad es que nunca hablaba de ellos, pero aun así yo sabía que le habría gustado tener noticias suyas.

»Cuando se puso enfermo y me pareció que ya no podía cuidar de sí mismo, lo ingresé en un asilo de Wiggins. Vendí la casa y la granja, y me ocupé de todos los trámites necesarios. En aquel momento solo me tenía a mí. Yo le escribía cartas y le mandaba regalos, y hacía todo lo posible por visitarlo cada vez que iba a Hattiesburg o a Jackson. Al menos una vez al mes, iba a buscarlo y lo llevaba a comer pescado. Luego dábamos un paseo en coche y lo invitaba a un par de cervezas. Recuerdo que un día fuimos a pescar. Estuvimos solos en una barca durante ocho horas, y te aseguro que no me he reído más en toda mi vida.

»En noviembre de mil novecientos noventa y uno cogió una neumonía que casi acabó con él. A raíz de eso quiso modificar el testamento para repartir la herencia entre su iglesia y las Hermanas de la Confederación, comprar una parcela en el cementerio y hacer los arreglos para el entierro. Yo le sugerí la posibilidad de hacer una declaración de últimas voluntades para evitar que lo mantuvieran vivo artificialmente. A Clovis le gustó la idea, e incluso insistió en que, llegado el caso, fuera yo la persona encargada de desenchufar los aparatos. De acuerdo con los médicos, claro. Clovis estaba harto del asilo, de la soledad, de la vida. Me dijo que se sentía en paz con Dios, que estaba listo para emprender el viaje.

»A principios de enero de mil novecientos noventa y dos tuvo una recaída muy fuerte. Hice que lo trasladaran al hospital de Biloxi para tenerlo más cerca y poder ir a visitarlo todos los días. Nunca fue a verlo nadie más: ni amigos, ni parientes, ni siquiera un sacerdote. Solo yo. Su situación fue empeorando progresivamente, y pronto me di cuenta de que nunca saldría de ese hospital. Al final entró en un coma irreversible. Los médicos lo tuvieron una semana conectado al ventilador, y al cabo de ese tiempo le diagnosticaron la muerte cerebral. Tres médicos y yo leímos su declaración de últimas voluntades y desconectamos el aparato.

—¿Te acuerdas de la fecha?

—Seis de febrero de mil novecientos noventa y dos.

Sandy suspiró y cerró los párpados con todas sus fuerzas. No daba crédito a sus oídos.

—Clovis no quería ningún servicio religioso porque sabía que nadie asistiría. Lo enterramos en un cementerio de las afueras de Wiggins. Yo mismo ayudé a llevar el féretro. Los demás asistentes, doce en total, fueron tres viudas beatas que parecían las plañideras oficiales del pueblo, el pastor y cinco diáconos maduritos que ayudaban a llevar el ataúd, y dos personas más. Fue una ceremonia muy breve.

—El féretro no pesaba mucho, ¿verdad? —dijo Sandy.

—No.

—¿Dónde estaba Clovis?

—En el cielo.

—Me refiero a su cuerpo.

—En mi cabaña, en un congelador.

—¡Por todos los santos, Patrick!

—Yo no lo maté, Sandy. El viejo Clovis ya estaba cantando en algún coro celestial cuando se quemó su cadáver. ¿Qué más le daba?

—Tú siempre encuentras excusas para todo, ¿verdad?

Patrick estaba sentado en la cama con los pies colgando a un palmo del suelo. Prefirió no contestar.

Sandy dio unas cuantas vueltas a la habitación y luego se apoyó en la pared. El descubrimiento de que su amigo no había matado a nadie solo le había proporcionado un ligero alivio. En el fondo, la idea de quemar un cadáver le parecía igualmente repulsiva.

—Sepamos cómo continúa la historia —dijo Sandy—. Estoy seguro de que lo tienes todo planeado.

—Sí, lo que es tiempo para pensar no me ha faltado.

—Te escucho.

—En el estado de Mississippi el saqueo de tumbas está tipificado como delito, pero yo no robé el cuerpo de Clovis de una tumba sino de un ataúd, de manera que esta reglamentación no sería aplicable a mi caso. Lo único que Parrish podría utilizar contra mí es la mutilación de cadáveres. Eso se considera delito grave, y la pena puede alcanzar un año de reclusión mayor. Supongo que, en caso de llegar a juicio, Parrish insistiría en que la sentencia fuera lo más severa posible.

—No pretenderás que te deje ir como si tal cosa.

—No, pero atiende, aún no has oído lo mejor. Parrish no sabrá lo de Clovis a menos que yo se lo diga, y se lo pienso decir para que retire los cargos de asesinato. Ahora bien, decírselo es una cosa y testificar otra muy distinta. Si me lleva a juicio por mutilación, no puede obligarme a testificar en mi contra. Naturalmente, lo presionarán para que me acuse de algo, porque, como tú dices, no puede dejarme ir como si nada. Resumiendo: puede acusarme de haberlo hecho, pero no puede probarlo porque yo soy el único testigo y sin mi testimonio no hay manera de demostrar que el cadáver del coche era el de Clovis.

—O sea, que Parrish está atado de pies y manos.

—Exacto. De momento, nos hemos librado de las acusaciones federales, y en cuanto hagamos pública esta noticia Parrish se sentirá obligado a acusarme de algo. Si no, estaré libre.

—¿Cuál es el plan de acción?

—Fácil. Ayudar a Parrish a salir del paso sin perjudicar su imagen pública. Tú te vas a ver a los nietos del señor Clovis, les cuentas la verdad y les ofreces dinero. Una vez se sepa la verdad tendrán derecho a demandarme, y puedes dar por seguro que lo intentarán. No sacarían gran cosa porque en su momento no se ocuparon del viejo, pero seguro que me demandarán por si las moscas. Se trata de llegar a ellos los primeros, proponerles un arreglo satisfactorio y, a cambio, exigirles que presionen a Parrish para que no presente cargos.

—Serás ladino...

—Gracias. ¿No te parece un buen plan?

—Parrish puede acusarte al margen de los deseos de la familia de Clovis.

—Pero no lo hará porque sabe que perdería el caso. Lo peor que le puede pasar es llevarme a juicio y perder. A él le conviene mucho más salir por la puerta de atrás ahora mismo, poner la voluntad de la familia como excusa y ahorrarse el bochorno de perder el juicio del siglo.

—¿Debo entender que llevas cuatro años pensando en esto?

—Digamos que no se me acaba de ocurrir.

Sandy volvió a dar vueltas por la habitación en silencio. Su mente pugnaba por estar a la altura de la de su cliente.

—No podemos dejar a Parrish con las manos vacías —dijo como si pensara en voz alta y sin dejar de andar.

—Francamente —dijo Patrick—, me preocupa más mi bienestar que el de Parrish.

—No se trata de él personalmente, sino de todo el sistema. Dejar que te salgas con la tuya equivale a reconocer que el dinero te ha salvado de la cárcel. Todos han acabado pareciendo malos menos tú.

—Puede que solo me preocupe por mí mismo.

—¿Y por quién crees que me preocupo yo? Pero no puedes humillar al sistema y hacer ver que aquí no ha pasado nada.

—¿Y quién le mandaba presentar los cargos de asesinato tan deprisa? Podría haber esperado un par de semanas. Y tampoco hacía falta anunciarlo a la prensa. Parrish no me da lástima.

—Tampoco a mí. Pero no creas que esto será coser y cantar.

—Muy bien. Te lo pondré aún más fácil. Me declararé culpable de la mutilación a cambio de no poner los pies en la cárcel. Ni un solo día. Iré a juicio, me declararé culpable, pagaré la multa y hasta dejaré que Parrish se apunte otro tanto, pero quiero irme de aquí.

—Entonces serás un delincuente confeso.

—Te equivocas. Entonces seré libre. ¿Crees que en Brasil se preocuparán de si tengo o no tengo antecedentes?

Sandy se sentó en la cama, al lado de Patrick.

—¿Quieres decir que piensas volver a Brasil?

—Allí es donde está mi casa.

—¿Qué hay de la chica?

—Tendremos diez hijos, o quizá once, aún no lo hemos decidido.

—¿Y dinero?

—Millones. Tienes que sacarme de aquí, Sandy. Me está esperando otra vida.

Una enfermera irrumpió en la habitación y pulsó un interruptor.

—Son las once, Patty —anunció—. Se ha acabado la hora de las visitas. ¿Te encuentras bien, cariño? —le preguntó mientras le acariciaba el hombro.

—Perfectamente.

—¿Necesitas algo?

—No, gracias.

La enfermera se fue por donde había venido. Sandy recogió su maletín.

—¿Patty? —repitió.

Patrick se encogió de hombros.

—¿Cariño?

Patrick volvió a encogerse de hombros.

A Sandy se le ocurrió otra pregunta antes de llegar a la puerta.

—Por curiosidad, cuando te saliste de la carretera, ¿dónde estaba Clovis?

—Donde siempre. En el asiento del copiloto, con el cinturón puesto. Antes de despeñar el coche le puse una cerveza en el regazo y me despedí de él. Estaba sonriendo.

38

En Londres eran las diez de la mañana, y las instrucciones para la devolución del botín aún no habían llegado. Eva salió del hotel y dio un largo paseo por Piccadilly. Sin rumbo ni horario fijo, tuvo ocasión de perderse entre la multitud, mirar escaparates y disfrutar de la vida callejera. Aquellos tres días pasados en solitario habían agudizado sus sentidos, y percibía con mayor nitidez los sonidos y las voces de los transeúntes apresurados. A la hora del almuerzo se sentó en un rincón de un pub abarrotado y pidió una ensalada tibia de queso de cabra. La rodeaban voces alegres y despreocupadas de gente que no sabía quién era ella y que no tenía ningún interés en saberlo.

Patrick le había contado que una de las cosas más excitantes de su primer año en São Paulo había sido la certeza de que nadie sabía su nombre. Sentada en aquel pub, ella también se sentía más Leah Pires que Eva Miranda.

Después de comer se fue de compras a Bond Street. Empezó comprando lo que consideraba imprescindible —ropa interior y perfume—, y acabó arrasando en Armani, Versace y Chanel sin reparar en gastos. En aquellos momentos era una mujer muy rica.

Habría sido más sencillo —y, sin duda, menos aparatoso— esperar hasta las nueve y arrestarlos en el bufete, pero, teniendo en cuenta que los hábitos laborales de los socios eran bastante impredecibles y que uno de ellos, Rapley, pocas veces salía de casa, decidieron adelantar la redada a la madrugada. ¿Qué más daban el susto y la humillación? ¿Qué más daba la curiosidad de los vecinos? Cogerlos mientras dormían o en la ducha: esa era la mejor táctica.

Charles Bogan abrió la puerta en pijama y se puso a llorar en silencio cuando el alguacil, un hombre a quien conocía personalmente, le puso las esposas. Bogan había perdido a su familia, por lo que no pasó tanta vergüenza como los otros.

En casa de Doug Vitrano, los dos agentes del FBI a quienes había sido asignada la misión de detenerlo tuvieron que hacer frente a la hostilidad de la señora de la casa, que les cerró la puerta en las narices y subió rápidamente a sacar a su marido de la ducha. Por suerte, los niños aún estaban durmiendo cuando se llevaron a su padre esposado como un vulgar delincuente y lo metieron en la parte de atrás del coche. Ella, en cambio, lo vio marchar en camisón desde la puerta de casa, hecha un lío de lágrimas e improperios.

Como de costumbre, Jimmy Havarac se había acostado completamente borracho y por eso no oyó el timbre. Tuvieron que llamarlo por el teléfono móvil desde la puerta de su casa y esperar a que se despertara para detenerlo.

Ethan Rapley ya estaba en su buhardilla, redactando una petición y sin consultar para nada el reloj, cuando salió el sol. Desde allí no oyó los golpes en la puerta que despertaron a su mujer. Antes de subir a dar las malas noticias a su marido, la señora Rapley escondió la pistola que él guardaba en un cajón de la cómoda. Rapley reparó en la ausencia del arma mientras buscaba el par de calcetines más apropiado para la ocasión, pero no se atrevió a pedírsela a su mujer. Le dio miedo que se la diera.

El primer abogado del bufete Bogan había accedido a la judicatura federal trece años atrás, a propuesta del senador

Nye, y Charles se había hecho cargo del negocio a la marcha de su fundador. El bufete estaba bien conectado con los cinco jueces federales, de manera que no es de extrañar que los teléfonos empezaran a sonar incluso antes de que los socios se reunieran en la cárcel. A las ocho y media ya los trasladaban por separado al juzgado federal de Biloxi para comparecer ante el magistrado más cercano.

A Cutter le sacaban de quicio la facilidad y la rapidez con que Bogan movía los hilos del poder. Todos suponían que los cuatro abogados no tendrían que esperar sus respectivos juicios en la cárcel, pero de ahí a sacar a un magistrado de la cama para ahorrarse sufrimientos innecesarios había un buen trecho. En represalia, Cutter habló con el equipo del telediario y con la redacción del periódico local.

El papeleo estuvo preparado y resuelto enseguida, y los cuatro socios pudieron abandonar el juzgado con tiempo suficiente para acudir a pie al bufete a la hora de costumbre. Los seguían un cámara torpe y grandullón y un reportero inexperto que sabía que aquella historia iba a ser un bombazo pero no se imaginaba el porqué. Los abogados repitieron con cara de pocos amigos el «sin comentarios» de rigor, y se encerraron en sus despachos tan pronto como llegaron al bufete.

Charles Bogan se fue directo al teléfono para ponerse en contacto con el senador.

El detective privado recomendado por Patrick necesitó un simple teléfono y menos de dos horas para localizar a la mujer. Se llamaba Deena Postell y vivía en Meridian, a dos horas de camino de Biloxi en dirección noreste.

Deena trabajaba en una tienda de comida preparada de las afueras, como encargada de la sección de charcutería y de una de las cajas.

Sandy decidió hacer una visita al establecimiento. Mientras fingía interés por una bandeja de pechugas de pollo y patatas fritas, echó un vistazo a los empleados que atendían a sus quehaceres tras el mostrador. Una mujer rechoncha con el pelo cano y voz chillona le llamó la atención. Como el resto del personal, llevaba una camisa de rayas blancas y rojas. Al acercársele más, Sandy distinguió el nombre «Deena» escrito en su placa de identificación.

Sandy se había puesto vaqueros y una chaqueta azul para no despertar sospechas.

—¿En qué puedo servirle? —preguntó Deena con una sonrisa.

Faltaban algunos minutos para las diez de la mañana, demasiado temprano para las patatas fritas.

—Un vaso grande de café —dijo Sandy correspondiendo a su sonrisa.

A Deena le gustaba flirtear y agradeció el gesto. Cuando volvieron a encontrarse frente a la caja registradora, Sandy le dio una tarjeta de visita en vez del dinero.

Deena leyó la tarjeta y la dejó caer sobre el mostrador. Para una mujer que había criado a tres delincuentes juveniles, las sorpresas eran siempre sinónimos de problemas.

—Un dólar veinte —le exigió mientras pulsaba varias teclas y miraba de reojo a sus compañeros de trabajo.

—Le traigo buenas noticias —anunció Sandy.

—¿Qué quiere? —preguntó la mujer con un hilo de voz.

—Diez minutos de su tiempo. La esperaré en una de aquellas mesas.

—Pero ¿qué es lo que quiere? —repitió mientras le devolvía el cambio.

—Por favor, le aseguro que no se arrepentirá de haber hablado conmigo.

A Deena le gustaban los hombres, y Sandy era un tipo bastante apuesto, mucho mejor vestido que el ganado al que estaba acostumbrada. Después de arreglar las bandejas de pollo asado y preparar unos cuantos cafés más, avisó a la encargada de que iba a tomarse un descanso.

Sandy esperaba pacientemente tras una de las mesas del área de comedor, cerca de la máquina de hielo y de la nevera de las cervezas.

—Gracias —le dijo al verla aparecer.

Deena tenía cuarenta y tantos años, la cara redonda y cierta tendencia a maquillarse en exceso.

—Conque abogado y de Nueva Orleans, ¿eh?

—Sí. Supongo que no habrá leído la noticia de la captura del abogado que robó...

—Yo no leo nada de nada, cielito —lo interrumpió Deena—. Trabajo en este agujero sesenta horas a la semana y tengo dos nietos a mi cargo. Los cuida mi marido, que es inválido. La espalda, ¿sabe? No leo nada, no veo nada, y no hago nada que no sea trabajar aquí y cambiar pañales cuando estoy en casa.

Sandy casi se arrepentía de haber abierto la boca. ¡Qué panorama tan deprimente!

El abogado refirió la historia de su cliente tan rápido como pudo. Deena la encontró entretenida, aunque su interés decayó en la última parte.

—Que lo condenen a muerte —sentenció durante una pausa.

—Mi cliente no ha matado a nadie.

—¿No acaba de decirme que había un cadáver en el coche?

—Lo había, pero no tenía nada que ver con el accidente.

—Entonces ¿no ha habido ningún ascsinato?

—No, más bien un cadáver robado.

—Vaya. Bueno, tengo que volver al trabajo. ¿Puede saberse qué tiene esto que ver conmigo?

—El cuerpo robado era el de Clovis Goodman, su difunto y querido abuelo.

—¿Le pegó fuego a Clovis? —preguntó incrédula.

—Así es.

Deena frunció el entrecejo para ordenar mejor sus sentimientos.

—¿Por qué? —preguntó.

—Porque necesitaba fingir una muerte.

—Pero... ¿por qué Clovis?

—Mi cliente era su abogado y su amigo.

—¡Menudo amigo!

—Mire, no se trata de que lo entienda. Todo esto ocurrió hace cuatro años, mucho antes de que usted y yo nos viéramos envueltos en el caso.

Deena hacía repiquetear los dedos de una mano y se mordía las uñas de la otra. Aquel abogado parecía un tipo listo. No serviría de nada verter unas cuantas lágrimas de cocodrilo por el bueno de Clovis. Ante la duda, decidió dejarle hablar a él.

—Le escucho —dijo.

—Mutilar un cadáver es un delito grave.

—No me extraña.

—Pero también puede dar pie a una acción civil. Me explico. La familia de Clovis Goodman tiene derecho a demandar a mi cliente por haber hecho desaparecer el cadáver de su pariente.

Conque era eso. Deena irguió la espalda y respiró hondo.

—Entiendo —dijo con una sonrisa rápidamente correspondida por Sandy.

—Sí. Por eso he venido a verla. Mi cliente querría llegar a un acuerdo con la familia de Clovis.

—¿Qué quiere decir con eso de «familia»?

—Viuda, hijos y nietos.

—Entonces solo quedo yo.

—¿Y su hermano?

—Luther murió hace dos años. Drogas y alcohol.

—Eso la convierte en la única persona con derecho a presentar esta demanda.

—¿Cuánto? —le espetó.

La pregunta le había salido del alma, pero ella misma se avergonzó un poco de haberla formulado con semejante crudeza.

Sandy se inclinó hacia delante.

—Estamos dispuestos a ofrecerle veinticinco mil dólares ahora mismo. Llevo el talón en el bolsillo.

Deena también se estaba acercando a la cara de Sandy cuando la mención del dinero la dejó petrificada. De repente se le llenaron los ojos de lágrimas y le empezó a temblar el labio inferior.

Sandy echó un vistazo a su alrededor.

—Ha oído bien, sí. Veinticinco mil dólares.

Deena cogió una servilleta de papel y volcó el salero sin querer. Luego se enjugó las lágrimas y se limpió la nariz. Sandy seguía mirando a derecha e izquierda para comprobar que nadie los estaba observando.

—¿Para mí sola? —preguntó la mujer con la voz ronca y el pulso acelerado.

—Para usted sola.

Deena volvió a secarse los ojos y dijo:

—Necesito una Coca-Cola.

Deena se bebió una botella de litro sin pestañear. Sandy siguió tomando sorbitos de café aguado y contemplando las idas y venidas de los clientes. No tenía ninguna prisa.

—Bueno —dijo Deena ya sin lágrimas en los ojos—, supongo que si se presenta aquí ofreciéndome veinticinco mil dólares es que está dispuesto a pagar más.

—La oferta no es negociable.

—Un juicio podría perjudicar a su cliente. Piense en los miembros del jurado, compadeciéndose de la nieta del pobre Clovis, que tuvo que arder para que su cliente pudiera robar esos noventa millones de dólares.

Sandy bebió otro trago de café e hizo un gesto afirmativo. Deena poseía una admirable capacidad de reacción.

—Estoy segura de que podría sacarle mucho más si contratara un abogado.

—Puede, pero tardaría cinco años en cobrar. Y no crea que lo tendría tan fácil.

—¿Qué quiere decir? —preguntó.

—Clovis y usted no eran lo que se dice uña y carne.

—¿Y usted qué sabe?

—Si lo eran, ¿por qué no se dignó asistir a su entierro? Necesitaría una excusa muy buena para convencer a un jurado. Mire, Deena, he venido a hacer un trato. Si prefiere hacerlo a su manera, cojo el portante y me vuelvo a Nueva Orleans.

—¿Cuánto está dispuesto a pagar?

—Cincuenta mil dólares.

—Trato hecho.

Deena le ofreció una mano rechoncha y empapada en el vapor condensado del refresco.

Sandy se sacó un cheque en blanco del bolsillo y escribió la cantidad y el nombre de la beneficiaria. Luego sacó dos documentos más: un contrato y el texto de una carta que Deena debería enviar a la fiscalía.

Las gestiones duraron menos de diez minutos.

Por fin empezó a verse movimiento en el canal de Boca. La acompañante sueca de Benny Aricia cargó todo su equipaje en el maletero de un BMW y abandonó la casa. Los agentes del FBI la siguieron hasta el aeropuerto internacional de Miami, donde esperó dos horas antes de embarcar en un vuelo con destino a Frankfurt.

Otros agentes la estarían esperando cuando aterrizara y ya no la perderían de vista hasta que cometiera un error. El error que pudiera llevarlos hasta Benny Aricia.

39

El último acto oficial del juez Huskey antes de inhibirse del caso Lanigan fue una entrevista celebrada de forma improvisada en su despacho. Ni el abogado de Patrick ni el fiscal fueron testigos de la conversación, cuyo contenido tampoco constó en acta. Patrick fue escoltado hasta el juzgado y conducido —por la misma ruta que el día de la vista preliminar— a las dependencias del juez, que aquel día no tenía ninguna vista y no se había puesto la toga. De hecho, habría sido una jornada tranquila de no ser por la detención aquella misma mañana de cuatro abogados notables. Los pasillos del juzgado ya se habían convertido en un hervidero de rumores.

Patrick aún no podía llevar ropa ajustada a causa de los vendajes. Los pantalones de cirujano eran holgados y suaves al tacto, y le servían para recordar a la gente que no era un preso sino un enfermo.

Cuando estuvieron juntos y a puerta cerrada, el juez le entregó una hoja de papel.

—Échale un vistazo —le dijo.

Era un documento de un solo párrafo firmado por el juez Karl Huskey informando de su decisión de inhibirse del caso Lanigan. La orden entraba en vigor al mediodía, es decir que lo había hecho hacía una hora.

—Esta mañana he estado dos horas hablando con el juez Trussel. Casi os habéis cruzado.

—¿Me tratará bien?

—Hará lo que pueda. Le he dicho que no era un caso de pena de muerte y se ha quedado más tranquilo.

—Karl, no va a haber ningún juicio.

Patrick se fijó en el calendario de la pared, igual al que había visto en años anteriores. En cada día del mes de octubre había más vistas y más audiencias que en las agendas de cinco jueces juntos.

—¿Aún no tienes ordenador? —reprendió Patrick a su amigo.

—Ya tiene uno el secretario.

Se habían conocido hacía años en aquel mismo despacho, cuando Patrick era un joven abogado empeñado en defender los intereses de una familia destrozada por un accidente de circulación. Karl Huskey presidió el juicio correspondiente durante los tres días que duró, y ese tiempo bastó para que los dos se hicieran amigos. El jurado reconoció el derecho del cliente de Patrick a recibir dos millones trescientos mil dólares, uno de los veredictos más generosos emitidos hasta entonces en la Costa. En la fase de apelación, y en contra de los deseos de Patrick, el bufete aceptó rebajar la reclamación a dos millones. Bogan y compañía cobraron un tercio de esa indemnización, que sirvió para pagar deudas, hacer algunas inversiones y repartir dividendos entre los cuatro socios.

Por aquel entonces Patrick era solo un empleado, y su victoria no le reportó más que una bonificación de veinticinco mil dólares concedida a regañadientes por sus superiores. El juicio había contado con el testimonio estelar de Clovis Goodman.

Patrick se fijó en una placa de yeso desconchada y en una mancha de humedad que había en el techo.

—¿Cuándo vas a pedir que te pinten este despacho? Está igual que hace cuatro años.

—¿Para qué? Dentro de dos meses ya no estaré aquí.

—¿Te acuerdas del caso Hoover? Fue la primera vez que coincidimos en la sala de vistas, y mi mejor caso hasta la fecha.

—¿Cómo no me voy a acordar?

Karl apoyó los pies en la mesa y cruzó las manos tras la nuca.

Patrick le contó la historia de Clovis.

Unos golpes en la puerta interrumpieron el relato hacia el final: el almuerzo había llegado. Un ayudante entró en el despacho con una caja de cartón y la depositó sobre la mesa para desvelar su contenido. El aroma era inconfundible: sopa de marisco y patas de cangrejo.

—Es del restaurante de Mary Mahoney —dijo Karl—. Lo manda Bob con sus saludos.

El restaurante de Mary Mahoney no era solamente el local preferido de jueces y abogados a la hora de salir a remojar el gaznate los viernes por la tarde; también era el restaurante con más solera de la Costa, famoso por su exquisito menú y por una sopa de marisco de resonancias legendarias.

—Dile hola de mi parte —dijo Patrick mientras cogía una pata de cangrejo—. En cuanto pueda, iré a verla.

A las doce en punto, el juez encendió el pequeño televisor que ocupaba una de las estanterías de la habitación. Patrick y él miraron con atención las noticias, que aquel día estaban dedicadas a las últimas detenciones del FBI. Imperaba la ley del silencio. Los abogados no querían hacer comentarios —tanto es así que habían negado a la prensa el acceso al bufete—, y Maurice Mast, por una vez, no tenía nada que decir, lo mismo que el FBI. Ante semejante panorama, la periodista no tuvo más remedio que recurrir a todo tipo de rumores y habladurías, y ahí es donde entró Patrick. Según informaciones no confirmadas, las detenciones de los abogados del bufete Bogan eran el resultado de una ramificación de las investigaciones que se continuaban llevando a cabo a propósito del caso Lanigan. Y, ni corta ni perezosa, la periodista ilustró su crónica con imágenes de archivo de la llegada de Patrick al juzgado once días atrás. Otro informador veraz se dirigió a los espectadores desde la puerta del despacho del senador Harris Nye, y comentó la relación de parentesco que lo unía con el abogado Charles Bogan por si alguien aún no se había enterado de que eran primos hermanos. Según este segundo reportero, el senador no podía dar su opinión sobre las detenciones por hallarse en Kuala Lumpur a la búsqueda de más puestos de trabajo no cualificados para el estado de Mississippi. Ninguno de los ocho empleados del mismo despacho tenía nada que decir al respecto.

El reportaje duró diez minutos ininterrumpidos.

—¿De qué te ríes? —preguntó Huskey.

—Hoy es un gran día. Ojalá tengan el valor de trincar también al senador.

—He oído decir que los federales han retirado todos los cargos.

—Sí, señor. Ayer testifiqué ante el jurado de acusación. ¡Qué ganas tenía de quitarme ese peso de encima! Estoy harto de tantos secretos.

Patrick había dejado de comer mientras miraba la televisión y ya no le apetecía volver a empezar. Según los cálculos del juez, se había comido dos patas de cangrejo y prácticamente no había tocado la sopa.

—Come, que estás hecho una calavera.

Patrick cogió una galletita salada y se acercó a la ventana.

—Bueno —recapituló el juez—, a ver si me aclaro. Lo del divorcio está liquidado. Los federales han retirado los cargos y tú has aceptado devolver los noventa millones más intereses...

—Ciento trece millones en total.

—La acusación de homicidio en primer grado no se sostiene porque no hubo ningún asesinato. El Estado no puede acusarte de robo porque ya lo ha hecho el FBI. Las aseguradoras han retirado las demandas. Pepper sigue vivo en alguna parte y ha sido sustituido en el papel de víctima por Clovis. Eso nos deja solo la imputación de exhumación ilegal.

—Casi. Con la ley en la mano, se llama mutilación de cadáver. Parece mentira que aún no te sepas el código...

—Eso debe de ser una falta, ¿no?

—Un delito grave.

El juez removió la sopa y contempló con admiración a su amigo, que en aquel momento, mientras mordisqueaba una galleta y miraba por la ventana, sin duda planeaba ya su próxima maniobra.

—¿Puedo ir contigo?

—¿Adónde?

—Adonde vayas. Cuando salgas de aquí, te reúnas con la chica, arrambles con el dinero y te embarques en un yate, me gustaría acompañarte.

—Todavía estoy en dique seco.

—Por poco tiempo.

Huskey apagó el televisor y apartó la comida.

—Aún queda por llenar un hueco —dijo—. ¿Qué pasó entre la muerte y el entierro o no entierro de Clovis?

—Te gusta saber hasta el último detalle, ¿eh? —comentó Patrick entre risas.

—Recuerda que soy juez. Los hechos son fundamentales.

Patrick se sentó y apoyó los pies descalzos en la mesa.

—Estuve a punto de echarlo todo a rodar. Robar un cadáver no es nada fácil, ¿lo sabías?

—Si tú lo dices...

—Le había insistido a Clovis para que dispusiera hasta el último detalle de su funeral. Hasta añadí un codicilo al testamento con instrucciones para la funeraria: féretro cerrado, nada de visitas ni de música, velatorio, ataúd de madera y una ceremonia sencilla.

—¿Ataúd de madera?

—Sí. Clovis se tomaba muy en serio lo de «polvo eres y en polvo te convertirás». Quería un ataúd de madera, lo más endeble posible. Como el de su abuelo. En fin, yo estaba en el hospital cuando murió y esperé a que llegara el coche mortuorio. El director de pompas fúnebres era la monda. Iba vestido de luto de la cabeza a los pies. Se llamaba Rolland, y era el propietario del único tanatorio del pueblo. Cuando llegó, le di una copia de las instrucciones y le expliqué que Clovis no tenía familia. El testamento me daba plena potestad para tomar decisiones, y Rolland no me puso ningún inconveniente. Solo me avisó de que eran las tres de la tarde, y de que se necesitaban varias horas para embalsamar el cadáver. También me preguntó si Clovis tenía algún traje. La verdad, no había caído en ese detalle. Le dije que no, que nunca lo había visto trajeado. Rolland dijo que él tenía alguno guardado y que se ocuparía de todo.

»En realidad, Clovis quería que lo enterrásemos en su granja, y tuve que explicarle más de una vez que en el estado de Mississippi solo se puede enterrar a la gente en los cementerios oficiales. Clovis contaba que su abuelo había sido un héroe de la guerra de Secesión y que, cuando murió, o sea, cuando él tenía siete años, su familia organizó un velatorio de tres días, a la antigua usanza. Decía que pusieron el ataúd en el recibidor, sobre una mesa, y que todos los vecinos entraron a verlo. A Clovis le gustó tanto la idea que decidió que él también quería algo así. Por eso me hizo prometer que lo velaría durante una noche. Cuando se lo expliqué a Rolland, me dijo que él había visto de todo.

»Quedamos en que lo esperaría en casa de Clovis, y, efectivamente, se presentó allí con el coche mortuorio poco después del anochecer. Juntos llevamos el ataúd hasta la entrada, lo subimos por la escalera y lo aparcamos en el salón, justo enfrente del televisor. Recuerdo que me sorprendió lo poco que pesaba. El pobre Clovis se había quedado en nada.

»¿Está solo? —me preguntó al ver que no había nadie más en el salón.

»Sí, es un velatorio íntimo —le dije yo.

»Entonces le pedí que abriera el ataúd. Al principio no le hizo mucha gracia, pero accedió cuando le expliqué que había olvidado entregarle algunos recuerdos de la guerra de Secesión con los que Clovis quería ser enterrado. Rolland abrió el féretro delante de mí, con una llave universal que habría abierto cualquier otro ataúd. Clovis tenía el mismo aspecto de siempre. Le cubrí el pecho con un estandarte deshilachado del Decimoséptimo de Mississippi y coloqué encima la gorra de su abuelo. Rolland volvió a cerrar el ataúd y se fue. Nadie se presentó al velatorio. Ni una alma. A medianoche, más o menos, apagué las luces y eché el cerrojo. La llave de Rolland era una Allen, y de esas yo tenía el juego completo. Me llevó menos de un minuto abrir el ataúd y sacar a Clovis. Casi no pesaba nada, pero estaba más rígido que una tabla. Y no llevaba zapatos. Al parecer, los zapatos no iban incluidos en el precio de tres mil dólares. En fin, dejé a Clovis en el sofá, puse cuatro ladrillos de ceniza dentro del ataúd y lo cerré.

»Acto seguido me fui a la cabaña con Clovis en el asiento de atrás. Conduje con mucho cuidado, porque no me habría gustado nada tener que contestar las preguntas de la policía de tráfico.

»Un mes atrás había comprado un congelador de segunda mano y lo había instalado en el porche cubierto de la cabaña. Acababa de meter a Clovis en el congelador cuando oí algo en el bosque. ¿Quién me iba a decir a mí que a las dos de la madrugada podían pillarme con las manos en la masa? Era Pepper. Le dije que acababa de pelearme con mi mujer y que estaba de muy mal humor; que volviera en otro momento. No creo que me viera arrastrar el cadáver hasta el porche. Sellé el congelador con cadenas, lo tapé con una lona y apilé unas cuantas cajas encima. Sabía que Pepper no andaba lejos, y preferí esperar hasta el amanecer. Entonces volví a casa y me cambié de ropa. A las diez estaba otra vez en casa de Clovis. Rolland llegó de muy buen humor y me preguntó por el velatorio. "Perfecto", le dije. No había habido excesos. Entre los dos llevamos el ataúd de vuelta al coche, y luego pusimos rumbo al cementerio.

Huskey escuchaba con los ojos cerrados y una sonrisa en los labios. La astucia de su amigo no conocía límites.

—No he visto cosa más retorcida... —dijo casi para sí.

—Gracias. Eso fue el jueves seis de febrero. El viernes por la tarde me fui otra vez a la cabaña a pasar el fin de semana. Redacté una demanda, cacé pavos con Pepper y eché un vistazo al viejo Clovis, que parecía descansar en paz. El domingo por la mañana salí de la cabaña antes del amanecer y dejé la moto y la gasolina en su sitio; luego llevé a Pepper a la estación de autobuses de Jackson. Cuando ya había oscurecido, saqué a Clovis de la nevera, lo dejé un rato delante de la chimenea para que se descongelara y después lo metí en el maletero del coche. A las diez ya estaba listo. Una hora más tarde estaba muerto.

—¿No tuviste remordimientos?

—Pues claro que sí. Había hecho algo terrible. Pero había tomado la decisión de desaparecer, y de alguna manera tenía que hacerlo. Por una parte, no podía matar a nadie; por la otra, necesitaba un muerto. Si lo piensas bien, no es una idea tan descabellada.

—¡Qué va! Es perfectamente lógica...

—Cuando Clovis murió me di cuenta de que había llegado el momento. En realidad, tuve suerte. Cuando pienso en todo lo que podría haber salido mal...

—Y la sigues teniendo.

—De momento.

Karl consultó el reloj y se comió otra pata de cangrejo.

—¿Qué le puedo contar al juez Trussel?

—Todo menos el nombre de Clovis. Eso me lo reservo.

40

Patrick se sentó a un extremo de la mesa. A diferencia de su abogado, sentado a su derecha y armado con dos carpetas y una hilera de libretas formadas en orden de batalla, él no necesitaba notas. A su izquierda estaba T. L. Parrish, con un solo bloc y un casete que pensaba utilizar con el permiso de Patrick. Para no complicar innecesariamente las cosas, todos los presentes habían acordado prescindir de ayudantes y lacayos; en su lugar, y por aquello de la fidelidad notarial, grabarían la sesión.

Una vez retirados los cargos federales, el peso de la justicia recaía sobre los hombros del Estado y de su representante en aquella reunión. El FBI había cedido su acusado a Parrish atraído por la captura de un pez mayor, el senador Nye, pero algo decía al fiscal que Lanigan no se conformaría con aquel arreglo. Estaba a su merced, y lo sabía.

—Ya se puede ir despidiendo de la pena de muerte, Terry —dijo Patrick—. Yo no he matado a nadie.

Aunque casi todo el mundo lo llamaba Terry, a Parrish le resultó chocante oír ese apelativo de boca de un acusado que hacía unos años ni siquiera conocía.

—¿Quién se quemó en el coche entonces?

—Alguien que llevaba muerto cuatro días.

—¿Alguien que conozcamos?

—No. Una persona mayor de la que nadie quería saber nada.

—¿De qué murió esta persona?

—De vieja.

—¿Dónde?

—Aquí, en Mississippi.

Parrish dibujaba líneas y cuadrados en su cuaderno. La retirada de los federales había dejado la puerta abierta, y Patrick estaba aprovechando el desconcierto general para salirse con la suya. Nada —ni siquiera esposas y grilletes— parecía bastante para detenerlo.

—¿Y le prendió fuego a un cadáver?

—Eso es.

—¿No tenemos ninguna ley contra eso?

Sandy pasó a Parrish una hoja de papel.

—Perdonen, pero es que no es un caso muy habitual.

—Dese por vencido, Terry —dijo Patrick con la confianza de quien lleva años preparando aquel instante.

T. L. Parrish no necesitaba que lo convencieran, pero no podía olvidar quién era tan fácilmente.

—Yo diría que un año en Parchman le sentará bien.

—No lo dudo, pero Parchman no entra en mis planes.

—¿Qué planes son esos?

—Ir a cualquier otro lugar con un billete de primera clase.

—No tan deprisa. Seguimos teniendo un cadáver.

—No, Terry, no tiene ningún cadáver. No tienen ni idea de qué es lo que tienen, y yo no pienso decírselo hasta que no hayamos hecho un trato.

—¿Qué clase de trato?

—Ustedes retiran los cargos y se olvidan del caso, y nosotros nos vamos a casa tranquilamente.

—¡Qué bonito! Cogemos al atracador de bancos, le hacemos devolver el dinero, retiramos los cargos y lo enviamos de vuelta a casa. ¡Justo lo que necesitan oír las otras cuatrocientas personas que tenemos pendientes de juicio en este momento! Sus abogados lo entenderán. Aceptar ese trato sería un golpe terrible para la justicia.

—Los otros cuatrocientos acusados me traen sin cuidado. Y sin duda el sentimiento es mutuo. Estamos hablando de un proceso penal, Terry. Tengo el mismo derecho que los demás a defenderme.

—No todos los casos son noticia de primera plana.

—Ya veo, le preocupa la prensa. ¿Cuándo es la reelección? ¿El año que viene?

—Soy el único candidato. La prensa no me preocupa demasiado.

—Pues claro que le preocupa. Usted ocupa un cargo público, así que preocuparse por la prensa forma parte de su trabajo. Precisamente por eso debería considerar seriamente la propuesta de retirar los cargos. El caso está perdido. ¿La primera plana, dice? Espere a ver su cara publicada cuando el jurado me declare inocente.

—La familia de la víctima no desea presentar cargos —informó Sandy—, y está dispuesta a manifestarlo públicamente —añadió blandiendo una hoja de papel.

El mensaje estaba claro: Nosotros tenemos las pruebas y la familia, nosotros sabemos quiénes son y ustedes no.

—Ya me imagino los titulares —lo provocó Patrick—. La familia suplicándole que no me procese.

¿Cuánto les ha pagado por su silencio? Parrish tenía la pregunta en la punta de la lengua, pero no la hizo. No era relevante. En vez de eso, siguió garabateando algo en el bloc y evaluando los daños causados por el enemigo. El casete, mientras tanto, captaba su silencio.

Patrick imaginó a su contrincante contra las cuerdas y decidió que había llegado el momento de noquearlo.

—Mire —dijo con franqueza—, usted no puede juzgarme por asesinato. Olvídese de eso. Y tampoco puede acusarme de haber mutilado un cadáver porque no sabe de quién era el cuerpo. En otras palabras, no tiene nada contra mí. Sé que es duro aceptarlo, pero los hechos son los hechos. ¿Que recibirá algunas críticas? Bueno, eso forma parte de su trabajo.

—Gracias por su comprensión, pero le comunico que sí puedo acusarlo de haber mutilado un cadáver. Lo llamaremos Juan Nadie y punto.

—¿Y por qué no Juana? —replicó Sandy.

—Como quieran. Investigaremos hasta el último diablo desaparecido a principios de aquel mes. Interrogaremos a los familiares y nos enteraremos de si han hablado con ustedes o no. Puede que incluso consigamos una orden judicial y exhumemos unos cuantos cadáveres. No tenemos prisa. Mientras tanto, lo trasladaremos a la cárcel del condado de Harrison, donde el sheriff Sweeney se encargará de buscarle los compañeros de celda más adecuados. Nos opondremos a la libertad bajo fianza y, teniendo en cuenta sus costumbres, ningún jurado se la concederá. Irán pasando los meses y llegará el verano. En la cárcel no hay aire acondicionado, ¿sabe? Usted perderá unos cuantos kilos más, y nosotros seguiremos escarbando hasta dar con la tumba vacía. Entonces, nueve meses, doscientos setenta días después de la presentación de los cargos, iremos a juicio.

—¿Cómo piensa probar que hice lo que usted dice? No hay testigos ni nada que se le parezca; solo evidencias circunstanciales.

—Será difícil. Pero no se trata de eso. Si tardo un par de meses en presentar los cargos, será como haberlos añadido a la sentencia. En total, habría pasado casi un año en la cárcel del condado antes de ir a juicio. Y un año es mucho tiempo para un hombre con tanto dinero.

—Puedo esperar —dijo Patrick tratando de no parpadear el primero.

—Tal vez, pero no puede permitirse el riesgo de una condena.

—¿Adónde quiere ir a parar? —preguntó Sandy.

—Consideren la situación en términos generales —dijo Parrish dibujando un arco con las manos—. No pueden dejarnos en ridículo. El FBI se ha escabullido por la puerta de atrás y el Estado no tiene mucho adonde agarrarse. Necesitamos algo que presentar a la opinión pública, lo que sea.

—Muy bien, le dejaremos ganar el juicio. Entraré en la sala de vistas, obedeceré al juez, escucharé su discurso y me declararé culpable del delito de mutilación de cadáver, pero no quiero saber nada de la cárcel. Explique al juez que la familia no desea presentar cargos; recomiende la libertad condicional, vigilada, una multa, una indemnización, una rebaja; háblele de la tortura y de todo lo que he pasado. Eso lo dejará en un buen lugar. Cualquier cosa con tal de no ir a la cárcel.

Parrish hizo repiquetear los dedos sobre la mesa mientras analizaba la situación.

—¿Y revelará el nombre de la víctima?

—Tan pronto como hayamos hecho un trato.

—Ya tenemos la autorización de la familia para la exhumación —añadió Sandy mientras mostraba otro documento a los presentes.

—Tengo prisa, Terry. Me están esperando.

—Antes tengo que hablar con Trussel. Necesitaremos su aprobación.

—No habrá ningún problema —vaticinó Patrick.

—¿Trato hecho entonces? —preguntó Sandy.

—Por mí no hay inconveniente —aceptó Parrish antes de apagar el casete.

Recogió su munición y la guardó en un maletín. Patrick guiñó un ojo a Sandy.

—Por cierto —añadió cuando ya se iba—, casi se me olvida. ¿Qué puede decirnos de Pepper Scarboro?

—Pues, su nuevo nombre y su número de la seguridad social.

—¿Quiere decir que está vivo?

—Sí. Pueden localizarlo, si quieren, pero no lo molesten. No ha hecho nada malo.

El fiscal abandonó la reunión sin decir una palabra más.

Leah Pires tenía una cita a las dos en punto en la sede central del Deutsche Bank en Londres. El vicepresidente era un alemán de modales impecables, sonrisa permanente, traje de doble botonadura y acento imperceptible. Recibiría de una de las sucursales de Zurich una transferencia por valor de ciento trece millones de dólares, y tendría que enviar el dinero de inmediato a la sede del AmericaBank en Washington. Leah le proporcionaría los números de cuenta y todas las instrucciones necesarias. El vicepresidente invitó a Leah a tomar té y galletas mientras él salía a hablar por teléfono con Zurich.

—Todo arreglado, señora Pires —anunció sonriente al regresar—. No habrá ningún problema.

Desde luego, Leah no esperaba tenerlo.

El ordenador emitió un pitido eficiente y facilitó un resguardo de la transferencia. El vicepresidente entregó el documento a Leah. Después de transferir los ciento trece millones, su saldo en el Deutsche Bank era de un millón novecientos mil dólares aproximadamente. Leah dobló el papel y se lo guardó en el bolso, un flamante modelito de Chanel.

Otra cuenta en Suiza reflejaba un saldo de tres millones. Un banco canadiense afincado en la capital de las islas Caimán tenía seis millones y medio en depósito. Un agente inversor de las Bermudas gestionaba un capital de cuatro millones, y siete millones doscientos mil dólares más esperaban en Luxemburgo el momento de ser transferidos a otro lugar.

Una vez hechas todas las gestiones, Leah salió del banco y regresó a su coche, que el chófer había aparcado no lejos de la puerta. El siguiente paso era llamar a Sandy y ponerlo al corriente de sus últimos movimientos.

La carrera de fugitivo de Benny Aricia fue corta. Su amiga pasó la noche en Frankfurt y aterrizó en el aeropuerto londinense de Heathrow a las doce del día siguiente. Su llegada había sido anunciada, y la policía la tuvo esperando un buen rato mientras comprobaba la validez de su pasaporte. Llevaba gafas oscuras y le temblaban las manos. Había una cámara filmando la escena.

En la parada de taxis la esperaba un agente infiltrado que la puso a la cola con otras dos señoras. Momentos después le asignó un coche conducido por un taxista de verdad que ya estaba sobre aviso y llevaba una radio en la cabina.

—Al hotel Athenaeum, en Piccadilly.

El taxista se alejó de la terminal y se unió al tráfico intenso del mediodía. De camino al hotel cogió la radio y comunicó su destino «a la central».

Una hora y media más tarde llegaban a la puerta del hotel. La amiga de Aricia tuvo que esperar otra vez ante el mostrador de recepción. El gerente se disculpó por el retraso y alegó una avería informática.

No podían dejarla subir a la habitación hasta que no estuvieran colocados los micrófonos. La joven dio una pequeña propina al botones, cerró la puerta con llave y se fue derechita al teléfono.

Las primeras palabras que transmitió el micrófono fueron: «Benny, soy yo. Ya estoy aquí».

—Gracias a Dios —exclamó Benny—. ¿Estás bien?

—Sí. Asustada.

—¿Te ha seguido alguien?

—No, creo que no. He ido con mucho cuidado.

—Espléndido. Oye, en Brick, cerca de Down Street, hay un café pequeñito. Está a dos manzanas de tu hotel. Te espero allí dentro de una hora.

—Vale. Benny..., tengo miedo.

—No pasa nada, cariño. Tengo muchas ganas de verte.

Benny no la estaba esperando cuando llegó al café. Al cabo de una hora se dio por vencida y volvió al hotel presa del pánico. Benny no llamó, y ella se pasó toda la noche en vela.

A la mañana siguiente cogió todos los periódicos del vestíbulo y se los llevó al comedor para repasarlos mientras tomaba café. Entre las páginas del *Daily Mail* encontró una gacetilla de dos párrafos sobre la captura de un fugitivo estadounidense, un tal Benny Aricia.

Le faltó tiempo para subir a hacer las maletas y reservar un billete de avión con destino a Suecia.

41

Con la inestimable colaboración de su colega Karl Huskey, el juez Trussel decidió dar prioridad al caso Lanigan y así poner punto final a tanto escándalo. Dentro de la comunidad jurídica de Biloxi circulaba ya el rumor de que las partes habían llegado a un acuerdo, rumor que debía competir en importancia con los que hacían referencia al bufete Bogan. Sumando los comentarios generados por uno y otro caso, puede decirse que en los pasillos del juzgado no se hablaba de otra cosa.

Trussel empezó la jornada requiriendo la presencia de T. L. Parrish y Sandy McDermott para que lo pusieran al corriente de las últimas incidencias. La reunión tenía que durar solo unos minutos, pero se alargó durante horas. Patrick intervino en la conversación personalmente y en no menos de tres ocasiones, siempre por obra y gracia del teléfono móvil del doctor Hayani. Ambos, médico y paciente, se hallaban en la cafetería del hospital disputando una partida de ajedrez.

—No le veo yo a este madera de presidiario —masculló el juez después de hablar con Patrick por segunda vez.

Ni su actitud ni sus palabras trataban de disimular hasta qué punto lo contrariaba tener que darse por vencido tan pronto, pero los hechos eran los hechos, y la acusación contra Lanigan hacía aguas por todas partes. Además, con la agenda llena de casos de narcotráfico y abuso de menores, ¿para qué perder el tiempo con el mutilador de cadáveres preferido de los medios de comunicación? Todas las pruebas contra Lanigan eran circunstanciales, y, teniendo en cuenta su fama de calculador, Trussel ya tenía pocas esperanzas puestas en aquel juicio.

Fiscal y abogado defensor discutieron la conveniencia de que Patrick se declarara culpable o inocente. Acordaron que el fiscal retirara los cargos que pesaban contra el acusado y los sustituyera por una imputación de menor gravedad de la que Patrick pudiera declararse culpable. En el transcurso de la primera reunión, Trussel habló por teléfono con el sheriff Sweeney, con Maurice Mast, con Joshua Cutter y con Hamilton Jaynes, que estaba en Washington. También comentó un par de cosas con el juez Huskey, que esperaba en la habitación de al lado, por si acaso.

Los dos jueces, al igual que Parrish, debían presentarse a la reelección cada cuatro años. Trussel nunca había tenido que enfrentarse a ningún rival y se consideraba intocable desde el punto de vista político. Huskey dejaba la judicatura. Parrish era un tipo sensible, aunque, como buen político, sabía cómo dar una imagen de imparcialidad e independencia. Los tres llevaban mucho tiempo metidos en el mundo de la política y, al cabo de los años, todos habían llegado a la misma conclusión: las medidas impopulares hay que aplicarlas deprisa, quitárselas de encima cuanto antes. Las dudas alimentan la polémica y trasladan el debate —antes, durante y después del juicio— a las primeras páginas de los periódicos.

El caso del cadáver misterioso quedó explicado en pocas palabras. Patrick se comprometió a revelar el nombre de la víctima y a autorizar la exhumación. Si el contenido del ataúd no había variado desde el día del falso entierro de Clovis, Patrick se declararía culpable en el juicio por mutilación. Si, por contra, tal como algunos esperaban, se producía alguna sorpresa, el acuerdo quedaría anulado y Patrick tendría que hacer frente a la acusación de homicidio en primer grado. En cualquier caso, la seguridad con la que el acusado relataba los hechos dejaba poco lugar a dudas.

Sandy encontró a su cliente en la cama del hospital, rodeado de enfermeras y atendido por el doctor Hayani. Se trataba de una cuestión urgente y tenía que hablar con el señor Lanigan en privado. Patrick pidió disculpas al personal médico y, una vez a solas con su abogado, repasó todos los documentos uno por uno y hasta los leyó en voz alta antes de firmarlos.

Al lado de la mesa de despacho improvisada de Patrick había una caja de cartón llena de libros. Sandy reconoció entre ellos algunos de los que había prestado a su cliente y dedujo que este tenía intención de mudarse muy pronto.

Sandy almorzó en la suite del hotel. Si es que se puede llamar almuerzo a comerse un sándwich de pie, mientras se lee en pantalla el documento que está corrigiendo una secretaria. La otra secretaria y los dos ayudantes del bufete McDermott ya estaban de vuelta en Nueva Orleans.

El teléfono apenas tuvo tiempo de sonar. Al otro lado del cable, una voz se identificó como Jack Stephano, de Washington. ¿Había oído hablar de él? Sandy respondió que sí. Stephano llamaba desde el vestíbulo del hotel y solicitaba una breve entrevista. Sandy accedió encantado. Trussel no esperaba a los letrados hasta las dos.

—He venido por curiosidad —dijo Stephano.

Sandy no se lo creyó. Estaban sentados en la sala de estar, ante una mesita donde apenas quedaba espacio para dos tazas de café.

—¿No le parece que debería disculparse? —sugirió Sandy.

—Tiene razón. A mis hombres se les fue un poco la mano. No deberían haber sido tan bruscos con su cliente.

—¿Ya está?

—Lo siento —mintió—. Reconozco que cometimos un error.

—Transmitiré sus disculpas a mi cliente. Estoy seguro de que significarán mucho para él.

—Sí, bueno, a lo que iba. Como verá, a mí esta historia ya no me va ni me viene. Mi mujer y yo vamos a pasar unos días de vacaciones en Florida, y he aprovechado para acercarme a hablar con usted. Seré breve.

—¿Han cogido a Aricia? —preguntó Sandy.

—Sí, hace unas cuantas horas. En Londres.

—Me alegro.

—Ya no trabajo para él. Además, nunca he tenido nada que ver con el fraude de los astilleros. A mí me contrató a raíz de la desaparición del dinero. Me pagaron para que lo recuperara. Yo lo intenté, cobré, y fin de la historia.

—¿Por qué ha venido a verme?

—Por pura curiosidad. Si encontramos a Lanigan fue gracias a un soplo, a alguien que lo conocía muy bien. Hace dos años recibimos una llamada de una agencia de detectives de Atlanta llamada Pluto Group. Nos dijeron que tenían un cliente en Europa dispuesto a vender cierta información relacionada con Lanigan. Nuestro presupuesto nos permitía ser generosos en este sentido, y accedimos a tener tratos con ellos. Toda la información que obtuvimos por mediación de Pluto resultó ser cierta. No cabía duda que su cliente, quienquiera que fuese, sabía mucho de Lanigan: de sus movimientos, de sus costumbres y de sus alias. Y estaba claro que actuaba según un plan de acción diseñado de antemano. Lo sabíamos, como también sabíamos que al final acabaría por llevarnos hasta nuestro objetivo; por eso nos obligamos a tener paciencia. Y por fin llegó el gran día. La dirección de Patrick Lanigan a cambio de un millón de dólares. Para demostrarnos que no se trataba de un engaño, nos entregaron varias instantáneas recientes de Lanigan. Lo habían fotografiado mientras lavaba el coche, un escarabajo rojo. En fin, pagamos el millón y así fue como encontramos a Patrick.

—¿Y quién era el cliente de Pluto?

—Eso es lo que me gustaría saber. Yo creo que tiene que ser la chica.

Sandy tardó unos segundos en reaccionar, y cuando lo hizo soltó un gruñido que no acabó de sonar a carcajada. Aún recordaba la historia de Leah sobre Pluto y el seguimiento de la investigación de Stephano.

—¿Sabe dónde está? —preguntó Stephano.

—No —respondió Sandy.

Sabía que estaba en Londres, pero desde luego no iba a decírselo a Jack Stephano.

—En total, el cliente misterioso se embolsó un millón ciento cincuenta mil dólares. Y cumplió su parte del trato, como Judas.

—Todo eso es historia. ¿Por qué ha venido a verme ahora?

—Por curiosidad, ya se lo he dicho. Si algún día llega a saber toda la verdad, le agradecería que me llamara. Ya sé que no me va nada en ello, pero no dormiré tranquilo hasta que no sepa a quién fue a parar el dinero.

Stephano se marchó sin otra recompensa que una vaga promesa de Sandy.

El sheriff Raymond Sweeney se enteró del trato durante el almuerzo, y no le hizo ni pizca de gracia. Intentó ponerse en contacto con Parrish y con el juez Trussel, pero los dos estaban demasiado ocupados para ponerse al teléfono. Cutter, por su parte, no estaba localizable.

Sweency decidió dejarse ver por el juzgado. Una vez allí, se apostó en el pasillo, entre los despachos de los dos jueces implicados en el caso, para ser el primero en enterarse de lo que estaba pasando. Mientras tanto, se dedicaría a especular en compañía de sus ayudantes y de los agentes que custodiaban el juzgado.

Los abogados comparecieron a eso de las dos y se negaron a hacer ninguna clase de comentario. La reunión debía celebrarse en el despacho de Trussel a puerta cerrada. Al cabo de diez minutos, el sheriff la interrumpió. Quería saber qué pasaba con Lanigan. El juez le explicó que su prisionero se declararía culpable, y que se había llegado a un acuerdo en este sentido que, en su opinión y en la de todos los presentes, beneficiaba los intereses de la justicia.

Sweeney no era de la misma opinión y no tuvo reparo en demostrarlo:

—¿No se dan cuenta de que nos está tomando el pelo? En la calle los ánimos están alterados. La gente comenta que cualquiera puede librarse de la cárcel si tiene bastante dinero. Estamos quedando como payasos.

—¿Se te ocurre algo mejor, Raymond? —preguntó Parrish.

—Me alegro de que me lo preguntes. Por de pronto, yo lo metería una temporada en la cárcel del condado. ¡Ya está bien de tantos privilegios! Y luego lo juzgaría como Dios manda.

—¿Por qué delito, si puede saberse?

—¡Esta sí que es buena! Ahora resultará que el señor Lanigan no robó noventa millones de dólares y que el cadáver se quemó solo. Diez años en Parchman. Eso es lo que yo llamo justicia.

—El robo no se cometió en este estado —explicó el juez—. Está fuera de nuestra jurisdicción. Se trataba de un delito federal y, en cualquier caso, el FBI ya ha retirado los cargos.

Sandy estaba en un rincón, concentrado en la lectura de un documento.

—Eso es que alguien metió la pata, ¿no?

—No fuimos nosotros —se apresuró a decir Parrish.

—Genial. Vete a contárselo a la gente que votó por ti en las elecciones. Échales la culpa a los federales, que no tienen que presentarse a las próximas. ¿Y qué pasa con lo del cadáver? ¿Es que van a consentir que confiese y luego se quede tan ancho?

—¿Cree usted que el señor Lanigan debería ser juzgado por ese delito? —preguntó el juez.

—¿A usted qué le parece?

—Adelante, Raymond —dijo Parrish—, dinos cómo demostrarías tú que Lanigan es culpable.

—Eso es cosa tuya. Tú eres el fiscal, ¿no?

—Sí, pero parece ser que tú eres el auténtico experto. Vamos, explícanos cómo te las arreglarías para obtener un veredicto de culpabilidad.

—Lanigan ha admitido que quemó el cadáver, ¿no?

—Sí. ¿Y tú crees que querrá subir al estrado y testificar en su contra?

—Ni lo sueñen —intervino Sandy.

—¿Es esa tu idea de un buen plan de ataque? —insistió Parrish.

Sweeney tenía el cuello y las mejillas colorados, y no cesaba de hacer aspavientos y de fulminar a los presentes con la mirada. Al cabo de unos segundos, cuando se dio cuenta de su inferioridad dialéctica, se tranquilizó.

—¿Cuándo? —preguntó.

—A última hora de la tarde —respondió el juez.

A Sweeney tampoco le gustaron aquellas prisas. Por todo comentario, se metió las manos en los bolsillos y se dirigió hacia la puerta.

—Al final todo queda en familia —dijo en voz alta.

—Nada como una familia unida —añadió Parrish con sarcasmo.

Sweeney dio un portazo y se fue por donde había llegado. Desde el coche —un vehículo sin distintivos— llamó a su chivato particular, un redactor del periódico de la Costa.

Con el permiso de la familia y del mismo Patrick —albacea testamentario—, la exhumación podría llevarse a cabo sin problemas. No dejaba de ser irónico que la responsabilidad de autorizar la apertura del ataúd para que Patrick pudiera librarse de la acusación de asesinato recayera precisamente en él, único amigo del difunto. Ni al juez, ni a Parrish, ni a Sandy les pasó por alto aquel detalle, una de tantas ironías relacionadas con el caso Lanigan.

Estrictamente hablando, la operación de abrir un ataúd con la sola intención de comprobar si estaba o no vacío no entraba dentro de la categoría de exhumación y, por la misma razón, no se veía afectada por la legislación de Mississippi. Eso ahorró trámites e hizo posible que el juez adoptara una actitud comprensiva. Al fin y al cabo, ¿quién podía salir perjudicado? La familia, desde luego, no. Y menos aún el ataúd, que, según todos los indicios, no servía para nada.

Rolland seguía siendo el único director de pompas fúnebres de Wiggins y se acordaba perfectamente del señor Clovis Goodman, de su abogado y de aquel extraño velatorio en el domicilio del finado. ¿Cómo no iba a acordarse?, le dijo al juez por teléfono. Sí, había leído algo sobre el caso Lanigan. No, no se le había ocurrido pensar que él y el abogado del velatorio pudieran ser la misma persona.

El juez Trussel le resumió los hechos de manera que quedara patente la importancia de la exhumación. No, Rolland no había abierto el ataúd después del velatorio. ¿Para qué? Mientras el juez hablaba con él por teléfono, Parrish le envió por fax las copias de las autorizaciones firmadas por Deena Postell y Patrick Lanigan, albacea del testamento.

Rolland se mostró más que dispuesto a colaborar. Era la primera vez que se veía envuelto en un caso parecido: en Wiggins la gente no solía dedicarse a robar cadáveres. La exhumación podía realizarse en cualquier momento; él era el dueño del cementerio.

Trussel envió al cementerio al secretario del juzgado y a dos ayudantes. La excavadora empezó a remover el suelo margoso de la tumba bajo la atenta mirada de Rolland, que esperaba el momento de intervenir con una pala en la mano. La inscripción de la lápida que acababan de retirar rezaba «CLOVIS F. GOODMAN, 23-1-1907 6-2-1992, R. I. P.». Bastaron menos de quince minutos para llegar a la profundidad a la que había sido enterrado el ataúd. Rolland y uno de sus empleados se metieron en el hoyo y siguieron cavando a mano. Las raíces de un chopo cercano habían empezado a rodear el féretro. Rolland se sentó a horcajadas sobre el ataúd y, con las manos sucias, colocó en su sitio la llave maestra. La tapa se resistió un poco, pero finalmente se abrió.

Como era de esperar, el ataúd estaba vacío.

Ladrillos aparte, claro está.

La idea era celebrar una vista pública, tal como disponía la ley, pero pretendían hacerlo poco antes de las cinco, cuando el juzgado estuviera a punto de cerrar y la mayoría de los empleados ya se hubieran ido. El juez y el fiscal del distrito, convencidos de la bondad del pacto pero —aun así— temerosos de la reacción pública, se contaban entre los más complacidos por el arreglo. Sí, las cinco era buena hora.

Patrick había aceptado declararse culpable, y el ataúd ya había sido abierto. Sandy no veía motivos para eternizar la situación y se había pasado el día abogando por un procedimiento expeditivo. ¿Por qué mantener a un hombre privado innecesariamente de su libertad?, había alegado sin demasiado éxito. El juzgado estaría hasta los topes de trabajo durante varios meses, y cualquier día era tan bueno o tan malo como el siguiente. ¿Qué ganaba nadie con aquella espera?

Nada, decidió finalmente el juez. Parrish no se opuso a la convocatoria inmediata de la vista. Le esperaban ocho juicios durante las tres semanas siguientes, y cuanto más trabajo pudiera quitarse de encima, mejor.

La defensa tampoco tuvo nada que objetar. Las cinco les parecía bien. Con un poco de suerte, el trámite no se alargaría más de diez minutos. Y con otro poco de suerte, su cliente pasaría inadvertido. A Patrick le iba bien a las cinco. A esa hora no tenía ningún otro compromiso...

Patrick se puso unos pantalones anchos, una camisa holgada de algodón y unos mocasines Bass nuevos, sin calcetines, por lo de las quemaduras del tobillo. Antes de abandonar el hospital se despidió efusivamente de Hayani y le agradeció sus demostraciones de amistad. Luego hizo lo mismo con las enfermeras y el personal auxiliar, y les prometió que iría a visitarlos. Era mentira, y todo el mundo lo sabía.

Después de más de dos semanas como paciente y prisionero, Patrick salió del hospital acompañado de su abogado y seguido, como siempre, por los miembros de su escolta armada.

42

Estaba claro que a todo el mundo le iba bien a las cinco. Lo malo es que todo el mundo incluía hasta el último empleado del juzgado. La noticia de la celebración de la vista había llegado a todos los rincones del edificio en cuestión de minutos.

Una secretaria que había ido al juzgado a buscar un título de propiedad oyó por casualidad las últimas noticias sobre el caso Lanigan. Le faltó tiempo para dirigirse al teléfono más cercano e informar a sus compañeros del evento. Pocos minutos después, toda la comunidad jurídica de la Costa sabía que Lanigan había aceptado declararse culpable de no se sabía qué delito, y que pensaba hacerlo en secreto y a las cinco en la sala de vistas principal del juzgado de Biloxi.

La noticia de una vista casi clandestina resultó ser el complemento ideal de los rumores que ya habían rodeado el caso hasta entonces. Todo el mundo tenía alguien a quien contársela: socios, cónyuges, periodistas preferidos, colegas lejanos, etcétera. En menos de treinta minutos, media ciudad se puso al corriente de que Patrick estaba a punto de comparecer ante el juez, cumplir con su parte del tan cacareado acuerdo con la fiscalía y, muy probablemente, obtener la libertad.

La vista habría pasado más inadvertida de haberse anunciado en periódicos y vallas publicitarias. Una decisión secreta y precipitada. Un caso rodeado de misterio. Sin duda se trataba de otro ejemplo de corporativismo.

Una vez reunidos en la sala de vistas, los curiosos formaron grupos inquietos. Además de intercambiar las últimas habladurías, tenían que estar pendientes de quién entraba y salía, y defender su derecho a ocupar el asiento que tenían reservado. Los rumores se vieron confirmados por la afluencia masiva de público —tanta gente no podía estar equivocada— y alcanzaron categoría de dogma cuando la prensa hizo acto de presencia en la sala.

—Ahí viene —dijo alguien, un secretario que pasaba cerca del estrado, y los curiosos ocuparon sus asientos.

Patrick ofreció una sonrisa a las dos cámaras que lo esperaban en la puerta de atrás del juzgado. Su escolta lo acompañó hasta la sala del jurado adyacente a la sala de vistas del primer piso y, una vez allí, le retiró las esposas. Los pantalones le quedaban un poco largos. Patrick se dio cuenta y se los acortó con una vuelta en los bajos. Al cabo de unos minutos, Karl entró en la habitación y pidió a los guardias que esperaran en el pasillo.

—¿Se han vendido todas las entradas? —comentó Patrick con ironía.

—Está visto que en esta ciudad no se puede mantener nada en secreto —dijo el juez—. Bonitos pantalones.

—Gracias.

—Conozco a un periodista del periódico de Jackson que...

—Ni hablar —lo interrumpió Patrick—. Ni una palabra a nadie.

—Ya me lo suponía. ¿Cuándo te vas?

—No lo sé. Pronto.

—¿Y la chica?

—En Europa.

—¿Puedo ir contigo?

—¿Para qué?

—Para verlo.

—Ya te mandaré el vídeo.

—Tu generosidad me conmueve.

—¿Va en serio lo de irte? Si tuvieras la oportunidad de desaparecer ahora mismo, ¿la aprovecharías?

—¿Con o sin noventa millones?

—Con y sin ellos.

—Pues claro que no. No sería lo mismo. Yo quiero a mi mujer; tú no querías a la tuya. Yo tengo tres hijos magníficos... Tu situación era muy diferente. No, no me gustaría desaparecer. Pero no te culpo por querer hacerlo.

—Karl, todo el mundo quiere desaparecer. Antes o después, todo el mundo sueña con irse. Vivir una vida mejor, en la playa, en las montañas, sin problemas... Forma parte de nosotros. Somos descendientes de un puñado de emigrantes que dejaron atrás una vida miserable para labrarse un futuro mejor. Primero en el este, luego en el oeste, siempre de aquí para allá, en busca de la tierra prometida. Nosotros ya no tenemos nuevos continentes que explorar.

—Vaya, no se me había ocurrido mirarlo desde una perspectiva histórica.

—Pues te lo recomiendo.

—¡Ojalá mis abuelos se hubieran agenciado unos cuantos millones antes de salir de Polonia!

—Ya los he devuelto.

—He oído hablar de cierto remanente...

—Uno de tantos rumores infundados.

—Oye, ¿crees que se pondrá de moda esto de hacer desfalcos, quemar cadáveres, huir a Sudamérica y caer en brazos de bellezas exóticas?

—A mí no me ha ido tan mal.

—Pobres brasileños. Si supieran las hordas de abogados sin escrúpulos que se les vienen encima...

En ese momento llegó Sandy con otro papelito que hacía falta firmar.

—Trussel está que echa chispas —comentó con el juez—.

El teléfono no para y el pobre ya no sabe dónde esconderse.

—¿Qué hay de Parrish?

—Otro que tal baila.

—Acabemos con esto antes de que cambien de opinión —propuso Patrick mientras firmaba el documento.

Un agente se acercó al estrado y comunicó a los presentes que la sesión estaba a punto de empezar y que debían tomar asiento. Los curiosos enmudecieron y buscaron dónde sentarse. Un segundo agente cerró las puertas de la sala. Los que tuvieron que quedarse de pie se arrimaron a las paredes. Todos los empleados del juzgado se las arreglaron para tener algo que hacer junto al estrado. Eran casi las cinco y media.

La sala se puso en pie al ver llegar al juez, tan estirado como siempre. Trussel dio la bienvenida a los presentes y encomió el interés que demostraban por el funcionamiento del sistema jurídico, sobre todo teniendo en cuenta la hora que era. Él y el fiscal del distrito habían decidido que la vista debía desarrollarse con la parsimonia habitual; de lo contrario, la gente pensaría que había gato encerrado. Incluso habían considerado la posibilidad de posponer la sesión, pero luego pensaron que un aplazamiento podía dar la impresión de que intentaban ocultar algo.

Patrick fue conducido al interior de la sala a través de la puerta contigua a la tribuna del jurado y ocupó su puesto frente al estrado, al lado de Sandy. No miró al público. Parrish estaba en la mesa de al lado, ansioso por salir al escenario. El juez Trussel leía detenidamente el expediente que tenía entre las manos.

—Señor Lanigan —dijo su señoría en el mismo tono pausado que utilizaría durante el resto de la vista—, ha presentado usted varias peticiones.

—Así es, señoría —respondió Sandy—. Solicitamos que la acusación de homicidio en primer grado sea sustituida por la de mutilación de cadáver.

Las palabras de Sandy resonaron por toda la sala. ¿Mutilación de cadáver?

—¿Señor fiscal? —dijo el juez.

Estaba previsto que Parrish llevara la voz cantante durante toda la sesión. A él correspondería el dudoso honor de exponer el caso ante el tribunal y, sobre todo, ante la prensa y el público reunido en la sala.

Parrish refirió con gran maestría los últimos acontecimientos. Ya no se trataba de juzgar un asesinato, sino un delito mucho menos grave. La fiscalía no se oponía a la petición de la defensa porque ya no había ningún indicio que hiciera pensar en la comisión de un asesinato por parte del acusado.

Parrish explicó todo esto mientras paseaba frente al estrado como el mismísimo Perry Mason, indiferente al procedimiento y a las normas de etiqueta que solían imperar en el juzgado. Por una vez, acusación y defensa hablaban por una misma boca.

—La siguiente petición del acusado hace referencia a su intención de declararse culpable del delito de mutilación de cadáver. ¿Señor Parrish?

El segundo acto fue parecido al primero. Parrish se regodeó en los detalles de la historia del pobre Clovis que había sabido por Sandy, mientras Patrick se sentía blanco de todas las miradas. ¡Mejor eso que ser un asesino!, habría gritado con gusto.

—Señor Lanigan —dijo el juez—, ¿cómo se declara?

—Culpable —respondió Patrick con firmeza pero sin orgullo.

—¿Desea la fiscalía recomendar alguna sentencia? —preguntó su señoría a continuación.

Parrish volvió a su mesa a rebuscar unas notas y luego regresó al estrado.

—Sí, señoría. Tengo aquí una carta de la señora Deena Postell, de Meridian, estado de Mississippi. La señora Postell es la única descendiente viva de Clovis Goodman.

Parrish entregó una copia de la carta al juez como si este no la hubiera visto nunca.

—En esta carta —continuó—, la señora Postell solicita a este tribunal que se abstenga de juzgar al señor Lanigan por haber quemado el cadáver de su abuelo. El señor Goodman murió hace más de cuatro años, y su familia no está dispuesta a revivir el dolor de su pérdida. Está claro que la señora Postell estaba muy unida a su abuelo y que su muerte fue un golpe muy duro para ella.

Patrick miró a Sandy de reojo. El abogado defensor no se inmutó.

—¿Ha hablado usted con ella? —preguntó el juez.

—Sí, señoría. Hace apenas una hora. Y se la notaba muy afectada, por cierto. Ha insistido en su deseo de no ver reabierto este caso, y me ha participado su intención de no colaborar con la fiscalía ni declarar como testigo en caso contrario. —Parrish volvió a su mesa en busca de otro papel. Hablaba al juez, pero en realidad se dirigía a la tribuna—. Teniendo en cuenta la situación emocional de la familia de la víctima, la fiscalía recomienda que el acusado sea condenado a doce meses de reclusión mayor y a pagar una multa de cinco mil dólares más las costas del juicio. Asimismo, la fiscalía recomienda que la pena de reclusión no se haga efectiva por estimar que el acusado tiene derecho a solicitar la libertad condicional.

—Señor Lanigan —dijo Trussel—, ¿está usted de acuerdo con la sentencia propuesta por el ministerio fiscal?

—Sí, señoría —respondió Patrick sin atreverse a levantar la cabeza.

—En tal caso, este tribunal hace suya la propuesta del ministerio fiscal. ¿Algo más?

Trussel levantó la maza y esperó. Ambos letrados renunciaron a tomar la palabra.

—Se levanta la sesión —anunció en voz alta.

Patrick abandonó la sala rápidamente, haciendo gala una vez más de su habilidad para desaparecer sin dejar rastro.

Luego estuvo una hora esperando a Sandy en el despacho de Huskey. La tarde fue cayendo a medida que los curiosos se daban por vencidos y se marchaban del juzgado a regañadientes. Patrick, en cambio, habría dado cualquier cosa por poder salir. Y cuanto antes mejor.

A las siete se despidió afectuosamente de su amigo Karl, le agradeció su apoyo incondicional y le prometió mantenerse en contacto con él. Camino de la puerta, volvió a darle las gracias por haber asistido a su entierro.

—La próxima vez —bromeó Huskey—, ya sabes dónde encontrarme.

Patrick y Sandy abandonaron Biloxi a bordo del coche de este, un Lexus. Sandy iba al volante. Patrick viajaba en el asiento del copiloto, serio y apagado, contemplando por última vez las luces del Golfo. Dejaron atrás los casinos de la playa de Biloxi y de Gulfport, el muelle de Pass Christian y, por último, la bahía de St. Louis.

Sandy le dio el número de teléfono del hotel. En Londres eran las tres de la madrugada, pero Eva levantó el auricular como si ya lo hubiera tenido en la mano

—¿Eva? Soy yo —dijo con cierto pudor. Sandy estuvo a punto de parar el coche para salir y no tener que escuchar la conversación—. Acabamos de salir de Biloxi. Vamos camino de Nueva Orleans. Sí, estoy bien, mejor que nunca. ¿Y tú?

Eva habló un buen rato. Patrick la escuchó con los ojos cerrados y la cabeza echada hacia atrás.

—¿Qué día es hoy? —preguntó.

—Viernes, seis de noviembre —respondió Sandy.

—Nos veremos en Aix, en el Villa Gallici, el domingo. Sí, exacto. Estoy bien, cielo. Te quiero. Anda, vuelve a la cama. Te llamaré dentro de unas horas.

Cruzaron la frontera de Luisiana en silencio.

—Esta tarde he tenido una visita muy interesante —le dijo Sandy en algún punto no muy lejano del lago Ponchartrain.

—¿Ah, sí? ¿Quién?

—Jack Stephano.

—¿Aquí, en Biloxi?

—Sí. Ha venido a verme al hotel. Ha dicho que había dejado el caso Aricia y que se iba a Florida de vacaciones.

—¿Por qué no le has pegado un tiro?

—Se ha disculpado. Ha dicho que sentía que sus hombres se hubieran pasado y me ha pedido que te lo dijera.

—El muy canalla. Estoy seguro de que no ha venido solo a presentar sus disculpas.

—No. Quería hablarme del topo de Brasil, de los de Pluto Group y de las recompensas. Me ha preguntado directamente si el traidor era Eva. Le he dicho que no lo sabía.

—¿Y se puede saber qué más le da?

—Buena pregunta. Ha dicho que se moría de curiosidad por saber quién era. Que le había pagado más de un millón de dólares en recompensas, que te había encontrado a ti, pero no el dinero, y que no volverá a dormir tranquilo hasta que sepa quién es. Me ha parecido que decía la verdad.

—Es muy posible.

—Me ha dicho que a él ni le iba ni le venía, o algo así. No me acuerdo exactamente.

Patrick apoyó el tobillo izquierdo sobre la rodilla derecha y se acarició la quemadura.

—¿Qué aspecto tiene? —preguntó.

—Cincuenta y cinco años, muy italiano, pelo cano y espeso, ojos negros... Bastante apuesto. ¿Por qué lo preguntas?

—Porque estoy harto de ver su cara por todas partes. Durante los últimos tres años, la mitad de los desconocidos con quienes me he cruzado en los lugares más recónditos de Brasil me han parecido Jack Stephano. He soñado que me perseguían cientos de veces, y mi perseguidor siempre era Jack Stephano.

Lo he visto agazapado en callejones oscuros y escondido entre los árboles. Me ha seguido en coche, en moto acuática y hasta a pie por las calles de São Paulo. He pensado más a menudo en él que en mi propia madre.

—Ahora ya es historia.

—Al final me harté, me rendí. La vida del fugitivo deja de ser una aventura cuando sabe que le están pisando los talones. Que alguien te está buscando mientras duermes. Que mientras estás cenando con una mujer maravillosa en una ciudad con diez millones de habitantes, en algún lugar hay alguien llamando a otra puerta, enseñando tu foto a un tendero, comprando información. Maldita avaricia. Si no me hubiera llevado tanto dinero, no habrían tenido que andar tras de mí. Supe que el final estaba cerca en cuanto me enteré de que estaban en Brasil.

—¿Qué has querido decir con eso de que te rendiste?

Patrick respiró hondo, cambió de postura y buscó inspiración en las aguas del otro lado del cristal.

—Me rendí. Me cansé de huir. Me rendí.

—Eso ya me lo has dicho.

—Sabía que tarde o temprano me encontrarían y decidí hacerlo a mi manera.

—¿Qué más?

—Lo de las recompensas fue idea mía. Eva se iba a Madrid y desde allí cogía un avión a Atlanta para reunirse con los de Pluto. Ellos cobraban por mantenerse en contacto con Stephano y ocuparse de las transacciones de dinero y de información. Cuando consideramos que ya le habíamos sacado bastante, le llevamos hasta mí, hasta la casa de Ponta Porã.

Sandy se volvió hacia Patrick lentamente, con la boca abierta y la mirada perdida.

—Los ojos en la carretera —lo reprendió Patrick.

Sandy hizo girar el volante y volvió al carril de la derecha.

—No puede ser —dijo sin apenas mover los labios—. No me lo creo.

—Pues créetelo. Le sacamos un millón ciento cincuenta mil dólares. Ahora debe de estar haciendo compañía al resto del dinero. En Suiza, seguramente.

—¿Quieres decir que no lo sabes seguro?

—Eva se ocupa del dinero. Ya me lo dirá cuando la vea.

Sandy no tenía palabras.

Patrick acudió en su ayuda.

—Sabía que me encontrarían y que intentarían hacerme hablar. Lo que no me imaginaba es que pudieran llegar tan lejos —dijo señalando la quemadura de su tobillo izquierdo—. Un poco más y no vivo para contarlo. Al final consiguieron hacerme hablar y les dije lo de Eva. Pero entonces ella y el dinero ya estaban a salvo.

—Podrían haberte matado —dijo Sandy mientras sujetaba el volante con la mano derecha y se rascaba la cabeza con la izquierda.

—Tienes razón. Tienes toda la razón del mundo. Por suerte, el FBI se enteró de que Stephano me había capturado al cabo de un par de horas. Eso fue lo que me salvó la vida. Stephano se dio cuenta de que no podía matarme con los federales tras la pista.

—Pero ¿cómo...?

—Eva llamó a Cutter para decírselo. Y él habló con Washington.

Sandy sintió el impulso de bajar del coche y ponerse a gritar. De asomarse al puente y soltar improperios hasta no poder más. Cuando por fin creía saberlo todo del pasado de Patrick, vuelta a empezar con los misterios.

—No deberías haberte entregado.

—¿Ah, no? ¿No acabas de verme salir del juzgado? ¿No acabas de oírme hablar con la mujer que quiero y que administra nuestra pequeña fortuna? Por fin he conseguido librarme del pasado, Sandy. ¿No lo entiendes? Ya no tengo a nadie pisándome los talones.

—Te has arriesgado demasiado.

—Lo justo. Tenía el dinero, las cintas, una buena coartada... y cuatro años para planear hasta el último detalle.

—Lo de la tortura no entraba en tus planes.

—No, pero las cicatrices se borrarán con el tiempo. No me lo estropees, Sandy. ¿No ves que estoy en racha?

Sandy lo dejó en casa de su madre, en la casa donde había vivido de niño. La señora Lanigan tenía un pastel en el horno e invitó a Sandy a compartirlo con ellos. Sandy declinó la invitación. Sabía que madre e hijo tenían muchas cosas que contarse y, además, hacía cuatro días que no veía a su mujer y a sus hijos. Camino de su casa, Sandy siguió dando vueltas a todo lo que había oído.

43

Se despertó antes del amanecer en una cama en la que no había dormido desde hacía casi veinte años, en una habitación que no había visto desde hacía casi diez. Los años transcurridos le parecían distantes, ajenos a su vida de entonces. Las paredes se le antojaban más juntas; el techo, más bajo. El paso de los años también había ido borrando sus recuerdos de juventud: los banderines de los Saints, las fotos de modelos rubias enfundadas en trajes de baño...

Como resultado de la convivencia de dos personas que raras veces se dirigían la palabra, Patrick había convertido su habitación en un auténtico santuario. Se había acostumbrado a cerrarla con llave, por ejemplo, mucho antes de alcanzar la adolescencia, y sus padres nunca ponían los pies en ella sin antes haber pedido permiso.

Al cabo de los años volvía a oír el ruido de los cacharros de la cocina. Su madre estaba preparando el desayuno en el piso de abajo, y el aroma del beicon invadía toda la casa. Había madrugado pese a la hora a la que se habían acostado la noche anterior. Tenía ganas de seguir hablando, y era lógico.

Patrick se desperezó con cuidado para no hacerse daño. Le habían salido costras alrededor de las quemaduras y aún tenía la piel tirante. Cualquier gesto brusco bastaba para abrir la herida y provocar una pequeña hemorragia. Patrick se palpó las heridas del pecho resistiendo la tentación de rascarse y aliviar el escozor. Luego cruzó los pies, enlazó las manos tras la nuca y levantó la vista hacia el techo con una sonrisa arrogante. Ya no era un fugitivo. Patrick y Danilo habían pasado a la historia, y las sombras que los habían perseguido durante años habían sido completamente derrotadas. Stephano, Aricia, Bogan y compañía, el FBI, Parrish y su ridícula acusación..., todos habían ido cayendo. La caza había terminado.

Al entrar la luz del sol por la ventana, la habitación le pareció todavía más pequeña. Patrick se dio una ducha rápida y se curó las heridas con un ungüento y gasas limpias.

Había prometido a su madre que le daría más nietos, y que estos ocuparían el vacío dejado por Ashley Nicole. La abuela, sin embargo, aún soñaba con volver a ver a su nieta. También le había contado maravillas de Eva y le había asegurado que no tardaría en conocerla; muy pronto irían a verla a Nueva Orleans. No, todavía no habían hecho planes para la boda, pero todo se andaría.

Mientras ellos comían gofres y beicon y bebían café en la terraza, las viejas calles de la ciudad despertaban de nuevo a la vida. Después de desayunar, y sin dar a los vecinos ocasión de pasar para felicitarlos, salieron a dar un paseo en coche. Patrick tenía ganas de volver a ver su ciudad, aunque fuera solo durante un rato.

A las nueve, la señora Lanigan y su hijo entraron en Robilio Brothers, la tienda de Canal Street. Poco después Patrick volvió a salir equipado con camisas y pantalones nuevos y una bonita maleta de cuero. La escapada finalizó con unos *beignets* en el Café du Monde, en Decatur Street, y un almuerzo en el café Bon Bon.

Esperaron juntos frente a la puerta de embarque casi una hora, cogidos de la mano y en silencio. Cuando la azafata anunció su vuelo, Patrick estrechó a su madre entre sus brazos y prometió llamarla a diario. A ver cuándo le iba a dar esos nietos, le dijo ella al despedirse, con una sonrisa triste en los labios.

Al cabo de un rato aterrizó en Atlanta. Desde allí, y utilizando un pasaporte expedido a su nombre y entregado a Sandy por Eva, se dirigió a Niza a bordo de un segundo avión.

No había visto a Eva desde hacía un mes, cuando pasaron juntos en Río un fin de semana, en el que no se habían separado ni un solo instante. Por aquel entonces Patrick ya sabía que sus perseguidores le iban pisando los talones, que el final estaba cerca.

Recorrieron abrazados las playas abarrotadas de Leblon e Ipanema sin hacer caso de las voces alborotadas que oían a su alrededor. Trasnocharon y cenaron en sus restaurantes favoritos —Antonino's y Antiquarius—, aunque sin demasiado apetito. Frases cortas, palabras dulces. Las conversaciones largas siempre acababan en lágrimas.

Eva estuvo a punto de convencerlo de que huyera otra vez, de que abandonara el país mientras aún fuese posible. Se esconderían juntos en un remoto castillo escocés o en un minúsculo apartamento romano donde nadie pudiera dar con ellos jamás. Pero Patrick estaba cansado de tanto huir.

A última hora de la tarde subieron en tranvía hasta la cima de Pan de Azúcar para contemplar el atardecer sobre Río. La vista nocturna de la ciudad era espectacular, por más que, en determinadas circunstancias, resultara difícil apreciarlo. Patrick la abrazó para protegerla del viento y le prometió que algún día, cuando todo hubiera pasado, volverían a aquel lugar, contemplarían el mismo atardecer y harían planes para el futuro. Eva hizo un esfuerzo por creerlo.

Se despidieron en una esquina, cerca del apartamento de Eva. Patrick la besó en la frente y luego se perdió entre el gentío. La dejó llorando en la calle porque cualquier cosa le parecía preferible a una escena melodramática en un aeropuerto lleno de gente. Desde Río viajó en dirección oeste; el tamaño de los aviones y los aeropuertos disminuía cada vez que hacía una escala. Cuando llegó a Ponta Porã ya era de noche. Su escarabajo lo esperaba en el aeropuerto, en el mismo lugar donde lo había dejado aparcado, y lo llevó a través de las calles silenciosas del pueblo hasta Rua Tiradentes y su modesto hogar. Patrick lo dejó todo arreglado y se dispuso a esperar.

Todos los días, entre las cuatro y las seis de la tarde, Eva recibía una llamada suya, una llamada en clave en la que nunca utilizaba el mismo nombre.

Y un buen día, de repente, el teléfono no sonó.

Habían dado con él.

El tren de Niza llegó a Aix a la hora prevista, unos cuantos minutos después de las doce del mediodía. Era domingo. Patrick saltó al andén y la buscó entre los demás pasajeros, pero no se sorprendió al no encontrarla. Su gesto había sido más bien el producto de una esperanza, casi de una plegaria. Cargado con su flamante maleta llena de ropa nueva, se subió en un taxi y atravesó la ciudad en dirección a Villa Gallici, un hotel de las afueras. Eva había reservado una habitación a nombre de los dos: Eva Miranda y Patrick Lanigan. ¡Qué agradable resultaba la vida ordinaria, la posibilidad de viajar sin el *atrezzo* de pasaportes falsos y nombres supuestos! La recepcionista le dijo que Eva aún no había llegado y Patrick se sintió desfallecer. Había soñado con abrir la puerta de la habitación y sorprenderla en ropa interior, dispuesta y seductora. Un sueño tan real que casi había llegado a tocarla.

—¿Cuándo se hizo la reserva? —preguntó contrariado.

—Ayer. La señora llamó desde Londres y dijo que llegaría esta mañana, pero aún no hemos sabido nada de ella.

Patrick subió a la habitación y tomó una ducha. Luego

deshizo el equipaje y pidió que le subieran té y pastas. Se durmió soñando que la oiría llamar a la puerta y se levantaría para recibirla con los brazos abiertos.

Dejó un mensaje para Eva en recepción y salió a dar un paseo por la hermosa ciudad renacentista. El aire era frío y transparente. Noviembre acababa de empezar y Provenza era una auténtica delicia. Tal vez aquel fuera un buen lugar donde instalarse. Animado por ese pensamiento, Patrick contempló las viviendas pintorescas que jalonaban las viejas calles estrechas y se dijo que sí, que ese sería un buen lugar para vivir. Al margen de sus otros encantos, Aix contaba con la ventaja de ser una ciudad universitaria donde la cultura ocupaba un lugar privilegiado. Eva dominaba el francés y a él le apetecía mucho perfeccionar sus conocimientos, algo rudimentarios. Sí, su próxima lengua sería el francés. Se quedarían en Aix una semana, o puede que más, y luego volverían a Río a pasar una temporada. Pero cabía la posibilidad de que Río no les pareciera ya su hogar. Borracho de libertad, Patrick quería vivir en todas partes, asimilar diferentes culturas, aprender varios idiomas.

Tras desembarazarse de dos jóvenes misioneros mormones, se dispuso a recorrer el Cours Mirabeau. Allí se sentaría a tomar un café en el mismo local donde, un año antes, había estrechado la mano de Eva entre el vaivén de estudiantes. No había por qué alarmarse, se dijo. Solo se trataba de un retraso en el vuelo. Patrick se obligó a esperar hasta que se hizo de noche. Entonces se levantó y volvió andando como si tal cosa hasta el hotel.

Eva no había llegado ni había dejado ningún mensaje. Nada. Patrick llamó al hotel de Londres y se enteró de que Eva había pagado su cuenta el día anterior, es decir, el sábado, a eso de las once.

Patrick salió a la terraza del hotel, anexa al comedor, y se sentó en un rincón desde donde se dominaba el mostrador de recepción. Así la vería llegar. Para combatir el frío, pidió que le sirvieran dos coñacs dobles.

Si hubiera perdido el avión, se dijo, ya habría llamado. Si hubiera tenido problemas con los de aduanas, ya habría llamado. Si hubiera surgido cualquier otro incidente relacionado con pasaportes, visados y billetes, ya habría llamado. Nadie la perseguía. Todos los malos estaban encerrados o bien habían aceptado dinero a cambio de renunciar a sus pretensiones.

Otra dosis de coñac en un estómago vacío. Patrick no tardó en notar los efectos de la embriaguez y tuvo que empezar a beber café para mantenerse despierto.

A medianoche, cuando el bar cerró, volvió a su habitación. En Río eran las ocho de la mañana. Patrick solo había hablado con el padre de Eva un par de veces y habría preferido no tener que llamarlo —le constaba que el pobre hombre ya había sufrido bastante—, pero no se le ocurría nada mejor. Eva lo había presentado en su día como un amigo y cliente canadiense. Patrick añadió que estaba en Francia y que necesitaba discutir cierta cuestión legal con su abogada brasileña. Se disculpó por llamarlo a su casa y a una hora tan temprana, pero alegó que no conseguía dar con ella. Se trataba de un asunto importante, urgente. Paulo no quería hablar, pero el hombre de Canadá parecía saber muchas cosas sobre su hija.

Paulo le dijo que Eva estaba en Londres y que había hablado con ella el sábado. No quiso dar más detalles.

Patrick soportó dos horas de agonía y luego despertó a Sandy.

—Ha desaparecido —le dijo, presa del pánico.

Sandy tampoco había tenido noticias de ella.

¿Dormir? Ni siquiera valía la pena intentarlo. Patrick bajó a recepción y engatusó a la recepcionista para que preparara café. Los dos estuvieron hablando toda la noche.

Patrick vagó por las calles de Aix durante dos días. Dio paseos interminables, durmió a horas intempestivas, dejó de comer, bebió litros de coñac y de café cargado, puso a prueba la paciencia de Sandy y asustó al pobre Paulo con sus insistentes llamadas. De repente le pareció que la ciudad había perdido su encanto. Solo, encerrado en su habitación, lloró desconsoladamente la pérdida de su amor, y, solo también, maldijo por las calles el nombre de la mujer de la que seguía enamorado.

El personal del hotel observaba sus idas y venidas. Al principio los había mortificado preguntando una y otra vez por un mensaje que no llegaba; al cabo de los días, apenas los saludaba. Llevaba días sin afeitarse. Parecía cansado. Bebía demasiado.

Al tercer día se marchó. Dijo que volvía a Estados Unidos. Antes de partir pidió a su recepcionista favorita que guardara un sobre cerrado. Por si acaso madame Miranda se decidía a aparecer.

Patrick decidió probar suerte en Río. ¿Por qué? No estaba seguro. Le constaba que era una de las ciudades preferidas de Eva, pero podía afirmar con la misma certeza que era el último lugar donde habría esperado encontrarla. Eva sabía dónde esconderse, cómo desaparecer, cómo cambiar de identidad, cómo hacer transferencias instantáneas y cómo gastar dinero sin llamar la atención.

No en vano había sido discípula de un gran maestro. Patrick se arrepintió de haberle enseñado tanto. Nadie encontraría a Eva Miranda si ella no quería ser encontrada.

Patrick fue a ver al padre de Eva. En el transcurso de una dolorosa conversación, le desveló la verdad de toda la historia. El viejo profesor se derrumbó ante sus ojos, llorando y maldiciendo el día en que su hija lo había conocido. La visita había sido fruto de la desesperación y resultó completamente estéril.

Patrick se hospedó en hoteles pequeños cercanos al apartamento de Eva y recuperó el hábito de recorrer las calles memorizando las caras de los demás transeúntes. Tan solo el motivo había cambiado. De presa había pasado a cazador. A cazador desesperado.

¿Por qué se hacía ilusiones? ¿Por qué seguía buscando su cara cuando él mismo le había enseñado cómo ocultarla?

El dinero fue menguando poco a poco, y Patrick acabó llamando a Sandy para pedirle cinco mil dólares. El bueno de Sandy no solo se los prestó gustoso, sino que incluso le ofreció más.

Al cabo de un mes, Patrick abandonó la búsqueda, se subió a un autobús y atravesó el país camino de Ponta Porã. Allí podría vender la casa y puede que también el coche. En total sacaría unos treinta mil dólares por ellos. Aunque otra posibilidad era conservar la casa y buscar trabajo. De ese modo podría vivir en un pueblo y en un país que adoraba. Se imaginó dando clases de inglés y viviendo tranquilamente en Rua Tiradentes, donde las sombras habrían desaparecido pero los mocosos descalzos seguirían jugando al fútbol sobre las baldosas ardientes de las aceras.

¿A qué otro sitio podía ir? Había llegado al término de su viaje. Su pasado, por fin, estaba cerrado.

Algún día Eva iría a buscarlo. Seguro.

Agradecimientos

Para escribir este libro, al igual que hice con los anteriores, he recurrido a los conocimientos de muchos amigos. Desde aquí les doy las gracias. Steve Holland, Gene McDade, Mark Lee, Buster Hale y R. Warren pusieron a mi disposición su experiencia y se preocuparon de ratificar un sinfín de detalles. Will Denton volvió a leer el manuscrito y, de nuevo, veló por que todos los hechos fueran verosímiles desde el punto de vista jurídico.

En Brasil conté con la ayuda de Paulo Rocco, amigo y editor. Él y su encantadora esposa, Angela, compartieron conmigo su querida Río, la ciudad más hermosa del mundo.

Todos ellos resolvieron con acierto las dudas planteadas. Las certezas equivocadas son, como siempre, culpa del autor.

Impreso en Talleres Gráficos
LIBERDÚPLEX, S.L.U.
Pol. Ind. Torrentfondo
Ctra. Gelida BV-2249 Km. 7,4
08791 Sant Llorenç d'Hortons (Barcelona)